ADOLESCENTES instrucciones de uso

Cómo acercarte a ellos y ganar su confianza

Título original: *Adolescenti: istruzioni per l'uso*
Traducción: Alberto Jiménez Rioja
Cubierta: Basada en el diseño original de Marco Santini

Dirección editorial: Raquel López Varela
Coordinación editorial: Ángeles Llamazares Álvarez
Maquetación: Eduardo García Ablanedo
Revisión de textos: Nuria Jiménez Rioja

Carretera León-La Coruña, km 5 - LEÓN
ISBN: 978-84-441-2142-0
Depósito Legal: LE: 990-2012
Printed in Spain - Impreso en España

EDITORIAL EVERGRÁFICAS, S. L.
Carretera León-La Coruña, km 5
LEÓN (ESPAÑA)

Aunque los protagonistas de los casos hayan participado en el programa de televisión hemos preferido utilizar nombres supuestos, tanto para ellos como para sus familiares, a fin de preservar su privacidad.

Atención al cliente: 902 123 400

Giovanna Giuffredi
Luca Stanchieri

ADOLESCENTES
instrucciones de uso
Cómo acercarte a ellos y ganar su confianza

Contenidos

INTRODUCCIÓN

Un pastel se puede comprar sin más ni más o prepararse siguiendo una buena receta y mezclando a placer los ingredientes según los gustos de cada cual. Si la intención es buena y respeta los principios de calidad, el resultado satisfará los paladares más exigentes.

De este modo, el estilo educativo de los padres puede ser más o menos dirigista, tener infinitos matices, ser tan distinto como lo son las personas... pero lo que cuenta es el acuerdo sobre los fines: mejor que mejor si estos toman en consideración la felicidad y la autorrealización de los hijos.

Para nosotros el reto ha sido escribir un libro a cuatro manos respetando nuestros diversos enfoques y estilos. Hemos de confesar que al principio nos agobiaba un poco compartir el mismo sesgo, pero después decidimos sencillamente respetar y valorar nuestra diversidad, tal como hicimos durante la emisión de los programas de *Adolescentes. Instrucciones de uso.* Decidimos contar el universo de los jóvenes y de sus padres, cada uno desde nuestro punto de vista, explorando las dinámicas de los adolescentes y de los familiares en la realidad cotidiana, e indagamos también en los centros de enseñanza; los chicos seguidos durante los programas han sido el punto de partida para afrontar temáticas específicas. Les estamos profundamente agradecidos por habernos ofrecido la oportunidad de hacerlo.

Giovanna ha elegido la vía del *coaching* autorregenerativo, que estimula la búsqueda autónoma de las propias motivaciones y respuestas, una vía que facilita el desarrollo evolutivo y ecológico. Luca, por su parte, ha aplicado el *coaching* humanístico, que individualiza el análisis y el desarrollo de las potencialidades en la vía de la propia realización; ofrece también puntos de partida para posibles recorridos educativos. Así pues, siendo nuestros enfoques muy distintos en el plano metodológico y relacional, participan de las mismas convicciones: creemos en el valor de la unicidad de la persona, reconocemos la riqueza de los rasgos y de los talentos potenciales de cada adolescente, respetamos el derecho de los chicos a abrirse y autodeterminarse, a conquistar la autonomía y la independencia para convertir la propia vida en una obra única y satisfactoria. Intentamos, además, ayudar a los padres a convertirse en los mejores aliados de los hijos para apoyarlos, estimularlos y educarlos durante el camino, respetando sus elecciones. Nos une, por último, la pasión por el *coaching* y por el trabajo codo a codo con los adolescentes y las familias, a quienes damos las gracias de corazón, porque todo lo que aquí ofrecemos lo hemos aprendido gracias a las experiencias maduradas con ellos.

Nos complace mucho la idea de proponer nuestra diversidad como entrenadores de los lectores más diversos y les quedamos muy agradecidos por elegirnos como aliados.

Giovanna Giuffredi y Luca Stanchieri

EN BUSCA DE MOTIVACIONES Y RESPUESTAS

por Giovanna Giuffredi

A mis hijas

UN VIAJE DE EXPLORACIÓN

¿Quién puede afirmar que no ha sufrido la influencia de la propia familia? Para bien o para mal, somos fruto de nuestra historia. Gracias o a causa de las experiencias que hemos vivido en la infancia y la adolescencia, hoy somos más o menos como quisimos ser. A menudo los padres, normalmente de buena fe, indican caminos que no siempre se corresponden con los que querrían transitar los hijos. Ya sabemos que el oficio de progenitor es difícil y complicado, y que nadie lo enseña: guiar, proteger, facilitar, valorar, apoyar y dejar marcharse son fases que deben superarse con naturalidad y armonía, pero frecuentemente no es así. En mi trabajo me he encontrado con muchísimos chicos que tienen que tomar decisiones académicas o profesionales, los he apoyado en sus elecciones, en sus crisis existenciales o familiares, o tan solo en poner a punto un método de estudio eficaz. Jóvenes que dudan de su futuro, en conflicto con el mundo de los adultos, con crisis de identidad, con escasa autoestima, pero ricos en recursos y potencialidades. He podido también hablar con un enorme número de padres, y una lectura superficial de los datos obtenidos parece indicar que siempre se presentan los mismos problemas: madres y padres decepcionados e hijos que sufren. No obstante, ningún caso es del todo un hito representativo de una realidad específica en la que toda generalización supone un riesgo. Puede sostenerse, sin embargo, que los chicos necesitan poco para abrirse, y que a veces solo esperan la ocasión para mirar con confianza el mañana. La confianza es contagiosa: cuanta más se recibe, más se está dispuesto a dar.

Los progenitores se muestran con frecuencia confusos e inermes y piden ayuda en forma de consejos. De aquí nace la idea de este libro: una ocasión para enfrentarse a casos reales, para ponerse a prueba, para reencontrar el sentido de ser padres, para descubrir motivos de reflexión o métodos educativos adecuados a fin de ayudar a los propios hijos a convertirse en lo que potencialmente son.

No tengo intención de ofrecer indicaciones sobre cómo gestionar mejor a los adolescentes, ni proporcionar a los lectores sugerencias, consejos o recetas para entender lo que son ni lo que quieren. Intentaré contener mis respuestas para ayudar al lector a descubrir las suyas. Le haré partícipe, sin embargo, de las reflexiones que animan mi página web personal. Si el lector tiene el deseo de conocerlas, de participar en discusiones, de escuchar la mente con el corazón, de abrir nuevas perspectivas interrogándose y encontrando el camino para actuar de modo *ecológico* con estos jóvenes, entonces mi empeño de apoyarlo y acompañarlo en este viaje de exploración habrá tenido éxito. Corresponde al lector establecer cómo comunicarse de modo convincente, coherente y eficaz con los hijos, teniendo en cuenta que lo importante de la comunicación no es tanto la intención como el resultado obtenido[1]. Cada uno de nosotros es responsable del efecto de sus palabras y de cómo las utiliza (gestos, ademanes, expresiones, posturas, tono y timbre de la voz). Si, a pesar del deseo de establecer una relación eficaz, suscitan únicamente broncas y gritos, cerrazón y malas contestaciones, queda sin duda un amplio margen de mejora.

¿Puede un progenitor transformarse en un *coach* para su hijo? Tal vez resulte excesivo, pero puede ciertamente desarrollar las capacidades fundamentales de un *coach* para facilitar la relación y redescubrir el placer de estar juntos. El propósito de este libro es ofrecer elementos iniciales de reflexión e instrumentos en línea con el enfoque del *coaching*. Haciendo referencia a casos reales, explicaré qué elecciones metodológicas y qué enfoques he utilizado con los chicos para resolver nudos y tensiones emotivas, para activar el deseo de soñar y de proyectar un futuro mejor o para descubrir el placer de estar en familia.

[1] Paul Watzlawick, *Teoría de la comunicación humana*. Herder, Barcelona 1997.

Todo lo que aquí se dice es fruto de mi experiencia profesional, con el valor y los límites de las historias específicas vividas; habrá lectores que se vean reflejados, o que se inspiren en lo que leen, o que lo aprueben o lo rechacen todo. Compartiré con usted las acciones personales sobre los chicos que he tenido la suerte de conocer y daré cuenta de buena parte de lo que sus progenitores me han contado. Pido excusas a los protagonistas si la narración emerge de mis interpretaciones personales, esos filtros interiores de la realidad que producen lecturas parciales.

Cuando usted lea estas páginas, tome lo que le sirva y olvídese de todo lo demás. En última estancia, confíe sobre todo en las emociones, las ideas, las reflexiones que le susciten. Aférrese a las intuiciones que experimenta y póngalas en práctica, atesore las experiencias y confíe en sus decisiones. No me asombraría que, después de haber leído este libro, escribiera usted el suyo propio. Puede serle útil, en realidad, anotar las consideraciones, las ideas que le vengan a la cabeza mientras esté leyendo. Plasmarlas en unas hojas le ayudará a que las emociones se transformen en pensamientos y después en actos. En este libro, por tanto, encontrará preguntas pensadas para suscitar su reflexión.

"COACHING" EN LA TELE

Seguir a chicos que se encuentran en pleno proceso evolutivo no es el trabajo más fácil del mundo, pero hacerlo en el ámbito de un formato televisivo comporta riesgos adicionales si se pierde de vista la autenticidad de la relación. Por este motivo me sorprendió que la productora Magnolia me preguntara si estaba dispuesta a trabajar en un formato que pretendía ocuparse de adolescentes *en crisis*. En primer lugar, me invadieron la perplej
y la resistencia: temía que lo que se esperase de mí fueran i
venciones curativas sobre los *chicos*, "recetas" para los pac

en el peor de los supuestos, que se pretendiera únicamente hacer espectáculo. La primera persona con quien hablé, Alexandra Lera, disipó estos escrúpulos. Era la responsable de la producción y me aclaró abiertamente los objetivos del programa; nos pusimos de acuerdo tanto en el sesgo como en las referencias éticas que lo inspirarían. Me daban carta blanca para tratar mi trabajo como yo quisiera y ayudar a los chicos y a sus familias a reencontrar el equilibrio. ¿Cómo proceder, entonces? Aplicando sencillamente el que ha sido mi enfoque metodológico favorito: el *coaching*. Un proceso sencillo y riguroso que hace referencia a modelos específicos para garantizar la eficacia de la intervención.

Han sido muchas las personas que me han preguntado hasta qué punto son verdad las historias narradas en el transcurso de los programas. Yo no soy actriz, ni tampoco lo son los chicos con los que me he encontrado ni las familias que han pedido mi intervención. El personal de producción, los realizadores y los operadores nos han ayudado a superar los primeros momentos de embarazo, aunque cuando empezamos a trabajar juntos nos olvidábamos de todo, incluso de nosotros mismos. Hemos representado lo que somos.

Solo el entramado del formato era siempre igual: la gente del equipo entraba en la casa de la familia antes de mi llegada para grabar las dinámicas familiares habituales. Con el paso de las horas y de los días, los operadores se convertían en miembros de la familia y ninguno de los consanguíneos rechazaba su presencia. Tras visionar las imágenes para hacerme una idea de la situación, organizaba el trabajo. Una vez en casa de la familia, entraba en faena para pasar unos cuantos días con los chicos. El magnífico montaje de las grabaciones condensa, en aproximadamente una hora, el transcurso de días enteros compartidos con ellos.

En las páginas que siguen vamos a retratar las casas de las familias que han participado en el programa que lleva el título de este libro. Revelaré cosas acontecidas entre bastidores, donde, por ejemplo, los hijos intentan conquistar el camino para convertirse en adultos y los padres se afanan, aunque no son capaces, en reconocer los cambios evolutivos de aquellos que consideran aún sus pequeños. He intentado entrar como *coach* en esta dinámica andando de puntillas, ayudando a deshacer nudos intrincados, a liberar deseos y a facilitar el camino hacia las metas ambicionadas.

En mi trabajo se parte siempre de lo que el cliente explica, sea lo que sea: este es el punto central del que parte mi intervención y mis demandas, en una dimensión de total acogimiento y aceptación. Mis clientes eran los chicos con los que he trabajado, aunque fuesen sus padres quienes me contrataran. El principio que me ha guiado ha sido dar confianza, respetando cualquier esfuerzo cognitivo que los chicos pusieran en juego para expresar un determinado concepto. También, en los casos en los que mis jóvenes clientes no han querido desarrollar ninguna actividad, he apreciado y valorado su capacidad de decidir y de expresar las propias opiniones intentando descifrar su significado.

La primera exigencia que me imponía era establecer los objetivos a largo plazo y, a continuación, descubrir los pasos que seguir hasta concretar la primera fase de la tarea. Debía ayudar a los chicos a distinguir entre deseos y objetivos, y trabajar sobre estos para convertirlos en factibles, perseguibles y alcanzables. El recorrido sigue el principio causa-efecto y estimula el sentido de la responsabilidad: «¿Este paso qué te va a permitir obtener?... ¿Para hacer qué?... ¿Y adónde te llevará?... ¿Qué impacto tendrá en tu vida?... ¿Qué se verá desde fuera cuando obtengas lo que quieres?... ¿Cuánto depende de ti?». El trabajo se desarrolla a distintos niveles. Se explora la dimensión del ser: «¿Qué significa para ti que tu hermana te trate como a uno de sus amigos?... ¿Qué valor tiene para ti que tu madre te deje salir sola?... ¿Qué representa para ti ser considerado adulto?... ¿Es así como quieres que te consideren?». Se pasa después a la dimensión del *hacer* a través de actividades dotadas de un fuerte impacto metafórico. Los chicos han vivido experiencias que representan, por analogía, determinados aspectos de sus vidas, y han descubierto que gozaban de recursos inexplorados. Hemos participado juntos en todas las actividades; al final, han razonado sobre el sentido de lo que han hecho y sobre el potencial impacto que lo vivido ejerce en distintos ámbitos de su vida: «He pensado en proponerte esta experiencia porque tal vez te resulte útil. ¿Qué piensas? ¿Qué utilidad podrías encontrarle? ¿Qué sentido le das? ¿Qué has aprendido? ¿Qué te llevas? ¿Cómo utilizarás este recurso para...?».

La conciencia pone en movimiento la responsabilidad personal y activa a su vez el empeño por actuar de modo más práctico. Se roza también la dimensión del *llegar a ser*: «¿En qué tipo de persona quieres convertirte?... Cuéntame cómo quieres ser de mayor... ¿Qué te gustaría que el día de mañana tus hijos o tus amigos dijeran de ti?...». Nuestro trabajo concluye con el empeño personal de transformar en acciones concretas las intenciones de cambio definiendo un plan específico. En esta fase están implicados padres e hijos: cada uno desde su propio punto de vista se esfuerza en cambiar para favorecer a los otros. Con respecto a los padres, el desafío reside casi siempre en ayudarles a mirar a los hijos con nuevos ojos: por lo general basta reconocer lo que son, más que obstinarse en ver lo que se querría que fuesen o lo que fueron en el pasado. Se trata de ayudarles a acceder a los recursos que poseen y activar, llevándolos a un nivel superior, el de la valoración constructiva, desprovista de juicios empobrecedores.

¿Y después? De muchos de los chicos he seguido teniendo noticias durante algún tiempo, otros me llaman esporádicamente. Aunque han visto y experimentado los cambios de inmediato, los resultados significativos solo llegan cuando todos los miembros de la familia asumen la responsabilidad de esforzarse para conseguir los objetivos buscados. Antes de contar sus historias, deseo agradecer a los protagonistas de los casos en los que este libro profundiza, a los chicos y chicas que han trabajado conmigo, haberme permitido acompañarles en una pequeña etapa de su viaje. Ha sido un privilegio para mí afianzarlos en su camino, asistir a la evolución de sus pequeños o grandes cambios, compartir lo áspero de los momentos difíciles y el entusiasmo de las conquistas, vivir juntos aventuras y emociones; y les doy las gracias una vez más por haber contribuido a mi crecimiento personal, porque es mucho lo que de ellos he aprendido.

DEL CAPULLO AL VUELO

Hasta que uno no se compromete
existe la duda, la posibilidad de retirarse,
la ineficacia permanente.
En todos los actos de iniciativa y creación
hay una verdad elemental,
y el ignorarla elimina innumerables ideas y planes magníficos:
en el momento en que uno se compromete,
también interviene la providencia.
Ocurren entonces todo tipo de cosas positivas,
que de otro modo nunca se habrían producido.
Una serie de acontecimientos derivan de esa decisión,
poniendo a favor de uno incidentes fortuitos,
encuentros y apoyo material
que ningún hombre podría haber soñado con lograr.
Todo aquello que puedas hacer o sueñes que puedes hacer
empiézalo.
La audacia lleva en sí genio, poder y magia.
Empiézalo ya.

Atribuido a Johann Wolfgang von Goethe

¡YA NO LO RECONOZCO!

Es una de las frases que con mayor frecuencia he oído decir a progenitores desesperados y exasperados, que hablan del pequeño o de la pequeña que quiere volver a casa cada vez más tarde o que comienza a maquillarse y manifiesta el deseo de pasar fuera el fin de semana. Se sienten inermes porque ya no reconocen a sus hijos. Los ven transformarse en sus comportamientos, erigir barreras y crear fracturas aparentemente insalvables. Superado el periodo mágico (no siempre) de la infancia, ya en la fase prepuberal se empiezan a percibir los primeros síntomas alarmantes: cambios imprevistos de humor, cerrazón, portazos, palabrotas, subversión de las reglas. Los exniños cambian rápidamente de estilo, se peinan de maneras insospechadas, adoptan vestimentas estrafalarias, contestan a todo lo contestable, y las normas impuestas dejan de servirles: quieren ser copartícipes y poder modificarlas. Anhelan libertad, reivindican mayor autonomía y tienen prisa por crecer y experimentar, si bien no cuentan aún con los instrumentos para hacerlo. Los padres se sienten a menudo desplazados, incompetentes: incluso habiendo leído sobre el asunto, incluso aunque no sea la primera vez que la pasan, la crisis de la adolescencia de un hijo los somete a una dura prueba.

Sus niños grandes o sus pequeños adultos, según se mire, son ciertamente personas en evolución que sufren de mala gana la disciplina y las limitaciones, ansían espacios de autonomía y desean romper las habituales reglas familiares para imponer las suyas. Por otra parte, a los padres solo les queda imaginar que sus hijos van a volar del nido. ¿Pero qué hay detrás de este cambio? ¿Qué quieren decirnos desesperadamente los adolescentes con sus vínculos a menudo sorprendentes y a menudo inaceptables para nosotros?

La confrontación entre generaciones no es una novedad: la crisis de la adolescencia es una de las experiencias evolutivas más compartidas, y la gran mayoría de los adultos la recuerda. Es la salida del capullo, un paso a veces doloroso pero necesario para desplegar las alas y levantar el vuelo. No existe un instante de crecimiento sin un pasaje crítico, también en la naturaleza. Piense en un brote que está a punto de salir en primavera, formando una pequeña hinchazón en la rama, e intente percibir la tensión, el brío necesario para superar el obstáculo que se interpone al nacimiento de la flor, y cómo un frágil brote puede romper la dura fibra de la madera para nacer. El nacimiento representa de por sí un acto de extrema tensión, donde con fuerza y también con sufrimiento se alcanza la vitalidad del nuevo estadio. Vivimos en continua trasformación y, sin embargo, nos sorprendemos cuando las cosas o las personas cambian. Según el antiguo filósofo griego Heráclito[2], el mundo y la vida mismos son un río perenne en el que todo pasa y todo está en continua evolución: solo el cambio es real y el ser es devenir. En la naturaleza todo se desarrolla según leyes rigurosas y perfectas, pero cuando pretendemos gestionar personalmente los ritmos naturales (incluso si se trata de nuestros hijos), comienzan los problemas. Si alguien intenta abrir un capullo antes de tiempo, mientras la crisálida trata de salir, la futura mariposa solo logrará mirar el mundo desde abajo, jamás conseguirá volar.

Es justo que la evolución siga sus ritmos y sus tiempos: lo importante es reconocer y dar valor a cada una de las fases. Recuerdo la sabiduría de una vieja maestra que comparaba a sus alumnos con los frutos de un árbol. No tenía prisa por obtener los mismos resultados de todos los alumnos de la clase, atesoraba la paciencia necesaria para esperar el grado preciso de maduración de cada alumno y, como una campesina atenta, sabía nutrir la planta del conocimiento, alimentaba las motivaciones, vertía el fertilizante del entusiasmo, y, en resumen, se detenía a

[2] Heráclito (Éfeso, 535 a. C.-475 a. C.), uno de los filósofos presocráticos más importantes.

saborear cada fruto cuando estaba bien maduro. Observar y escuchar a los adolescentes sin juzgarlos es una forma de acercarse a ellos. Asumir la responsabilidad de reconocer la fase evolutiva en la que están sumidos, permite entender cómo ayudarles a crecer y a convertirse en autónomos.

Reflexionando sobre los diversos ámbitos de la vida de su hijo (centro de enseñanza, actividades deportivas, amistades, aficiones, voluntariado...), ¿sabría reconocer en cuál de los siguientes estadios evolutivos se encuentra en este momento?

1. Nutrición (estudio, adquisición de conocimientos y competencias).
2. Estancamiento (confort, bienestar, reelaboración, sueños).
3. Inquietud (insatisfacción, percepción de potencialidades no expresadas).
4. Deseo de cambio (conciencia de la transformación, temor, miedo, dudas, proyección personal).
5. Cambio (estupor, excitación, energía).
6. Realización (conciencia, alegría, mayor seguridad y autoestima).

Los adolescentes viven de una manera tan rápida su metamorfosis, que a menudo se quedan sin aliento. Están en medio de lo que los endocrinólogos llaman "tormenta hormonal". Los psicólogos reconocen un fenómeno equiparable en el mundo de la cognición y las emociones, que incide profundamente en el modo de pensar y de relacionarse con los demás. En este momento la hipófisis libera en la sangre las denominadas hormonas de la pubertad (LH y FSH), artífices de la maduración sexual y de unas transformaciones físicas tan rápidas y evidentes que a los chicos a veces les cuesta entender y aceptar. Es una edad en que las partes del cuerpo alcanzan la madurez del adulto en momentos diversos, de forma que inducen complejos de inferioridad que siguen persistiendo incluso cuando las proporciones corporales han reencontrado un nuevo equilibrio. Los jóvenes necesitan adultos que sepan reconocer y reflejar su imagen como en un espejo, que distingan los efectos del crecimiento y les den seguridad sin juzgarlos ni hacerles sentirse culpables si no colman las expectativas de sus progenitores. Somos únicos, originales, irrepetibles: cada uno de nosotros es distinto a todos los demás seres humanos que viven en este momento en el planeta, que lo han poblado en el pasado o que lo habitarán en el futuro. Es esta una verdad que puede parecer demasiado banal, pero no siempre le damos el valor debido a nuestra unicidad ni, mucho menos, a la de los otros. Por el contrario, a menudo la diferencia incorpora una penalización. El rechazo a aceptar comportamientos distintos a los nuestros nos impide vivir ocasiones preciosas para ampliar nuestro mapa mental, para enriquecerlo con nueva savia y, lo que es peor, comporta el fin de las relaciones. Los jóvenes perciben toda la fuerza y el potencial de la transformación y querrían que los dejaran caminar, seguir el curso natural de la evolución pero, por otra parte, advierten barreras y resistencias internas y externas, comprendidas las de los progenitores, las de los enseñantes y las de los adultos que los rodean. Eso sin tener en cuenta que deben también gestionar las llamadas "dinámicas del abandono", que viven los padres al constatar que ya no son el centro de atención de sus hijos y que deben ceder a otros el papel de objetos privilegiados de su amor.

Véase el caso de Grazia: del control a la autonomía *(p. 87).*

¿QUEDARSE O VOLAR?

Cuando intentamos hacer un balance personal, a menudo revivimos emociones, pasiones gratificantes, pero también fracasos y frustraciones, y nos preguntamos por qué nuestra vida no es exactamente como habríamos querido que fuera. Se sabe que cuanto más soñamos con algo, más se aleja de nosotros, pero en lugar de pensar en posibles soluciones, oponemos al cambio resistencias que nos impiden manifestarnos y perseguir nuestros deseos. Nos concentramos en los problemas habituales y vemos obstáculos que solo existen en nuestra cabeza, apartándonos y desviándonos siempre de la meta. William James (1842-1910), filósofo estadounidense y teórico del pragmatismo, decía que basta con cambiar la actitud mental para modificar la propia vida, dando pleno reconocimiento a la parte más auténtica de nosotros mismos, la que quiere crecer, desarrollarse más, realizarse. Cuántas veces hemos entendido que estábamos en la línea de salida, hemos oído la respiración afanosa, hemos sentido la excitación de la prueba y después hemos cedido al miedo de atrevernos. Y es así como la frustración nos bloquea.

¿Pero es posible acercarse a lo que puede hacernos felices? Sí. Si comenzamos por oxigenar la mente para recuperar energías, si aprendemos a recibir, si permanecemos disponibles para aceptar oportunidades, para ampliar los mapas interiores con que contamos, si damos libertad para que los pensamientos negativos e inútiles nos abandonen, si nos mostramos dispuestos a renovarnos y a recibir lo que merecemos. No se trata de correr detrás de falsas ilusiones, sino de reconocer la factibilidad de un objetivo, distinguiendo obstáculos reales de fantasmas inexistentes. Por otra parte, todos los sistemas de la naturaleza –ya sea en una célula individual, un organismo, un individuo o un grupo de personas– viven gracias a los intercambios con el ambiente circundante y están regulados por impulsos de tendencia opuesta, según un ciclo evolutivo que los llevará a niveles de complejidad cada vez mayores. Hasta los guijarros y las rocas se transforman.

Cuando percibimos un posible estímulo para nuestra evolución no podemos ignorarlo, aunque no siempre sea fácil encontrar la clave de lectura para sacarle provecho. Empezamos a percibir una cierta inquietud que en ocasiones se convierte en insatisfacción, primero leve, y que después, si permanece ignorada, se transforma en verdadero malestar.

Los malestares y las perturbaciones juveniles ocultan a menudo la incapacidad de encontrarse y de ser encontrado, la falta de confianza en los estímulos interiores que se perciben: «Querría, pero no puedo...», «pero te parece adecuado que...», «figúrate si...», y así sucesivamente. Sin embargo, se había producido una señal, evidente, emocionante, anunciada por una descarga de adrenalina. Bastaba con permitir que la mente se pusiera en marcha, sin oponer resistencia, y conectarla a las emociones para reconocer el sendero que había que recorrer. No obstante, prestamos oídos a esos pensamientos negativos, a ese ruido de fondo que nos hace ver únicamente fracasos y obstáculos insuperables.

¿Qué genera el miedo al cambio? El temor de perder lo que es habitual, adquirido, conocido, a no saber afrontar ni gobernar el nuevo estado de cosas. El escaso conocimiento de los beneficios que se obtendrán de ese cambio. En resumen, preconceptos, juicios limitadores e informaciones parciales.

Por una parte sentimos un fuerte impulso de conservación que nos induce a mantener el equilibrio alcanzado, tan confortable y tranquilizador. Es probablemente la sensación que experimenta el gusano cuando completa el capullo, mientras permanece envuelto en su hilo de seda. Volviendo a la adolescencia, puede ser la fase en la que el chico llore por su infancia, el periodo de los juegos, de la libertad de empeños y deberes, y rechace asumir la responsabilidad que los adultos esperan de él:

«¡Ahora que eres mayor, debes demostrarlo!». La tendencia a permanecer anclado al limbo de la infancia puede prolongarse. Carl Jung (1875-1961), padre de la teoría de los arquetipos colectivos, sostenía que el miedo al cambio tiene raíces antiguas y es compartido por todos los seres humanos, prescindiendo del contexto cultural y social en el que vivan: es el miedo a lo nuevo, llamado "misoneísmo". Pero al mismo tiempo, está también en nuestro inconsciente colectivo el "viaje del héroe", que se sirve del impulso de actuar, cambiar, experimentar, probar, arriesgar y combatir para crecer y desarrollarse. Estas dos fuerzas conviven en nosotros, naturales y poderosas: a nosotros nos toca decidir a cuál de las dos dar mayor peso para impulsar o frenar nuestros actos.

¿Es posible correr velozmente mirando hacia atrás? Tal vez sí, pero el riesgo de caerse es demasiado alto. Se precisa mirar hacia delante para no tropezar.

¿Cómo no vamos a tener en cuenta nuestra historia pasada? Las experiencias vividas son una continua fuente de aprendizaje: somos lo que somos, para bien o para mal, en virtud de ellas, pero para algunos el pasado es un condicionamiento limitante, ya sea en la vida privada o la profesional. «Cada vez que debo ir a un examen sé que me va a salir mal, como los otros». «Nunca terminas lo que empiezas, no eres digno de confianza». ¿Qué tienen en común estas dos aseveraciones? En ambos casos se centran en el fracaso vivido, no en la solución. El futuro se construye en el presente, a pequeños pasos, cada uno de los cuales es fruto de nuestras emociones y de nuestros pensamientos. Si esperamos lo peor, la mente hará lo posible por contentarnos, nos llevará en dirección a lo peor. ¿Por qué razón debemos ser pesimistas antes incluso de intentarlo y aproximarnos a la meta? Thomas Alva Edison encendió la primera bombilla incandescente después de innumerables tentativas fallidas que iban seguidas por su famoso comentario: «¡Vaya, he descubierto otro modo de no inventar la bombilla!».

Hay muchos adultos con acusado temor al cambio, al riesgo de dejar lo cierto por lo incierto. Frente a las elecciones les mueve sobre todo el miedo, no el entusiasmo de una nueva meta. Por consiguiente tienden a frenarse, a no reconocer lo que está fuera de lo trillado y a mirar atrás más que hacia delante, añorando el pasado con el clásico: «¡En mis tiempos era otra cosa!». Sonrío siempre que oigo esta frase, porque creo que no ha habido generación que no la haya pronunciado: los chicos de hoy también la dirán a sus hijos; es el primer síntoma evidente del avance de la senilidad. Lo que me asombra es oírla cada vez con mayor frecuencia a los jóvenes. Ciertos refranes se convierten en una suerte de guía de autolimitación para familias enteras: «Quien deja el sendero viejo por el nuevo, siempre encuentra males». ¡Imaginemos, por consiguiente, la reacción frente a un hijo que decide romper esquemas y normas consolidadas!

¿Qué refranes y proverbios son los más citados en su familia? Haga una lista indicando cuáles son los que limitan y cuáles los que potencian. Escoja después el que le parezca más práctico.

El miedo al cambio, en cualquier caso, no debe demonizarse, sino reconocerse, aceptarse y superarse. Tras él hay un mensaje que precisa ser descifrado. ¿Preocupación por los potenciales peligros si los hijos llegan tarde? La prohibición de salir puede leerse como un acto de amor, como un signo de desconfianza en la capacidad de los hijos para gestionar su tiempo libre o como manifestación de las inseguridades de los padres. Cada hipótesis merece valoración y argumentación para evitar que las limitaciones de la libertad se malentiendan.

La sabiduría oriental nos enseña que el término "crisis" puede leerse de un modo menos dramático de lo que es habitual en Occidente. Los japoneses reconocen que cualquier cambio genera una crisis, y el ideograma que representa esta palabra (*kiki*) se compone de dos símbolos que indican respectivamente "peligro" (*abunai*) y "oportunidad" (*ki*). Una cierta tolerancia al riesgo permite, además de equivocarse, aprovechar las buenas oportunidades.

Todo cambio a mejor se produce sobre la base de una triple alianza entre corazón, mente y actos. El corazón inspira y sostiene el sueño, la mente construye estrategias viables, centra los objetivos, conjetura y proyecta lo que por fin se llevará a cabo mediante acciones concretas. Walt Disney decía: «Si puedo soñarlo, puedo hacerlo». El padre de los dibujos animados fundó un imperio económico con la estrategia de los tres sombreros: se colocaba el del soñador para encontrar inspiración, se ponía después el del realista para razonar con los pies bien asentados en el suelo y, por último, se encasquetaba el del crítico para identificar todas las posibles objeciones a sus proyectos. Frente a los obstáculos que le iban saliendo al paso, volvía a soñar para encontrar alternativas. Es necesario adherirse con motivaciones y convencimiento a la intención profunda, al sentido que inspira nuestros actos en la dirección de los resultados concebidos.

Véase el caso de Sara: de la desmotivación a la creación de un proyecto para el futuro *(p. 95).*

EL DESCUBRIMIENTO DE UNO MISMO

En esta fase de la vida, en la afanosa búsqueda de una identidad, los chicos se ponen a prueba como pueden de modo *artesanal*. Se toman a broma y eligen modelos de referencia. Emulan a los amigos, se inspiran en el ambiente que frecuentan, en los periódicos, en la televisión, en la publicidad. Cada época ha tenido sus modelos y resulta arbitrario, además de estéril, tamizarlos mediante cotejos valorativos. Antaño el mito podía ser un héroe literario, hoy lo es un personaje del mundo del deporte o del espectáculo. Identificándose en parte o en todo con unos modelos y no con otros, los adolescentes descubren los aspectos que se corresponden con su modo de ser. Con el tiempo aprenderán a retener lo que les convenga y a dar de lado aquello que resulte incongruente con su personalidad. Todo se percibe y se filtra a través de la experiencia personal, que asume a veces connotaciones exasperadas y cobra la forma de una "crisis de originalidad". Algunos chicos abandonan de improviso el idiolecto familiar y se dejan arrastrar por las jergas dialectales o vulgares del grupo; otros modifican radicalmente su aspecto de un día para otro y transforman los elegantes rizos rubios en puntas violetas o fucsias. Es la edad del *piercing* y de los tatuajes, de los comportamientos que se salen de las normas, de las conductas exasperadas, agresivas, provocadoras, contestatarias, aisladas o, por el contrario, extremadamente gregarias. Todo viene bien para descubrirse, para distanciarse del modelo familiar que no se siente como propio, sino como algo que pertenece a los padres.

Es necesario y natural contestar a la familia para cortar el metafórico cordón umbilical que impide la conquista de la autonomía. «Odio decir mentiras, pero lo hago porque no me permiten decir la verdad». Es cuanto comenta un chico para justificar las trolas que les contaba a los suyos. Para él era inaceptable, con sus 16 años, volver a casa antes que las chicas de su grupo; por ello no respetaba nunca el horario que le imponían sus padres y pergeñaba cada vez una excusa distinta. A veces la mentira se convierte en un arma inadecuada que se usa para defender el deseo de hacerse mayor y de imponerse, de no ser menos que los coetáneos.

«Vuestro deseo es vuestra voluntad, vuestra voluntad son vuestros actos y vuestros actos son vuestro destino» (Brihadaranyaka Upanishad IV, 4, 5).

Si comportándose de una cierta manera los chicos reciben castigos, si manifestando ideas y proyectos se les critica, pueden pensar que están "equivocados". Aprenden por tanto con rapidez a disfrazar lo que son porque temen el juicio de las personas mayores y, en última instancia, se convierten en adultos que fingen corresponder a las expectativas del núcleo al que pertenecen. Son muchas las personas que fingen ser quienes no son y que, a la postre, terminan por creérselo. Otros se esconden, mintiendo a los demás y a sí mismos por temor de no ser aceptados. ¿Y cuánto cuesta todo esto? ¿Cuánto esfuerzo, cuántas energías derrochadas por no ser auténticos? Se llega al final del día exhausto, incapaz de sentir entusiasmo o placer por los aspectos esenciales de la vida y se persiguen objetivos que no son propios, que no son los de uno. Cada uno de nosotros tiene el poder de realizarse: basta quererlo.

«El verdadero yo es lo que tú eres, no aquello que han hecho de ti»[3]. El aforismo de Paulo Coelho es una invitación a recuperar la parte más verdadera, más auténtica de uno mismo. La energía vital se desarrolla y crece hasta convertirse en una hoguera, o puede reducirse hasta ser una llamita apenas perceptible; se transforma en brasas bajo una capa de cenizas, preparada para arder de nuevo vigorosamente o, en el peor de los casos, para apagarse de modo definitivo. Es la llama de nuestra esencia más profunda, la que nos hace únicos respecto al resto del mundo y la que se afana por realizarse. Si ocultamos nuestra naturaleza, la llama crece. Si alguien o algo la desvía del camino, se bloquea y puede atrofiarse hasta morir. La sentimos viva en nuestro interior cuando logramos hacer realidad un sueño, cuando alcanzamos un objetivo primario. Sentimos la satisfacción de la plenitud que deriva de avanzar, de fijar nuevas metas y de imaginar conquistas más importantes. Los condicionamientos súbitos, más o menos evidentes, más o menos sutiles, dejan una huella indeleble: los padres que imponen un modelo de vida o unas metas ambiciosas que el hijo no siente como

[3] Paulo Coelho: *Veronika decide morir.* Planeta, Barcelona 2002.

propias; los enseñantes que, en lugar de valorar la diversidad de cada alumno, pretenden chicos modelo (*su* modelo) y penalizan los errores en lugar de emplearlos constructivamente. Se hace pensar en la falta de éxito, pero el fracaso es tal únicamente si se considera un resultado (aunque sea parcial) respecto de los propios deseos. La misma palabra *resultado* invita a mirar atrás para descubrir un método más eficaz de llegar a la meta con mayor facilidad y satisfacción. El efecto del "bombardeo contracorriente" es visible desde el exterior: la persona se vuelve insegura, ya no sabe cuál es su camino, duda de los objetivos que deseaba alcanzar, cae en las redes de los condicionamientos y, de forma paradójica, termina por ceder ante quien muestra esa aplastante seguridad respecto a su futuro. En otras palabras, pierde autoestima y se arriesga a incurrir en futuras dependencias. ¿Qué hacer? Como siempre, no hay recetas válidas para todos: cada uno tiene el derecho/deber de encontrar la propia, dosificando sobriamente los ingredientes a su disposición para recuperar de modo gradual el placer de mirarse y decir con satisfacción: «Estoy en el buen camino». Empecemos a descubrir quién se esconde detrás del adolescente, a valorar su diversidad, su unicidad y su originalidad; a reconocer la existencia de un núcleo auténtico que tan solo al protagonista pertenece. No hay más reglas ni recetas que aquellas que se sirven del amor y prescinden de los resultados, del rendimiento. A veces se confunde la valoración del resultado con la valoración de la persona: puede ser útil mirar bajo una nueva luz un defecto o una limitación, considerarlo un punto de partida. Es importante apoyar a los hijos durante el crecimiento, ayudarles a que mejoren y avancen. Si soplamos sobre las cenizas, las chispas que las alimentan se multiplican, las llamas débiles se revitalizan y explota de nuevo el deseo de vivir y de recorrer el camino que pertenece a los jóvenes por derecho.

Véase el caso de *Antonella: del peso a la ligereza* (p. 102).

LOS CRISTALES DEL CÍRCULO VICIOSO

Al trabajar en estrecho contacto con chicos, me convenzo cada vez más de que el resorte que hace saltar la rabia, el aislamiento obstinado, el rechazo del mundo de los adultos, nace de la incapacidad de *los mayores* en reconocer las tentativas de cambio y las transformaciones ya acaecidas.

Cuando los adultos las ignoran o no las respetan, los adolescentes pueden reaccionar con violencia o encerrarse en un mutismo terco. «¡Ya no eres el de siempre, no te reconozco!». «¡Hace años eras una persona disponible y complaciente, ahora solo piensas en ti mismo!». No por nada la adolescencia se identifica como un período de narcisismo natural: pensando en uno mismo se reconoce el propio camino. Esto no significa que se sea egoísta o se descuide a los demás, muy al contrario: a esta edad se puede ser muy generoso y solidario.

Las cosas empeoran si los chicos son encasillados en un determinado rol («Eres el peor la clase»), si se les critica por el *look* del momento («¡Vaya pintas que llevas!») o por las elecciones relacionales («Frecuentas a lo peorcito»). Y más todavía: «Siempre vas a la cola, nunca terminas nada... te equivocas te distraes». En el seno familiar también el modo en que se percibe a sus miembros puede cobrar términos peyorativos: «mamá es la típica que siempre está pinchando», «con papá es inútil hablar, está ausente hasta cuando lo tengo delante», «mi hermana es una prepotente», «mi hija ha nacido cansada», «mi hijo está malcriado» son algunas de las frases típicas. Estas etiquetas postizas pueden convertirse en elementos de agresión que envenenan gradualmente las relaciones y provocan en los chicos reacciones adversas. Los prejuicios les sientan muy mal, no los aceptan y no quieren sentirse limitados por legados que les frenan y les impiden ser distintos de como se han mostrado hasta el momento. Si los chicos manifiestan tendencia a reaccionar, lo más posible es que lo hagan con violencia. Si en lugar de ello su conducta se caracteriza por la pasividad y su autoestima es todavía débil, el mayor riesgo es que caigan en la trampa de la etiqueta y se adapten a ella: «Si soy tan apático, ¿para qué voy a estudiar?, obtendré siempre resultados muy mediocres», «es normal que lo pierda todo, soy muy distraído», «nunca termino nada de lo que empiezo, porque soy perezoso». Se acepta el paradigma limitador de otro ser humano como propio y se renuncia a intentar ser como se desearía.

A veces, hablando con una persona, se usa un predicado nominal (verbo ser más adjetivo) y fuera: le hemos colocado ya la etiqueta y le resultará muy difícil quitársela. El riesgo, por otra parte, es que tiende a convertirse en lo que los otros esperan de él, haciendo que la profecía se cumpla. Si se define habitualmente a un niño como patoso solo porque un par de veces ha tirado un plato o una jarra de agua, entrará fácilmente en el rol que le han asignado, se pondrá nervioso cuando tenga que poner la mesa, se le caerán cosas al suelo y continuará remachando su rol de patoso, confirmando la percepción negativa.

Es así como se alimenta involuntariamente un círculo vicioso, una dinámica que se verifica también entre los adultos, ya sean socios, colegas o amigos. Distinto es reconocer un comportamiento inadecuado o inaceptable, contextualizándolo: «Habíamos quedado en que volverías a tal hora; te has retrasado una hora. Estaba preocupado pensando que te había sucedido algo; te ruego que si vas a llegar tarde me lo digas». En este ejemplo el progenitor puntualiza una regla compartida, una falta respecto de un pacto, señala el efecto que ha tenido sobre su estado de ánimo y formula una propuesta para evitar situaciones similares en el futuro, sin emitir juicios.

Véase el caso de *Marta y Filippo: del menosprecio al descubrimiento de los propios recursos* (p. 109).

- Pase revista a las *etiquetas* familiares: ¿Quién tiene más?
- Identifique los paradigmas negativos, los pensamientos pesimistas, los *asesinos* recurrentes: transfórmelos en una frase sencilla y busque su correlato positivo.
- ¿Qué frase, aforismo o cita puede convertirse en la guía que le ayude a ser el progenitor que desearía ser?

POLÉMICAS INTELIGENTES

Llega la edad de las discusiones perennes, continuas, agotadoras, sobre todo para padres que vuelven a casa cansados de trabajar y se encuentran con que tienen que resolver los conflictos familiares. No se trata de contestar a aquellos inocuos e ingenuos "¿por qué?" de años anteriores, ya que ahora los hijos formulan preguntas profundas que desarman y pretenden respuestas razonadas; además, se ponen hechos una furia si se desdeñan sus interrogantes o, lo que es peor, se ignoran. Retan a los padres a partidas de videojuegos o se ríen de su inexperiencia y su lentitud para entender cómo funciona el último modelo de teléfono móvil o una red social que para ellos, por el contrario, no tiene secretos. Exhiben un espíritu rebelde, ya no les sirven los noes sin explicación y las agarradas con los padres están a la orden del día. ¿Qué sucede? En realidad están experimentando sus potencialidades intelectuales, que han llegado al ápice. En la clásica curva de Gauss los adolescentes están en el punto central, han alcanzado el pico y, aunque carecen aún de todos los elementos para gestionarla, perciben esta nueva capacidad de captar y comprender, de analizar y teorizar, y quieren ponerla a prueba. No siempre tal capacidad se pone en funcionamiento a beneficio del escolar, pero esa es otra historia. Nosotros, los adultos, nos encontramos en la fase descendente, aunque por fortuna mantenemos el tipo gracias a la experiencia y a un poco de sana puesta al día.

Las discusiones representan para los chicos un campo de experimentación, una suerte de laboratorio familiar gracias al cual se convertirán en adultos pensantes, responsables de sus propias elecciones. Pero si se repiten a todas horas, pueden convertirse en fuente de conflictos. Paradójicamente, las contestaciones más airadas, las discusiones más encendidas, se dan justo allí donde la relación es mejor. Es más difícil cortar el cordón que nos vincula a la madre y al padre si con ellos se está bien, si se disfruta de la facilidad del diálogo para ponerlos a prueba, para provocarlos, para ejercitarse en el desafío, también intelectual. Los padres no comprenden por qué demonios los hijos se han transformado, cuestionan sus decisiones desde todos los frentes, critican sus elecciones vitales, laborales, de vestuario, sus ideas políticas y sociales. También los amigos de la familia son atacados: esos amigos que hasta hace tan poco eran amorosamente motejados de tíos. No siempre todo esto sucede sobre un terreno abonado de conciencia, por lo que suelen producirse reacciones duras con las que se castiga a los hijos o a uno mismo.

«¿Qué habré hecho mal? ¿Por qué se comporta así? ¿Será porque siempre estoy fuera de casa debido al trabajo... por causa de la separación... o del traslado... o del nacimiento del hermanito?». La lista de posibles autoacusaciones incluye una serie casi infinita de hipótesis. Todo progenitor, si quiere, sabe cómo fustigarse sin compasión. Es evidente que estas actitudes no son constructivas, por cuanto alimentan un círculo vicioso: uno se pone nervioso y reacciona mal, los chicos a su vez se rebelan todavía con mayor dureza, lo que suscita la necesidad de imponer castigos aún más rigurosos que acentuarán la cerrazón y los desencuentros. Y así una y otra vez hasta que la dinámica se convierte en predecible; se trata de un mecanismo que tiende a fosilizarse. Es suficiente con que el hijo se acerque al padre con una expresión determinada para suscitar en él reacciones defensivas del tipo: «¿Y ahora qué pasa?», con las consiguientes respuestas agresivas: «¿Pero es posible que no pueda ni acercarme?». «¡No me respondas así!». «¡Respondo como me da la gana!». «¡No te lo permito!». Por lo general, después entra en escena la madre u otro miembro de la familia y se alía con el uno o con el otro, hasta que los vecinos se ven obligados a subir el volumen del televisor para seguir oyendo el telediario.

Véase el caso de Luigi: de la rabia a la determinación proyectiva *(p. 118).*

- ¿Hay dinámicas recurrentes y previsibles en su familia?
- ¿Cómo las definiría?
- ¿Sabe por qué se desatan?
- ¿Qué comportamientos originan?
- ¿Qué resultado diferente le gustaría obtener?
- ¿Qué quiere hacer de forma distinta la próxima vez para romper el círculo y trazar un nuevo sendero?

CAÍN Y ABEL

¡Qué bello verlos crecer juntos: se sostendrán mutuamente toda la vida, podrán contar el uno con el otro! O al menos eso esperamos los padres, hasta que estallan las luchas fratricidas. Los psicólogos de la edad evolutiva han estudiado en profundidad las crisis de celos que suscita el nacimiento de un hermanito. Decimos que, dentro de ciertos límites, el conflicto entre hermanos es natural y ayuda a crecer: se experimenta en casa la capacidad de actuar, relacionarse, convivir, quererse o luchar. De hecho se trata de compartir los espacios y la atención de la madre y el padre. Si la situación es ya de por sí compleja, los adultos a veces la empeoran, estableciendo alianzas o destacando el valor de uno o de otro. Está bien que se respeten los límites generacionales en el seno de la familia y que los hijos estén colocados a un nivel distinto del de los padres; la alianza y la complicidad entre hermanos es más que normal. Los problemas comienzan cuando, por ejemplo, una hija se alía con la madre y se convierte en una especie de vicemadre para un hermano. O, lo que es peor, que uno de los progenitores busque el apoyo de un hijo para reprender, gritar o castigar al otro. En estos casos pueden aparecer reacciones violentas, mutismos y aislamientos todavía más difíciles de resolver. A diferencia de lo que sucede con la colaboración, se genera una competencia destructiva.

En las familias muy numerosas es frecuente que los hijos pretendan destacar encontrando un espacio propio y un papel muy definido, con el riesgo que ello comporta: cristalizar la situación en la que se encuentren. Las dinámicas familiares que vinculan los distintos miembros de una familia son complejas e intrincadas. Un clima de alegría y disponibilidad recíproca se transforma al instante en un campo de desafío y de litigio sin, al menos en apariencia, que exista ningún motivo desencadenante. Basta forzar un equilibrio ya inestable, gobernado por ejemplo por actitudes muy sancionadoras y de comparación entre los hijos. Recuerdo una familia en la cual los progenitores eran guías presentes y mostraban expectativas bien delineadas frente a los hijos, que debían esforzarse mucho para alinearse con el modelo familiar y ser aceptados. El padre dividía muy esquemáticamente a sus cuatro hijos en categorías: dos eran de "serie A" (brillantes, de elevada autoestima, egocéntricos, decididos) y otros dos de "serie B" (tranquilos, acomodaticios, respetuosos con los demás). Como sus preferencias estaban claras, entre los hermanos se habían creado alianzas y dos grupos compactos que competían entre sí y estaban en continuo conflicto.

En ciertas familias, una de las palabras que más se escucha es "culpa": «Es culpa mía, es culpa suya, es culpa tuya, yo no me meto». O, como de refilón, «¡Dichoso él/ella!». Estas frases se escuchan y se dicen con frecuencia y están dotadas de una fuerza extraordinaria: impiden que la responsabilidad de las propias acciones y el sentido de poder personal que deriva de ellas fluyan correctamente. El foco de atención se coloca en el exterior, fuera del propio control, perdiendo de vista, entre otras cosas, las posibles soluciones. La envidia, entonces, reemplaza a una emulación sana. Uno se convierte en víctima de las situaciones y de la aprobación ajena por temor a ser juzgado.

En lugar de ello, desarrollar el sentido de responsabilidad en los chicos es clave para activar su empeño en acciones constructivas. Devolviendo el foco a uno mismo se redescubre la potencia de los propios recursos, se experimenta la ebriedad de obtener lo que se desea, o solo se imagina, con espíritu realista; ello incluye la capacidad de equivocarse y la posibilidad de aprender de los propios errores. «La atención aporta energía, la intención la transforma»[4].

Deepak Chopra invita a vivir cada momento del presente con la plena conciencia de nuestra fuerza interior, concentrados en la realización del potencial del que disponemos. Sabemos de qué manera el bienestar y la armonía dependen del equilibrio entre los estados de la mente, del espíritu y del cuerpo. Es el concepto de Equilibrio Emocional del que habla el *trainer* Roy Martina, o sea, ese estado de paz y estabilidad interior independiente de las situaciones externas o de los comportamientos ajenos[5]. Cuando el individuo goza de equilibrio emocional, experimenta una sensación de felicidad que nace de lo más profundo, está sereno aunque deba enfrentarse a situaciones adversas y neutraliza sentimientos como la rabia, el odio, la intolerancia o la envidia.

Valorar a los hijos, reconocer sus predisposiciones y talentos, puede ser un método para asignarles tareas y responsabilidades familiares haciendo que participen en el proceso.

Véase el caso de Raffaella y Paolo: del conflicto a la alianza entre hermanos *(p. 126).*

---

[4] Deepak Chopra: *Las siete leyes espirituales del éxito. Una guía práctica para la realización de sus sueños.* Edaf, Madrid 1996.

[5] Roy Martina: *¡Eres un campeón! Programa de alto rendimiento para conquistar tus metas.* Grijalbo, México 1997.

SEXO Y ENAMORAMIENTO

Cuando los chicos se abren como ríos en crecida y se encuentran con alguien dispuesto a escucharlos de modo incondicional, sin juzgarlos, desvelan sus secretos más íntimos. Las estadísticas ponen de manifiesto que la edad de los primeros amores y de las primeras experiencias sexuales ha disminuido y, desde el observatorio de mi ejercicio profesional, puedo dar fe de ello.

Paradójicamente, los vínculos afectivos son o muy libres o muy vinculantes. Se pasa de la fase de *pillar cacho*, en la cual los adolescentes practican relaciones sexuales sin amor y sin poner demasiado interés, a la fase de *ahora estamos juntos*. De improviso la pareja se encierra en sí misma, ve menos a los amigos, y aparecen los celos y las peticiones de atención: «Siempre estás con tus amigos...», «tu amiga está siempre en medio...». Ya a los 12 o a los 13 años los chicos tienen las primeras experiencias sexuales; no siempre con la debida convicción y en la mayoría de los casos por emular a sus iguales, para no quedar excluidos del grupo, para que no se burlen de ellos, para sentirse mayores. Mayores como determinados adultos que toman de modelo, mediante las imágenes que los medios de comunicación ponen en primer plano. Los amigos son los únicos confidentes, los depositarios de secretos y dudas. Aunque los adolescentes sienten a menudo el deseo de charlar con un adulto, temen ser juzgados y criticados. A estas edades conocen todos los pormenores fisiológicos del acto sexual, pero carecen de los instrumentos necesarios para gestionar el impacto emotivo que comporta y las dinámicas afectivas implicadas.

En muchos chicos se presenta la necesidad de interrogarse, de mirar hacia dentro, de arriesgarse, de revisar las propias convicciones para abrirse a nuevas actitudes afectivas y mentales: en pocas palabras, necesitan construir la propia inteligencia afectiva. En toda relación amorosa que, con respecto a todas las demás vinculaciones humanas, tiene un nivel más profundo de intimidad, emerge con ímpetu una parte de nosotros de la que no siempre somos conscientes. El compañero es un espejo en el que vemos reflejada, acaso por primera vez, una imagen nueva de nosotros mismos. Quizá sea paradójico, pero se podría decir que más que enamorarnos de aquel o de aquella, en primer lugar nos enamoramos de la imagen que aquel o aquella nos devuelve. Es como abrir una puerta que revela una nueva faceta nuestra, una puerta de la cual solo esa persona tiene la llave.

Esta es una de las razones por las que tendemos a experimentar sentimientos de posesión y dependencia afectiva. Los adolescentes están aún lejos de la madurez afectiva que permite amar a las personas por lo que son y no por lo que representan, desvinculadas de la necesidad que tenemos del otro. Los adolescentes, insisto, tienden a exagerar el placer de estar juntos, subordinando completamente su bienestar a la cercanía de la persona amada.

CON ELLOS, POR ELLOS, COMO ELLOS

El grupo de los pares, de los amigos, es una referencia vital para los chicos. A una edad en la que se busca si no la propia identidad (no basta una vida para hacerse una idea), sí al menos una imagen reconocible y aceptable de la misma, el espejo de los demás es poderoso. Cada uno de nosotros ve inconscientemente en los demás el reflejo de una porción de sí mismo, del propio modo de ser y de comportarse: son fragmentos que deben ensamblarse como las piezas de un puzle para construir una visión reconocible de la propia identidad. Según cómo se perciban en la familia y en el centro de enseñanza, los adolescentes se sentirán más o menos adultos, más o menos "pequeños", más o menos responsables. Por lo general se trata de imágenes infra o sobredimensionadas. Es en el grupo de los amigos, en especial junto al amigo o la amiga del alma, donde finalmente se sienten ellos mismos. Se entiende, por tanto, que se forjen compromisos sobre determinados comportamientos para ser aceptados por los pares: «¡Lo hacen todos!». Empiezan a encenderse los primeros cigarrillos, a emplear sustancias nocivas, a asumir conductas no convencionales, a tener relaciones sexuales antes de estar convencidos de la necesidad de ello. Pero hay también chicos que aprenden a utilizar la cabeza y a no dejarse condicionar por los demás. En cualquier caso, son experiencias entre iguales, vinculadas a fuertes lazos de amistad. Con los amigos se va a cualquier parte, ellos son el refugio y la isla que no se tiene, un espacio donde expresarse libremente, donde discutir, donde desarrollarse y donde experimentar un rol social. Además, si en el ámbito de la familia los adolescentes se oponen a las normas y a los valores impuestos, en el grupo observan valores y códigos bien definidos: el sentido del respeto recíproco, de la privacidad, de la lealtad, de la justicia, del apoyo mutuo. Chicos y chicas crecen juntos en esta alquimia de experiencias compartidas, narradas entre risas, lágrimas y conflictos. La confidencia ahora es un tabú familiar y los adolescentes tienen necesidad de medirse fuera de las cuatro paredes domésticas. Es el momento en que el *secreto* se convierte en gran protagonista y cuando crece la aprensión de los padres, que no saben ni a quién frecuentan ni qué hacen los hijos. Tienden, por consiguiente, a objetar lo que no conocen y lo que no controlan: «¿Pero con quién vas?». «¡Pues si es mayor que tú, tendrá un cerebro pequeñito!». El riesgo de estas afirmaciones es hacer de menos al hijo, más que al amigo. Entre los muchos motivos por los que un chico quiere frecuentar amigos mayores que él puede encontrarse, por el contrario, que supere en madurez a los chicos de su misma edad.

Véase el caso de Fabrizio: de las convicciones limitadoras al cambio *(p. 137).*

TODOS EN LA RED

Vuelvo a ver ojos que brillan, que lloran, que imploran; miradas cargadas de entusiasmo, amor u odio. Los ojos de los chicos comunican más que las palabras. Con frecuencia los adolescentes se esfuerzan por dar voz a sus emociones, pero cuando se sienten verdaderamente en su salsa es utilizando tecnologías multimedia.

S., de 15 años, tenida por malhumorada e inconstante por los padres, después de los primeros encuentros en los que solo me concedía unas pocas palabras, ha empezado a inundarme de crípticos correos electrónicos en los que se expresa sin coerción, pero sometiendo a una dura prueba mi capacidad de comprensión lingüística.

> alucino xk papa ha cambiado mientras k mama st peor!!! sta mñn saque al perro y pase 1h fuera xk stb hablando con mi amiga marcella y cuando cierro el movil va mama y me llama como loca: k si k sts haciendo?? k si donde te has metido?? k si con kn stbs? vuelve a ksa pero ya xk dbms hablar. y ayer stb hablando con paola y ni la oia, xk desde el ps de abajo mama dale que te pego con k si a kn llamas??, con kn hablas?? y ayer noche llego con 5 min de retraso. vuelvo a ksa a las 10.35 y ella dice "xk llegas tan tarde?? y yo digo solo son las 10 y 35!! cojo un vaso y echo un poco de agua y tiro un poco y mira que has tirado toda el agua y quita k lo limpio y xk no te quitas?? dps se kalla y me mira y me mira + y yo digo y ahora ktp?? es k kieres agua?? y ella se acerca y me pellizka y suelta sto tiene k acabar!! tenteras!!" y yo sisi. k pss de neuras!!! sl2.

En el diario encriptado de S. se perciben sus malestares, sus peticiones, sus necesidades. El ordenador se ha convertido en el medio por excelencia para comunicar emociones, sentimientos, ideas, reflexiones y desahogos; para intercambiar fotos, música y vídeos a través de las redes sociales, del *microblogging*, del *bookmarking* (Digg, Facebook, MySpace, Twitter), del *ins-*

tant messaging (Icq, Google Talk, Msn, Skype), YouTube, Flickr y demás herramientas parecidas. Los chicos guardan celosamente su propia vida y no les apetece que los padres cuenten a parientes y amigos lo que hacen. Prefieren difundir sus novedades en la web, donde narran y divulgan incluso los secretos más íntimos. Paradójicamente, se entiende que sean los padres quienes pidan a los hijos que respeten su privacidad. Una madre me contaba que sus hijas habían sabido antes que su marido que estaba pensando en separarse; una de ellas había publicado en su *blog* el resumen de una conversación telefónica *interceptada* entre la madre y una amiga de esta. Los adultos se sienten a menudo alarmados porque sus hijos pasan el tiempo libre –a veces también el del centro de enseñanza– delante de un ordenador, chateando o enviando correos electrónicos. Sienten la responsabilidad de protegerles de eventuales situaciones peligrosas para su integridad física o moral: el asunto es delicado. Se trata de motivar la precaución de los chicos y compartir las posibles formas de protección con ellos. El deseo de ampliar el ámbito de sus amistades, de socializarse, de medirse en un ámbito aparentemente protegido, incita a los chicos a establecer vínculos *on line* casi imposibles de controlar, que ponen en peligro su propia privacidad y su seguridad[6].

Las nuevas generaciones se mueven rápido y con agilidad, están familiarizadas con las herramientas informáticas y las nuevas tecnologías: se dan cuenta además de su superioridad en este terreno respecto a la mayoría de los adultos. A menudo esta circunstancia se convierte en un territorio de enfrentamiento minado por conflictos potenciales. La capacitación en el uso de la web y del teclado, y la velocidad de los mensajes y de los intercambios informáticos, son exigencias que inciden también en los procesos de pensamiento y de aprendizaje. Se está

---

[6] Para estudiar en profundidad este tema recomiendo el *9º. Rapporto nazionale sulla condizione dell'infanzia e dell'adolescenza*, de Eurispes y Telefono Azzurro, cap. 5

produciendo, sin duda, una suerte de mutación evolutiva. Esta es una de las razones por las que les cuesta concentrarse. El centro de enseñanza mantiene ritmos y métodos tradicionales muy alejados de su realidad. La lección impartida del modo tradicional ni siquiera se tolera en los cursos de puesta al día para adultos, pero en el centro de enseñanza todavía son pocos los profesores que utilizan regularmente plataformas didácticas multimedia.

PADRES CON ARCO

Tus hijos no son tus hijos,
son hijos e hijas de la vida
deseosa de sí misma.
No vienen de ti,
sino a través de ti
y aunque estén contigo
no te pertenecen.
Puedes darles tu amor,
pero no tus pensamientos,
pues ellos tienen los suyos propios.
Puedes abrigar sus cuerpos,
pero no sus almas,
porque ellas viven en la casa del mañana,
que no podrás visitar ni siquiera en sueños.
Puedes esforzarte en ser como ellos,
pero no podrás hacerlos semejantes a ti,
porque la vida no retrocede
ni se detiene en el ayer.
Tú eres el arco del cual tus hijos
como flechas vivas son lanzados.
Deja que la inclinación de tu mano de arquero
sea para lograr su FELICIDAD.

Kahlil Gibran, *el Profeta*

¿QUERER MUCHO O QUERER BIEN?

«Si pasas con nota alta, papá sabrá que vales». ¿Pierdo un año escolar? ¡Ya no soy digno de estima! «Te querré si actúas como te digo». ¿Y si mis elecciones se hacen autónomas? ¡Entonces me arriesgo a que no me quiera! «Te amo a condición de que...». ¿Y si no me adapto a lo que quiere? ¡Perderé su amor!

Hay diferencia entre querer mucho y querer bien. Querer bien implica reconocer las expectativas ajenas, respetar deseos y puntos de vista, esforzarse para ponerse en el lugar del otro, para valorarlo sin tener en cuenta los resultados. Significa evaluar los hechos sin desconfiar de la persona. Si un chico saca una mala nota no quiere decir que no "entienda nada": acaso no haya entendido una parte determinada del programa de una materia, o no haya estado atento a la lección, o haya estudiado con prisas o no conozca un método adecuado de estudio. Al sentir que lo atacan o que dudan de sus capacidades, podría activar inconscientemente mecanismos de autosabotaje: «¡Es inútil estudiar, total no entiendo nada!», y perpetuar el fracaso académico ofreciendo el flanco a nuevas evaluaciones negativas, hasta desmotivarse completamente respecto del estudio y perder la confianza en sí mismo. A menudo prevalece en las relaciones familiares la necesidad de control, que condiciona los lazos. Aunque la intención de un padre sea salvaguardar a su hijo de posibles peligros, puede incluir con facilidad un mensaje de menosprecio: «Si me controlan es porque no soy capaz de valerme por mí mismo...». Es una de las consecuencias más graves y que erosiona sutil y constantemente la autoestima, que deja en su lugar temores existenciales, dudas sobre el propio valor y el propio poder de decisión. Esto es muy distinto a expresar una opinión serena sobre los resultados obtenidos, o a reconocer las propias preocupaciones intentando estimular eventuales acciones alternativas cuando sea necesario. ¿Por qué tantas personas cometen los mismos errores una y otra vez? ¿Qué importancia tiene creer en uno mismo? ¿Cómo reforzar la autoestima, ese núcleo duro, para que nos sostenga y nos defienda? ¿Cómo se aprende de la experiencia? ¿Es posible desarrollar las potencialidades de un adolescente? ¿Cómo puede el progenitor favorecer este tránsito? Max Formisano, amigo y *trainer* experto en autoestima, diría: «Amando incondicionalmente a los hijos sin pensar en sus resultados».

No he escuchado nunca a un progenitor afirmar que no quiere mucho a sus hijos, pero muy a menudo dice que los chicos son ingratos y que no entienden los muchos dones que han recibido de ellos. Estos, por su parte, suelen lamentarse de no ser comprendidos por los progenitores, de no recibir apoyo en sus elecciones. Son muchas las cosas que pueden interrumpir un flujo que debería ser el más natural del mundo, el del amor recíproco entre padres e hijos. Las palabras de Gibran encierran una gran verdad: los hijos no son ni pueden ser proyecciones del padre o de la madre, sino proyecciones de sí mismos hacia el futuro. Los padres tienen la enorme responsabilidad de lanzarlos *como arqueros*, con alegría, hacia la realización de su vida.

M., de 13 años, no admite normas ni imposiciones, va al colegio con desgana y a veces lo convierte en una tragedia. Es arrogante, dice palabrotas y no pasa un día sin que haya una discusión en la familia. Está permanentemente insatisfecha, no querría salir de casa en absoluto, no acepta de ninguna de las maneras que le digan lo que tiene que hacer y reacciona con prepotencia. En el centro de enseñanza no se relaciona con sus compañeros y desde el principio ha sido objeto de mofa. Su madre ha intentado siempre minimizar sus quejas, explicándole que «con frecuencia los niños pueden ser malos; a estas edades todo el mundo es un poco idiota y es normal tomarse el pelo». Los maestros no intervienen nunca en su favor, sino que más bien la invitan a que deje de lamentarse, momento en el que M. pasa al ataque: molesta, polemiza, no se esfuerza por ser conciliadora. Los profesores dicen que no está atenta, que habla sin parar, que se distrae, que solo va a lo suyo. En consecuencia, cualquier cosa que sucede en clase es por su culpa. De las notas, mejor ni hablar. M. considera que son auténticas injusticias, pero se está resignando: «¿A mí qué más me da tener razón o no tenerla? No me importa nada». Su madre lo ha probado todo: intransigencia, compromisos, castigos, indiferencia, comprensión... pero todo ha sido inútil. "Diálogo" es una palabra carente de sentido entre ellas. La autoestima de M. está próxima a cero. Sin embargo, si pudiese, pasaría días enteros inmersa en la lectura, y dice que quiere matricularse en Medicina: las ciencias son otro de sus intereses. Estudia música en el Conservatorio, desde hace años, con óptimos resultados; va a los exámenes lamentándose, pero no se pierde ni uno. La madre reconoce tanto la capacidad de su hija como su inteligencia, su potencialidad, pero nunca se lo ha dicho de modo explícito, y no consigue que emerjan.

¿Cuál es el mensaje que M. transmite al mundo de los adultos? Tal vez sencillamente ser escuchada, tomada en serio. Siente que es diferente a sus compañeros, como es justo que sea, porque es necesario vivir para realizar la propia "unicidad", pero a esa edad el grupo tiende a aislar a quienes no se parecen a la mayoría. La vejan y la humillan: habla de ello en el centro de enseñanza y en casa, pero nadie da importancia a sus palabras. Reacciona entonces a la cerrazón y al desconocimiento de los adultos con rabia, no respetando sus normas y, sin quererlo, pone en marcha un mecanismo de realimentación que la penaliza cada vez más. Los padres y los educadores tienen la responsabilidad de ayudar a los jóvenes a expresar lo que son, y es una tarea delicada. Los adolescentes no se conocen casi nada, empiezan apenas a intuirse: experimentan, cambian de *look*, pasan de un estilo a otro.

Mudan las pasiones, los intereses, las amistades, buscando una dimensión que los represente de verdad. A esta edad son como capullos: es difícil saber lo que hay dentro. A veces, si se espera una rosa, una orquídea podría decepcionar. Un ciclamen no es de ningún modo superior a una margarita, y un tulipán no vale menos que un narciso. No siempre los adultos, aunque actúen con absoluta buena fe, saben valorar la flor que está despuntando. Antes de nada, por consiguiente, escuchemos a los chicos, demos valor a sus palabras para que encuentren sus propias respuestas, sin imponerles las nuestras.

Procuremos mantener el terreno fértil ayudándolos a desarrollar, del mejor modo posible, sus potencialidades.

Ciertos adultos imponen un diseño preestablecido que deja poco espacio a las elecciones autónomas de los chicos. Recuerdo un padre que tenía unas ideas muy claras sobre el futuro profesional de su hijo de 12 años: debía convertirse en dentista; según él una garantía de éxito, prestigio y dinero. Todas las ocasiones eran buenas para llamar la atención del chico sobre este proyecto profesional, empezando por regalarle en Navidad el maletín del pequeño odontólogo. Nunca le había preguntado, sin embargo, qué quería ser de mayor. El chico abandonó en cuanto pudo los estudios superiores y se dedicó a vender coches.

Hay muchos casos semejantes a este. Los hijos eligen en ocasiones por pura reacción: antes que empeñarse en realizar el propio deseo, actúan por oposición a las directrices paternas o maternas. Prevalece el sentido de rebeldía: «Con tal de ser algo distinto a lo que pretenden que sea...». Otros siguen el camino trazado por sus progenitores, para no contristarles, porque no tienen capacidad de adoptar una posición autónoma. Se sienten incapaces de decidir y viven una vida que no es la suya, sino la que los padres han querido que vivieran, ¡probablemente a causa de sus propios padres! Es el movimiento del flujo y del reflujo, de la reacción en cadena.

El mundo está lleno de adultos frustrados e insatisfechos. En mi trabajo me encuentro muchos que incluso a los 40 o los 50 años deciden volver a ser protagonistas de sus vidas e inician un esforzado camino de reconversión profesional redescubriendo pasiones sofocadas, recursos nunca utilizados y recuperando del fondo de los cajones los sueños polvorientos para darles nuevo brillo.

«Amarse a sí mismo es el inicio de una historia de amor que dura toda la vida» (Oscar Wilde).

Véase el caso de Ivan y Nicola: de las mentiras a la participación en las normas *(p. 145).*

EL CENTRO DE ENSEÑANZA Y LA ELECCIÓN DE LOS ESTUDIOS

Desde la cuna misma, los padres imaginan, construyen y cultivan en el fondo de sus corazones esperanzas y aspiraciones para su retoño. Será un gran artista, gestionará el patrimonio familiar, se dedicará con empeño a los estudios, se adaptará a las normas maternas y paternas...

Es como intentar retener la crecida de un río mediante un pequeño dique y pretender que las aguas permanezcan eternamente quietas. Un arroyo debe tener la libertad de propagarse y transformarse en río, de soportar la crecida tras un chaparrón y reposar en un remanso tranquilo, de tomar velocidad en los rápidos y convertirse por fin en una potente cascada. Si se le bloquea, inundará territorios enteros de modo imprevisible y causará incalculables daños. *«Los seres humanos son como los ríos... y los ríos a veces se remansan, en otros tramos fluyen velozmente, en algunos momentos se ensanchan o se estrechan, son límpidos, turbios, fríos o bien de aguas casi templadas»* (León Tolstoi).

Son muchos los padres, sin embargo, que sostienen que sus hijos son demasiado pequeños para tomar decisiones responsables: ¿Cómo pueden, por ejemplo, decidir a los 13 años qué estudios les conviene más? ¿Pero están habituados a elegir? Toda elección implica una renuncia que no siempre es fácil de aceptar, en especial para quien está habituado a tenerlo todo y no ha podido elegir nunca por sí mismo. Saber elegir es fruto de un entrenamiento en valorar oportunidades, hacer acopio de información, considerar pros y contras, aceptar responsabilidades y prever las eventuales consecuencias. En familia, las ocasiones para ayudar a los hijos a desarrollar la capacidad de decisión son infinitas: elección de la ropa, organización del propio cuarto, del deporte que practicar, las películas que ver o el destino de una excursión. Todas estas decisiones no implican probablemente tremendas consecuencias familiares, pero ofrecen a los hijos ocasiones preciosas para experimentar el efecto de una decisión tomada por ellos.

Basta observarlos y escucharlos mientras exploran las diferentes posibilidades: ponen en juego talentos e inclinaciones y van descubriendo sus auténticas aptitudes. El mundo actual ofrece una miríada de oportunidades; suele bastar con encontrar el tiempo y la voluntad de tomarlas en cuenta. El centro de enseñanza es también abundante en instrumentos y ocasiones alternativas de formación: del teatro al deporte, de los laboratorios científicos a los musicales y artísticos. Los centros deportivos de barrio ofrecen hoy en día un amplio abanico de actividades. Los chicos, gracias a Internet y a la televisión, están saturados de información. En torno a los 13-14 años sus intereses son reconocibles; según Frederic Kuder[7], ya han cristalizado. Kuder ayuda, en Estados Unidos, a estudiantes y centros en la elección y preparación de las carreras. Estas actividades constituyen una sólida base para los años sucesivos y serán en buena medida responsables de los logros profesionales, fuente de la energía

---

[7] Frederic Kuder es el autor de *Registro de preferencias vocacionales*. TEA Ediciones, 2000.

fáctica que permite desarrollar ideas innovadoras y creativas. Además, ya de adultos, es más fácil mantenerse informado sobre un sector que apasiona de verdad para ampliar nuestras competencias. Las aptitudes son evidentes muy pronto: consisten, ni más ni menos, en la capacidad de desenvolverse mejor que otros en determinadas actividades, y todos los niños las manifiestan desde pequeños. «Se ve que tiene madera...». Aparecen espontáneamente y pueden desarrollarse y crecer con el transcurso de los años, o marchitarse hasta desaparecer. Depende mucho del nivel de compromiso intelectivo y emotivo que las sostenga. No basta tener oído musical para convertirse en pianista, sino que se requieren años de estudios esforzados, de práctica, sustentados en la pasión por la música y en la voluntad de lograrlo. Después entran en juego los valores de referencia, resorte maestro de las elecciones. Para Freud, ya a los tres años los niños saben distinguir lo que es justo de lo que no lo es, se forma precozmente el llamado *superyó*, que con los años se enriquece de matices y de convicciones, y se organiza según una escala de prioridades. Los valores son una dimensión de la personalidad que tiene raíces profundas y están ligados a determinadas necesidades (morales, económicas, estéticas, de conocimiento, de profundización, de realismo, de solidaridad, de prestigio, de poder, de aceptación, de éxito). Los adolescentes saben ya mirar a lo lejos. Respetemos sus sueños, aunque a veces alberguen aspiraciones que se avergüenzan de manifestar por miedo a las críticas o por escasez de autoestima.

En síntesis, ¿qué aspectos hay que considerar para ayudar a los chicos a elegir? Empecemos por plantearles algunas preguntas para ir descubriendo su mundo de significados.

- ¿Qué te gusta hacer? ¿Qué te complace de verdad? ¿Qué te divierte? (Intereses)
- ¿Dónde quieres llegar? ¿Qué metas querrías alcanzar? (Aspiraciones)
- ¿En qué actividades rindes más y te cansas menos? (Aptitudes)
- ¿En qué crees? ¿Qué es verdaderamente importante para ti? (Valores)
- ¿Qué necesitas para sentirte satisfecho y realizado? (Motivaciones)

Las respuestas a estas preguntas son ingredientes que, si se mezclan con sabiduría, marcarán el camino que seguir. Cuando se quiere reflexionar juntos sobre el mundo del trabajo, es posible empezar a razonar por grandes áreas de intervención basándose en el contenido de la actividad laboral y en los requisitos exigidos. Es un rastro que merece la pena ampliar para explorar ámbitos de interés específico[8]:

ÁREAS	REQUISITOS
TRABAJAR CON **PERSONAS** (TRABAJOS AL SERVICIO DE LA GENTE O EN CONTACTO CON ELLA).	DISPONIBILIDAD PARA EL CONTACTO CON LOS OTROS, CAPACIDAD DE TRABAJAR EN GRUPO, DE COLABORAR E INFORMAR, EFICACIA EN LA COMUNICACIÓN.
TRABAJAR CON **COSAS** (TRABAJOS TÉCNICO-PRÁCTICOS, MANUALES, ARTESANALES).	DESTREZA CON HERRAMIENTAS Y MAQUINARIAS. HABILIDAD PARA REPARAR, CREAR, CONSTRUIR OBJETOS.
TRABAJAR CON **DATOS** (TRABAJOS COMERCIALES, ADMINISTRATIVOS, CIENTÍFICOS).	CAPACIDAD PARA RECOGER Y ORGANIZAR DATOS E INFORMACIONES, ELABORAR ESTADÍSTICAS, UTILIZAR PLANTILLAS, RETÍCULAS Y SIMILARES.
TRABAJAR CON **IDEAS** (TRABAJOS HUMANÍSTICOS, DE INVESTIGACIÓN SOCIAL).	CAPACIDAD PROYECTUAL Y DE PLANIFICACIÓN DE TRABAJOS, ESTUDIOS E INVESTIGACIONES. ANÁLISIS DE FENÓMENOS Y PROBLEMAS COMPLEJOS. ESCRITURA.

[8] Véase Giovanna Giuffredi, Lia Inama: *Cosa farà da grande, manuale di orientamento per genitori e insegnanti.* Sansoni RCS para el colegio, Florencia 1994.

El centro de enseñanza es una palestra que, al menos en teoría, desarrolla y entrena las capacidades, estimula la exploración de áreas de interés y ayuda a los chicos a experimentar en todos los campos de la actividad humana. Si un adolescente está bien informado sobre sus alternativas de estudio, si el centro de enseñanza ha sido orientativo y lo ha estimulado para la reflexión sobre sus potencialidades y sobre las exigencias del mundo laboral, si tiene el sostén de la familia, estará en situación de elaborar todas estas informaciones y de integrarlas con sus aspiraciones personales. Así se va perfilando la elección. Los padres contribuirán naturalmente y ofrecerán su propio punto de vista, de igual forma que será importante la orientación de los docentes. Si el chico ya ha hecho un ejercicio de autorreflexión, será más fácil que adopte nuevas perspectivas de valoración sin que por ello haya de sentirse condicionado.

¿Y SI NO LO CONSIGUE? EL CORAJE DE VOLAR

«Las decisiones son un modo de definirse a uno mismo, son el modo de dar vida y significado a los sueños, son el modo de convertirse en lo que somos» (Dálai Lama).

¿Cuáles son las aspiraciones, por teóricas y fantasiosas que sean, de los chicos? ¿Sueñan con los ojos abiertos con ser alguien, con afrontar un gran reto? Si hay señales que revelan la presencia de potencialidades no expresadas e impacientes por realizarse, vale ciertamente la pena explorarlas combatiendo las resistencias al cambio y los recurrentes pensamientos negativos que se erigen en el origen de muchas renuncias. Son pensamientos que alejan entusiasmos y ganas de ponerse a prueba. «Pensaba matricularme en *ballet* clásico, pero seguro que no lo conseguiría...». «Me encantaría hacer deporte... pero soy demasiado perezoso». «Tengo un sueño pero, figúrate, yo no podría...». Inexorablemente, ese "pero" ahoga y aplasta los deseos incluso antes de haber intentado realizarlos. Estamos en presencia de un *asesino* de la mente, de esos pensamientos saboteadores que asfixian los sueños antes de que nazcan, sofocan las energías necesarias para realizarlos y deterioran la autoestima. En ocasiones son subterráneos, actúan disimuladamente, anclados en modelos de vida impuestos por los padres, en metas ambiciosas que el hijo no siente como propias, pero ante las que termina por ceder: «¡Me he sacrificado tanto para que tengas un título superior y tú quieres abandonarlo todo para seguir esas ideas absurdas!». Y más todavía: «¡Pero cómo vas! No puedes salir vestida así: qué obstinada eres, te pones en ridículo». Episodios cotidianos o discusiones esporádicas que dejan huella, inhiben la experimentación e impiden la asunción de responsabilidades y la realización de elecciones autónomas.

«¿Y si el colegio es demasiado difícil, demasiado duro? Y si no tiene las ideas claras, si se equivoca, si...». La tendencia de los padres es proteger a los hijos de un posible fracaso, sin tener en cuenta la fuerza y la capacidad demostradas en el pasado.

Para dar los primeros pasos han debido aprender a caerse y a levantarse, a manejarse por su cuenta. ¿Y qué han hecho los padres en esos momentos?, ¿les han impedido ponerse a prueba y arriesgarse, o les han animado a probar una y otra vez hasta verlos caminar erguidos y, después, correr y pedalear?, ¿Y qué edad tenían estos campeones de resistencia? Dieciocho meses, mes arriba, mes abajo. Todos nosotros, a esa edad, hemos conseguido superar las primeras duras pruebas de la vida con éxito, hemos logrado ponernos en pie, dar un paso detrás de otro sin dejarnos descorazonar por miedos ni fracasos.

«¿Y si después hago el ridículo?». Y si y si... Seguíamos únicamente nuestro sano instinto, el deseo inconsciente de realizar las potencialidades otorgadas por la naturaleza, no envidiábamos a quien caminaba, sino que nos sentíamos fascinados. Según Roy

Martina, el *software* que regula la mente en el momento del nacimiento es perfecto y complejo, pero puede complicarse con el tiempo.

Un progenitor demasiado aprensivo, un maestro severo, unas regañinas excesivas, una experiencia mal vivida o la falta de una caricia inoculan un virus que cortocircuita el maravilloso y sensible mecanismo que nos gobierna. De este modo hacemos oídos sordos al instinto y solo escuchamos el miedo al fracaso, el temor al juicio de los otros y la ansiedad de no sobrellevarlo.

Y somos nosotros mismos los que con el tiempo agravamos el virus, abandonándonos a costumbres viejas y perjudiciales, resistiéndonos al cambio, a la evolución, encerrados en el capullo que nosotros mismos hemos tejido.

Las convenciones limitadoras son el primer obstáculo de nuestra realización, ya que nos impiden dar siquiera un paso en un nuevo camino.

¿En qué momento hemos de romper las cadenas? Sencillamente cuando sintamos las ligaduras demasiado tensas alrededor de nuestras muñecas y nos falte el aire. Como enseña un antiguo aforismo zen, «lo que para el gusano es el fin del mundo, para la mariposa es el comienzo de una nueva vida». Pero ¿cómo poner a punto ideas positivas en las que creer y que sean capaces de darnos fuerzas? Escuchándonos sin temor, recuperando las energías que están en nuestro interior, siempre dispuestas a ayudarnos a reencontrar el camino hacia nuestra realización. Las alas las tenemos, basta un poco de aceite en los engranajes, unos ejercicios de entrenamiento y muy pronto podremos volar a lo más alto. Desde arriba la perspectiva cambia, se amplía, todo se redimensiona y la meta se hace más fácil de distinguir y de alcanzar.

«Los inocentes no sabían que la cosa era imposible, por consiguiente la hacían» (Bertrand Russell).

Véase el caso de *Sandra: de los secretos a la participación* (p. 152).

¡ESO ES LO QUE QUIERO!

También en las desgracias saben decir: «¡Podría ser peor!». Para ellos el vaso está siempre medio lleno, y si lo vacían saben cómo volverlo a llenar. Los optimistas parecen vivir con mayor ligereza, no se dejan agobiar por los acontecimientos, saben cómo afrontar las dificultades, tienen siempre una sonrisa en los labios. Son, incluso, más sanos. Como ha demostrado Martin Seligman[9] en una investigación realizada con Gregory Buchanan, gozan de mejor salud física que los pesimistas crónicos. Pero ¿cómo hacer para valorar siempre favorablemente las circunstancias?

Los pesimistas dirán que la capacidad de reaccionar ante eventos negativos, sin hacer tragedias ni descorazonarse, es cuestión de la inclinación natural, de condicionamientos familiares, sociales... En realidad, el optimismo es una capacidad que puede aprenderse. Se puede aprender a transformar los problemas en oportunidades de cambio, de evolución, de crecimiento personal en lugar de vivirlos como obstáculos infranqueables. El primer paso es volver a tomar el control de la propia vida, sin artificios, percibiendo cómo el "poder" que poseemos acude a nosotros.

¿Las cosas no van como desearíamos? Hay quien se queda mirando, quien espera que alguien arregle la situación antes o después, y hay quien, en lugar de ello, actúa en primera persona, va al encuentro de la meta, asume su parte de responsabilidad en los acontecimientos de la vida. Lo importante es creer de verdad en nosotros mismos. A veces resulta difícil tener las ideas claras respecto de adónde queremos llegar y cómo podemos hacerlo, pero es muy cierto que si no se decide qué dirección tomar, nunca se llega a ninguna parte. Incluso si se desea una posición estática para mirar, esperar o elaborar.

---

[9] Martin E. P. Seligman: *La auténtica felicidad*. Zeta Bolsillo, Barcelona 2011.

En cualquier caso, lo importante es leer nuestro interior, reencontrarse a fin de dar respuestas a interrogantes latentes. A menudo estamos disponibles para satisfacer las pretensiones del mundo entero mientras nuestras necesidades permanecen en segundo plano, retrocediendo cada vez más, enmarañadas en una red de inconvenientes y condicionamientos en el fondo ajenos.

E. no sabía si matricularse en la universidad o continuar sus estudios en el conservatorio. Era proclive a escuchar a todo el mundo, perdiendo de vista la esencia de sus deseos. Se sentía confusa entre los consejos del tío, de la madre, de los amigos y de la hermana. Pasaba horas reflexionando sobre las opiniones de los demás, sin acordarse de escuchar las señales de su inconsciente.

Después de recibir entrenamiento para reconocer los mensajes del propio cuerpo, descubrió que tenía mucho que decirle: «Me he hecho unas cuantas preguntas con respecto a la universidad y al camino que debía tomar. Cuando me he preguntado si quería hacer Económicas, he sentido un silencio demasiado largo; respecto a Psicología me he dicho que tal vez, pero que mejor la música. Al final me pregunté si me gustaría asistir al curso de composición y tuve una sensación extraña, pero también muy hermosa, porque sentí como si la barriga se me contrajese en una sonrisa y después una sensación de calor. Tras esto me eché a llorar, pero no era un llanto triste sino una mezcla entre alegría y liberación. Por consiguiente, la respuesta quedó muy clara».

E. ha abierto la puerta del inconsciente, se ha dado confianza a sí misma, ha escuchado la parte más esencial y auténtica de sí y ha encontrado la respuesta que buscaba.

Nuestras exigencias están ahí, vitales aunque polvorientas: solo piden ser respetadas y, si no lo hacemos, nos envían señales inconfundibles, como malestar, insatisfacción, incomodidad, sentimiento de frustración. La energía decae, se pasan las ganas de cambiar y la situación empeora.

Véase el caso de Luca: de la rebelión a la comunicación *(p. 161).*

A continuación se proponen unas cuantas preguntas que pueden plantearse a los chicos, o también como ejercicio autónomo, para que reflexionen sobre sus prioridades y ayudarles así a cobrar confianza en sí mismos y estimularles a contemplar el futuro de forma propositiva identificando metas coherentes.

1. ¿Qué quiero obtener de mi vida en este momento?
¡Prohibidos los condicionales! Por consiguiente nada de «¿qué querría obtener?», concéntrate en «¿qué quiero obtener?». Encuentra al menos diez objetivos, pequeños o grandes, inmediatos o a largo plazo, y escribe todo lo que se te pase por la cabeza. Exprésate en positivo, que quede claro lo que quieres, no lo que NO quieres.

2. ¿Cuáles son mis prioridades?
Vuelve a leer la relación e intenta determinar qué es más importante y urgente. ¿Cómo? Escuchándote, utilizando las sensaciones que experimentas dentro de ti mientras con la mirada recorres tus palabras. Entenderás con rapidez cuáles son tus objetivos prioritarios, y tal vez sean exactamente aquellos que parecen inalcanzables. No te dejes condicionar por el miedo al fracaso: siéntete capaz y merecedor de obtener cualquier cosa que desees. Escribe, por último, una nueva relación según el orden de prioridad.

3. ¿Es verdaderamente lo que quiero?
Se trata de una verificación ulterior. Una fase para determinar si lo que te has propuesto como meta refleja verdaderamente tus deseos, o es tan solo la respuesta a las exigencias y a los deseos de los demás. ¿Qué representan para ti las metas que te has señalado?, ¿qué sentido tienen?, ¿qué persona sentirás que eres cuando las hayas alcanzado?, ¿qué te dirás? Estás reflexionando sobre tus motivaciones profundas. Son las que te sostendrán, no debes olvidarlo nunca; son tus puntos de apoyo incluso cuando te sientas desanimado.

4. Del 1 al 10, ¿cuánta es mi motivación para obtener el resultado?
Elige tu escala de valores, sitúate respecto de tu objetivo y mide dónde estás y adónde quieres llegar. ¿Qué ves a medio camino que te permita obtener lo que quieres?

5. ¿Qué puede impedirme alcanzar mis objetivos?
Se trata ahora de tener una visión realista de la factibilidad de tus objetivos, más allá de pensamientos negativos y condicionamientos mentales que puedan desanimarte. Descarta únicamente lo que de verdad te parezca irrealizable y concentra tus energías en los primeros puestos de la lista.

6. ¿Qué me servirá para descubrir que he obtenido los resultados que deseo?
¿Cómo se percibirá desde el exterior? ¿Qué emociones viviré interiormente? Prueba a imaginarte proyectado en el futuro, cuando hayas alcanzado tus metas.

7. ¿Qué necesito?
Reflexiona sobre el pasado, sobre lo que has aprendido, bien de los éxitos bien de las experiencias negativas. ¿Qué recursos usarás? Si tuvieras necesidad del apoyo de alguien o de información, ¿qué podrías hacer para pedir ayuda o para solicitar lo que necesitas?

8. ¿Me pongo a ello cuando quiera obtener los primeros resultados?
Determina tus tiempos y prepara una planificación concreta que te permita establecer un ritmo para realizar el recorrido e individualizar etapas realizables a corto, medio y largo plazo.

9. ¿Cuáles serán mis primeros pasos?
Concéntrate únicamente en aquello que depende de ti y es de tu responsabilidad directa. Establece un primer plan de acciones concretas y piensa en indicadores de resultados que te permitirán decir: «¡Esto lo he conseguido!».

10. ¿Cuánto estoy dispuesto a comprometerme conmigo mismo?
Se trata de hacer un pacto con tus deseos, de conjugar las aspiraciones con los resultados que esperas obtener.

EL "COACHING"

Conozco barcos que no salen del puerto
por miedo a que las corrientes los arrastren.
Conozco barcos que en el puerto se oxidan
por no haber desplegado jamás una vela.
Conozco barcos que de partir se olvidan,
porque al crecer tuvieron miedo al mar,
barcos que las olas no han mecido,
su viaje terminó antes de marchar.
Conozco barcos tan encadenados
que han olvidado cómo liberarse.
Conozco barcos que solo cabecean
por la seguridad de no volcarse.
Conozco barcos que parten jugando
y afrontan juntos las tempestades,
conozco barcos que navegan juntos
abriendo rutas al surcar los mares.
Conozco barcos cuya unión
se vuelve más fuerte día a día,
y que no temen separarse un poco
para hallarse después con mayor gozo.
Conozco barcos que regresan a puerto
profundamente heridos, pero más fuertes;
conozco barcos de sol rebosantes
porque han dejado atrás años inermes.
Conozco barcos que hasta el último día
cargados de amor sin cesar navegan,
sin replegar jamás sus alas de gigante
porque su corazón es grande como el mar.

Marie-Annick Rétif (Mannick), atribuido erróneamente a Jacques Brel

EL "COACHING" Y LAS LENTES DEFORMANTES

Todos llevamos puestas lentes deformantes, y a través de ellas enfocamos la realidad, la valoramos, la juzgamos, la interpretamos y nos comportamos en consecuencia. Muchos ni se dan cuenta de que las llevan, tan cómodas y confortables les resultan. O sostienen que han sido hechos así, incluidas las lentes, y que de ninguna manera están dispuestos a modificar la propia visión del mundo. Son las lentes de las convicciones que se forman durante la infancia en el ámbito de la familia y del centro de enseñanza, gracias o a causa de las experiencias acumuladas que nos hacen *ver* la realidad desde nuestra perspectiva. Aunque somos casi 7000 millones de seres humanos en la Tierra, nuestra pequeña experiencia vital se convierte en un punto de referencia absoluto. Nacen así los preconceptos y los prejuicios no solo hacia los demás, sino también hacia nosotros mismos. Basta que un amigo no nos llame durante un par de semanas para decretar que ya no quiere vernos; si el jefe está desagradable es porque la ha tomado con nosotros; si una persona se comporta mal, cada vez que nos topemos con alguien que tenga sus mismas características esperaremos que se comporte mal; y así sucesivamente.

¿Qué margen de incidencia tenemos sobre la nitidez y la imparcialidad de la imagen? Mucho más de lo que creemos. Nuestra mente cree en aquello que consideramos justo, nos sigue fiel y confiada. Si decidimos endosarnos nuevas lentes, si pedimos prestadas las de los demás por curiosidad, para ver desde una nueva perspectiva, o imaginamos que disponemos de un gran angular, de improviso la realidad aparece distinta, descubrimos alternativas a nuestras convicciones limitadoras y toda una gama de posibilidades fascinantes. No se trata de ir de farol con nosotros mismos, sino de permitirnos estar bien y mejorar nuestra relación con los demás, mostrándonos dispuestos a explorar las zonas de sombra que nos impiden aprovechar ciertas oportunidades excelentes.

Es este uno de los efectos más extraordinarios y frecuentes que presencio en las sesiones de *coaching*: el cambio de paradigma. Sin ninguna imposición y a la vista de una mejora, las personas que deciden ponerse nuevas lentes, descubrir otras sendas que recorrer, nuevas posibilidades que explorar, se encuentran con potencialidades ocultas y ocasiones exitosas. Y actuando en la dirección deseada, todo acontece como se pretendía.

El *coaching* entrena para razonar de un modo nuevo: puede transformar las convenciones limitadoras y ayudarnos a cumplir sueños arrinconados demasiado deprisa, a descubrir recursos latentes, a reactivar energías en apariencia agotadas y a sentir de nuevo las ganas de hacer cosas. Construye un puente hacia el futuro para remodelar determinados aspectos de la vida, para evitar acudir de nuevo a lo que fue y ya no es, a lo que no fue pero podría haber sido, y para construir lo que será. *«El auténtico viaje de descubrimiento no consiste en la exploración de nuevos territorios, sino en tener nuevos ojos»* (Marcel Proust).

PERO ¿HACE FALTA EL "COACHING"?

Ya en el año 2002, el *Financial Times* publicó los resultados de un estudio de la International Personnel Management Association donde se demostraba que la productividad del personal únicamente mejoraba un 22 % con formación, mientras que con el *coaching* la mejoría alcanzaba el 88 %. Un estudio reciente de la International Coach Federation pone de manifiesto que el 96,2 % de los clientes de *coaching* repetiría la experiencia y que el 82,7 % se considera muy satisfecho del resultado obtenido[10].

---

[10] *ICF Global Coaching Study*, investigación realizada por PricewaterhouseCoopers para la International Coach Federation (www.coachfederation.org).

Personalmente me he encontrado más de una vez que mis clientes, incrédulos frente a los resultados, me han preguntado si me había servido de una varita mágica. En realidad, me había limitado a exteriorizar lo que habían tenido siempre al alcance de la mano sin saberlo.

¿QUÉ ES EL “COACHING”?

«Las cosas no cambian, somos nosotros los que cambiamos» (Henry David Thoreau).

El *coaching* es un enfoque autorregenerativo de desarrollo, un método que ayuda a las personas a redescubrirse, a tomar las riendas de su propia vida, a encontrar respuestas; pero sobre todo a valorar recursos y competencias en función de los objetivos que se pretendan alcanzar. Es un sistema que reactiva recursos y energías. Del *coaching* se empezó a hablar en Estados Unidos durante los años cincuenta del pasado siglo, se consagró en el mundo anglosajón en los ochenta y en el transcurso de la última década se ha difundido sucesivamente en distintos países europeos hasta llegar al área mediterránea. En realidad, este método tan potente y eficaz tiene raíces mucho más antiguas.

Sócrates invitaba a «conocerse a uno mismo» (prioridad del *coaching*), Píndaro saludaba a sus discípulos diciendo que «se convirtieran en lo que eran» (finalidad del *coaching*), Parménides sostenía que todo es posible, que «basta con encontrar el valor para recorrer el camino» (proceso del *coaching*), y para Heráclito «lo único permanente es el cambio» (supuesto del *coaching*). Y si cambiar significa transformarse, crecer, evolucionar, prevenir, innovar, reconocer límites y aprovechar nuevas oportunidades, también es verdad que el cambio consciente se produce sobre las alas del conocimiento. Aprendemos de la experiencia, de los errores cometidos, pero es sobre todo la capacidad de instruirse y de asimilar la que nos pone en contacto con la sabiduría colectiva y nos permite encontrar la inspiración para materializar nuestras potencialidades más auténticas.

El *coaching* es un proceso de aprendizaje que presupone el conocimiento de uno mismo, de los propios recursos y de las áreas mejorables. La toma de conciencia es un punto de no retorno: activa la responsabilidad hacia uno mismo y los propios objetivos y lleva consigo la semilla del esfuerzo y de la voluntad de alcanzar la meta mediante acciones y comportamientos específicos. Al final del recorrido, se está preparado para un nuevo desafío o para una aventura existencial.

Pero no basta con definir objetivos sino que se necesita pensar, imaginar y vivir las emociones del resultado que quiere alcanzarse, estableciendo de modo natural el mejor camino para ello y empezando a dar un paso después de otro. Se trata, de hecho, de una modalidad muy pragmática que permite obtener modificaciones significativas con rapidez. Se basa en un *commitment*, término inglés difícilmente traducible que implica responsabilidad, esfuerzo y acciones personales encaminadas a obtener los resultados a los que se aspira.

El objetivo para el que se trabaja debe estar bien formulado, es decir, debe corresponderse con las intenciones profundas y auténticas de la persona, y venir al encuentro de una exigencia íntima; hay que abandonar el uso del condicional y del subjuntivo (podría, lo haría si tal cosa sucediese, si me apoyaran...) para cambiarlos por verbos en presente y en futuro.

Un objetivo, para ser alcanzable, debe ir anclado a una fuerte motivación, ha de ser percibido como concreto, realista, accesible y localizable en tiempos definibles. Mi frase guía: «La vida que quieres es la única que tendrás», implica atender a todas las dimensiones de la vida y de las motivaciones personales, reconociendo el valor de la unicidad del individuo y de sus experiencias con la mirada proyectada hacia delante, hacia el futuro.

Se parte de las situaciones presentes, se mira hacia delante y se activan acciones y comportamientos que permitirán construir el futuro deseado, teniendo en cuenta los límites reales.

Es similar a cuando se establece un punto de llegada con el navegador por satélite. Si el corazón y la mente saben adónde ir, el cuerpo los seguirá. Se tiende un puente hacia un resultado, hacia un objetivo deseable, y se traza una ruta que recorrer. Visualizar el éxito que se pretende, percibir el sentido que tendrá, recrear las emociones que puedan vivirse... todo eso hará posible la valoración realista del recorrido antes de efectuarlo. Aceptar la responsabilidad de los propios pasos y de la meta elegida permite descubrir el valor del esfuerzo personal para obtener lo que se desea. Se trata de trabajar sobre la dimensión del ser (quién soy, en qué quiero convertirme), del hacer (cómo actuar, qué estrategias activar) y del devenir (cómo cambiar y hasta dónde llegar).

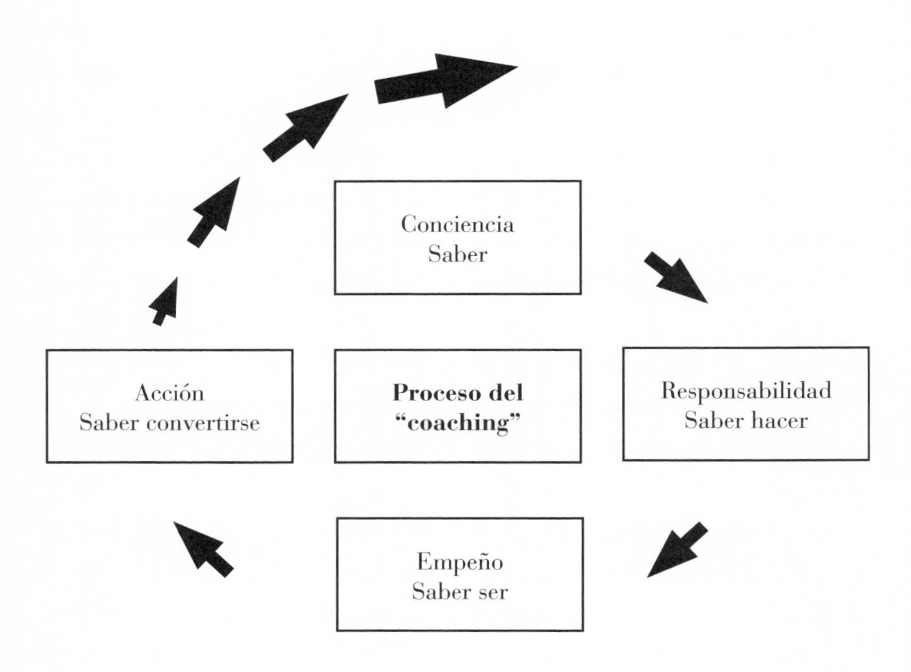

¿QUÉ HACE EL "COACH"?

El *coach* es un *partner*, un compañero de recorrido que apoya, que hace de espejo, de caja de resonancia o de tira de tornasol, que ayuda a establecer metas y objetivos específicos, a valorar las propias características, a tomar conciencia de los progresos o de los cambios, a definir estrategias y planes de acción concretos para consolidar resultados y alcanzar otros nuevos. Donde hay una bellota, el *coach* ve la encina, el resultado alcanzado, en cuanto que confía plenamente en el desarrollo de las potencialidades personales y en las capacidades de cada cual para encontrar en sí mismo las respuestas justas a las propias exigencias. Es necesario saber gestionar las convenciones y las vinculaciones limitantes, transformar el miedo al cambio en energía tendente al crecimiento y a la realización personal.

El *coach* estimula la reflexión y los procesos de aprendizaje para encontrar las soluciones más adecuadas. Escucha con atención palabras y silencios, no ofrece consejos sino sugerencias, plantea las preguntas oportunas que facilitan el análisis de la situación y estimula la toma de conciencia, ayudando a su cliente a determinar las áreas sobre las que trabajar.

¿Qué les impide a las personas obtener lo que quieren? A menudo el significado que atribuyen a los acontecimientos de sus vidas. El lenguaje, según Rafael Echeverría, es en sí mismo acción. Las palabras pueden abrir y cerrar puertas y tienen un impacto sobre nuestro futuro; en una conversación de *coaching*, se explora qué lenguaje necesita el cliente para actuar.

El sentido de un recorrido de *coaching* reside sobre todo en suscitar la convicción de que es posible cambiar solo, y de que el mérito de los resultados obtenidos pertenece solo al cliente.

Las preguntas, que son el instrumento principal del *coach*, activan el pensamiento lateral, ligado a la creatividad: las personas entran sobre todo en contacto consigo mismas, accediendo con naturalidad al bagaje de experiencias propio; de este modo amplían las perspectivas, traducen en objetivos y acciones concretas las propias aspiraciones y "leen" los hechos del modo más práctico, creativo y constructivo.

Junto al *coach* se abren nuevas perspectivas, se actúa de modo proactivo y se maximiza la capacidad de aprender de la experiencia. Veamos, una por una, las acciones principales del *coach*.

Acoger

El *coach* acepta y respeta incondicionalmente a su cliente (el *coachee*), crea un espacio psicológico donde acoger todo lo que este le expone y lo usa para ayudarlo a ir dónde quiere mediante una relación de total confianza.

Escuchar

El coach escucha activamente lo que el otro expresa, lo que intenta decir y lo que no dice. Pregunta, lee entre líneas, intuye, ayuda a reelaborar y a racionalizar las emociones que obstaculizan el camino y desarrolla la inteligencia emocional así como el espíritu de realización. Descubre los mecanismos de pensamiento de su cliente, para ayudarle a servirse de ellos con mayor eficacia.

Restituir

El *coach* ayuda al cliente a reconocer sus necesidades, a verificar valores, ideas y acciones haciéndole consciente del propio potencial y preparándole para aprovechar al máximo las oportunidades, favoreciendo su crecimiento. Ofrece realimentación, pero sin expresar nunca juicios de valor.

Focalizar

El *coach* ayuda a establecer las modalidades de acción más adecuadas, que más convengan a sus exigencias, para valorar de modo realista las estrategias mejores en relación a las metas establecidas, sin descuidar nunca las necesidades complejas del individuo, el respeto a su equilibrio entre la vida privada y la profesional. Ayuda a transformar sueños y deseos en proyectos concretos, valorando la fuerza de las motivaciones. Estimula a concentrarse en las prioridades y a racionalizar el camino recorrido, sin dejarse distraer por falsos problemas o por resistencias personales al cambio.

Valorar

El *coach* ayuda a poner de manifiesto las verdades individuales, reconociendo su valor. No es nunca autoritario, no impone su punto de vista sin contraponerlo con el del *coachee*, para ampliar su radio de acción. Este descubre que el camino se abre al caminar y, junto al *coach*, encuentra las respuestas que ya estaban dentro de sí mismo. Transformará el *querría* en "quiero" y el *podría* en "puedo".

Apoyar

El *coach* abre la conciencia, prepara al cliente a prevenir los obstáculos, a valorarlos, y si es posible a estar dispuesto para superarlos, a comprender que los problemas no se esquivan sino que se afrontan con los instrumentos adecuados. Le apoya en los momentos de desánimo, le ayuda a examinar las pausas debidas a falta de energía, a reforzar una autoestima escasa, a combatir el miedo a los cambios. Le reafirma en los progresos, acompañándolo hacia la autonomía.

Desafiar

El *coach* actúa desafiando y estimulando al *coachee* a descubrir sus verdaderas ambiciones, haciéndolo responsable de la calidad de su vida personal y profesional. Ayuda a respetar los compromisos, propone métodos, estrategias e instrumentos. Formula demandas que abren horizontes nuevos y permiten saltos hacia adelante, comunica de manera clara y directa y, entre una sesión y otra, asigna “tareas”, acciones o modificaciones acordadas con el cliente.

He aquí, en síntesis, las once competencias clave del *coach*[11]:

1. **Ética**: respeto al *coachee* y a sus exigencias, en línea con el código ético y deontológico y los estándares profesionales de calidad del *coaching*.
2. **Establecer el contrato**: comprender lo que se pide, definiendo con claridad los ámbitos y los objetivos sobre los que trabajar en el proceso de *coaching*, concretando los términos de la relación, ofreciendo apoyo y estimulando la exploración de nuevas perspectivas, comportamientos y acciones para centrar el tema sobre el que trabajar.
3. **Confianza y seguridad**: crear seguridad y un ambiente favorable al respeto y a la confianza mutua, alineando el estatus y la intención del *coach* con el bienestar del *coachee*.
4. **Presencia**: asumir una posición de no-conocimiento y crear una relación espontánea con las personas, adoptando un vínculo abierto y flexible, adecuándose a las situaciones y confiando en las propias intuiciones.
5. **Escucha activa**: profundizar en el significado de lo que el otro dice y no dice, dando apoyo a la expresión de deseos, sentimientos, percepciones, objetivos, valores y convicciones a propósito de lo que es posible y no es posible realizar, adaptándose a sus ritmos.
6. **Preguntas significativas**: formular preguntas que abran nuevas perspectivas y proyecciones hacia el futuro, que

[11] La International Coach Federation define las once competencias como elementos fundamentales para el ejercicio de la profesión de *coach*, según el código ético y deontológico y los estándares específicos de calidad profesional.

evoquen descubrimiento, perspicacia, esfuerzo o acciones. Preguntas abiertas que impulsen al *coachee* hacia sus propios objetivos.

7. **Comunicación directa**: hablar con claridad, de manera directa y articulada, ofrecer una realimentación que produzca un impacto positivo y reformular las palabras del *coachee* para ayudarle a comprender, desde otra perspectiva, lo que desea o lo que no ve con nitidez.
8. **Crear conciencia**: ayudar al *coachee* a identificar el modo recurrente de verse a sí mismo y de ver al mundo, a distinguir entre hechos e interpretaciones, entre pensamientos, sensaciones y acciones. Ayudar a descubrir y a sacar a la luz nuevas ideas, convicciones, percepciones y emociones ocultas. Hacer que emerjan los puntos fuertes, las áreas de aprendizaje y de crecimiento.
9. **Definir acciones**: crear la oportunidad de aprendizaje continuado, proyectar acciones que conduzcan con eficacia hacia los objetivos convenidos. Desafiar al cliente a encontrar ideas y soluciones alternativas, a valorar opciones y a adoptar las decisiones pertinentes.
10. **Planificar y establecer objetivos**: desarrollar y mantener un plan de *coaching* eficaz, con resultados realizables, mensurables, específicos y alcanzables en el tiempo establecido, modificando el plan según los cambios de las situaciones. Ayudar a identificar los recursos adecuados al estilo de aprendizaje y al proceso deductivo del *coachee*.
11. **Gestionar los progresos y la responsabilidad**: centrar la atención en las prioridades, sin abandonar los objetivos secundarios. Promover la autodisciplina y la responsabilidad en el estudio de los resultados planificados y el tiempo necesario para conseguirlos. Estimular la concentración y la disponibilidad a modificar los comportamientos y los programas, si fuese preciso. Potenciar la

capacidad de decisión y el desarrollo personal. Discutir con el *coachee* de forma positiva, si no lleva a cabo las acciones acordadas.

LAS FASES DEL "COACHING"

Las competencias del *coach* se forman en recorridos específicos de especialización, pero dependen en gran medida de su inteligencia emocional, de sus conocimientos del ámbito psicológico y de los instrumentos prácticos que sea capaz de gestionar a fin de...

- preparar las sesiones para generar aprendizaje;
- gestionar la relación con el *coachee* para que este amplíe sus horizontes y tome conciencia de las eventuales resistencias y miedos que le bloquean, afrontándolos con lucidez;
- ofrecer al *coachee* claves de lectura a fin de integrar los mensajes explícitos e implícitos que percibe en las personas, con objeto de ponerlos al servicio de sus propios objetivos.

El primer paso, por consiguiente, es el análisis de la situación de partida para establecer con precisión los resultados por los que trabajar; el segundo, esa definición de los resultados pretendidos. ¿Qué cambiar? Pero también, ¿qué se está dispuesto a cambiar a fin de que las cosas mejoren? Gandhi decía: «Sé tú el cambio que quieres ver en el mundo».

El proceso de *coaching* está estructurado en las siguientes fases:

- Presentar el recorrido (metodología, ética y código deontológico).
- Generar el contexto (crear un clima de confianza).
- Entender la situación actual e individualizar una situación ideal.

- Forjar el pacto de *coaching* (qué hay que cambiar y cómo).
- Definir el contrato.
- Explorar necesidades y objetivos.
- Definir los resultados que esperamos obtener.
- Aprender de la experiencia (identificar recursos).
- Investigar posibilidades/oportunidades (estrategias).
- Eliminar obstáculos.
- Ofrecer realimentación.
- Adquirir conocimientos.
- Planificar las acciones.
- Pasar a la acción.
- Analizar obstáculos y logros.
- Valorar y reforzar los resultados.
- Explorar nuevas necesidades y objetivos.

EL ÁMBITO DEL "COACHING"

Mediante el *coaching* se pueden lograr éxitos extraordinarios, pero deben quedar claros los límites en los que nos movemos. Si el terreno sobre el que se opera presenta señales de malestar difuso, de incomodidad profunda o de conflictos del pasado no resueltos, es oportuno que intervenga un consejero, mientras que si nos encontramos ante un cuadro psicopatológico, el *coach* debe ceder su lugar a un psicoterapeuta. Las dinámicas conflictuales existentes en algunas familias pueden ser indicativas de situaciones que el *coaching* es incapaz de resolver. En estos casos es necesaria la figura del psicoterapeuta familiar. Un poco más adelante describo algunos casos, ejemplos de situaciones límite, que he tenido que valorar atentamente antes de aceptar el encargo o de renunciar a él.

LOS DOBLES VÍNCULOS

Una frase sutil, ambigua, que transmite mensajes contradictorios entre líneas y que origina psicológicamente un efecto paralizante o suscita sentimientos de culpa: he aquí el doble vínculo. «Me preocupa que estés siempre en casa, lo único positivo es que no sales nunca». «Me gusta tu forma de ser, pero debes cambiar». «Eres muy majo, pero tienes que ser más simpático». Las contradicciones pueden producirse también a diferentes niveles de la comunicación, verbal o no verbal. Decirle a un hijo después de una discusión, «de acuerdo, haz lo que quieras», con lágrimas en los ojos, es un vínculo doble que impide elegir con serenidad: si el chico obedece literalmente las palabras de la madre, sabe que la hará sufrir; si no las escucha, irá contra su propia voluntad.

«No acepta las normas, hace todo a su modo. A su madre le ha cogido la medida; se encabezona y se sale con la suya», estas son las palabras de un padre a propósito de su hijo T. Los progenitores pidieron mi intervención, pero teniéndolo sujeto en el regazo. «Es agresivo con todos, especialmente con quien quiere imponerle normas. Si le toman el pelo, se pelea con los compañeros y responde mal a los profesores. Lo han suspendido y expulsado dos veces por su comportamiento. También en familia es agresivo y después llora de rabia. Con su madre tiene montada una guerra de desafíos, imposiciones y transgresiones continuas. Se lo guarda todo dentro y luego estalla; está celoso de su hermana». Los padres sostienen que no hay diferencia entre ellos, aunque subrayan lo «buena y obediente» que es la hija.

Al profundizar me percato de que T., fuera de los círculos escolar y familiar, demuestra ser un chico responsable que sabe esforzarse y realizar sus tareas; da prueba de ello en el despacho del padre, por ejemplo, pero la madre desvaloriza ese trabajo poniendo en solfa el modesto estipendio que T. recibe y el modo en que lo gasta. Los profesores le dicen: «¡Podrías ser una persona completamente distinta!», afirmación muy delicada para hacerle a un chico que busca su propia identidad. Muy diferente sería hablar de los comportamientos específicos que deben mejorar (la recuperación de una parte del programa, la atención en clase, el respeto a los horarios).

Su padre tiene con T. un vínculo ambivalente, establece normas que ni siquiera intenta hacer respetar: «Fuma, va con chicos mayores... ¿y yo qué puedo hacer, eh? ¿Lo mato?». Se limita a seguirlo de tapadillo cuando sale solo.

Según T., sus progenitores se aferran a roles fosilizados: el padre, aparentemente amistoso y dispuesto a dialogar, en realidad no se fía de él, lo sigue e interviene cuando considera que se está metiendo en líos. El mensaje que envía es ambiguo: «Me fío de ti, pero me tienes detrás porque en realidad no eres digno de confianza». Otro caso de doble vínculo, base de muchas relaciones patológicas.

La madre dice claramente que no acepta a su hijo, no lo tolera, lo rechaza y siente rencor hacia él. T. advierte este rechazo y se refugia en su mundo. El único lenguaje que conoce para entrar en contacto con los demás es la agresividad. Puede que se trate de una vía para afirmar una personalidad que nadie acepta. T. se ha convertido en lo que se denomina "paciente *designad*", víctima de un círculo vicioso que hace precisa una intervención terapéutica sobre el núcleo familiar al completo; el *coaching* no es suficiente. Renuncio al caso, también porque T. no se ha involucrado mínimamente en la elección de su *coach*, requisito obligado en una buena relación de *coaching*.

LA MADRE YES

D. vive en una situación superprotegida, con una madre que no sabe decir que no. El chico se divierte discutiendo con el padre, sobre todo porque ella le da siempre la razón. Gruñe, pero se complace en la alianza con el hijo. Le ha construido una jaula de síes en la cual D. carece de la posibilidad de elegir estrategias alternativas a sus caprichos: está en la plenitud del narcisismo adolescente, es el ombligo del mundo y quiere obtener todo lo que desea. Razona en términos absolutos: ¡O todo o nada!, ¡Siempre o nunca! No considera la posibilidad de acciones intermedias.

¿Qué pretende comunicar D. con su comportamiento provocador, prepotente? Parece que busca un interlocutor que le plante cara, que le haga pasar apuros, alguien que sepa decir un NO inteligente y motivado y mantenga su postura con firmeza; busca un terreno de confrontación adecuado. Da la impresión de que considera inapropiada la forma en que sus padres afrontan los problemas. No los valora, los descalifica, como a sus maestros. ¿Hay figuras adultas que aprecie? ¿Qué características tienen?

De mi primera conversación con él, obtengo unos cuantos puntos fuertes:

- Acepta y afronta los retos.
- Es sincero y directo, dice lo que piensa.
- Defiende sus ideas.
- Expresa sus sentimientos.
- Es inteligente, maneja bien la dialéctica.

Y también, áreas mejorables:

- Gestión de las normas y de los noes.
- Comprensión del proceso de causa-efecto respecto de su comportamiento.
- Estrategias de comunicación adecuadas.
- Sentido de la responsabilidad y del esfuerzo.

Es justamente el último punto el que ha resultado demasiado crítico para poder trabajar juntos: D. no tiene ningún deseo ni motivación para cambiar una situación que le resulta muy cómoda. Faltaba, pues, un requisito esencial para iniciar un recorrido de *coaching*: la voluntad del *coachee* para empeñarse en un cambio evolutivo y hacerse responsable de los resultados.

CUANDO LA PAREJA ESTALLA

¿Y cuando el *problema* reside en la pareja de progenitores? L., el hijo pequeño, de 14 años, ha sido expulsado del colegio. «Tendría que estar destripando terrones», dice el padre, y continúa: «Tiene iniciativa, capacidad manual; desmonta y vuelve a montar bicicletas; en casa quiere arreglarlo todo y trastea también en la cocina». El pequeño de la casa explora sus talentos; tiene mucha autonomía pero poco respeto a las normas. Choca a menudo con los padres y estos le pegan. M., el hermano mayor, de 16 años, ha cambiado de centro de enseñanza tras una expulsión y, a causa del padre, es incapaz de valerse solo. Es cerrado, le dan miedo las novedades y, según la madre, es tímido e inseguro. No expresa sus pensamientos. Está siempre delante del ordenador, navegando por internet. M. vive la típica fase del secreto, periodo absolutamente normal para los chicos que, a fin de distanciarse de los padres y convertirse en adultos, deben aprender a arreglárselas solos sin el consenso, la participación ni la presencia constante de los mayores. En este periodo el único ámbito de equiparación está en los amigos, a los que hoy se puede acceder mediante el ordenador y los chats. La madre quiere que M. respete las normas familiares mientras él procura transgredirlas. Se habla de llegar a la mesa a tiempo, de no demorarse en la ducha, de mantener ordenado el cuarto o de apagar las luces. Critica a sus amigos porque «responden mal al teléfono». Aunque M. se preocupa de su *look*, porque tiene necesidad de ser aceptado por el grupo, no pretende ser un niño mimado. A menudo, más bien, antes de pedir un permiso renuncia a priori a lo que sea para no oír lamentaciones.

M. no parece gozar de gran estima por parte de su familia: «No es ningún estúpido», dice la madre. «No es idiota», añade el padre, «también sabe ser profundo». Su madre pone en primer plano el esfuerzo y los sacrificios que hace por los hijos y querría que ellos los valoraran. El padre no está de acuerdo con su esposa ni participa de la animosidad de esta hacia M. Los padres discuten e intercambian acusaciones. Él sostiene que es ella la que provoca al chico atacándolo, y que este solo reacciona. L. y M. se sitúan en parámetros totalmente normales, se diría que casi tranquilizadores.

Cuando me reúno con los padres, el problema lo delinea el padre: todo se debe al nerviosismo de la esposa (está agotada, dice). Resulta evidente el conflicto entre ellos, lo que quizá provoca que la madre lo derive hacia los hijos. La esposa contradice a su marido y contiene las lágrimas a duras penas.

Lo único digno de estudio de este caso es cómo los hijos son capaces de sobrevivir al conflicto perenne entre los padres, pero eso debe quedar reservado para un libro que se titule *Padres. Instrucciones de uso*. Aconsejo a los progenitores de hijos adolescentes que se tomen un poco de tiempo para analizar sus relaciones conyugales.

LA VOZ DE LA RABIA

También S. es un caso límite. Su madre ha tirado la toalla y recurre a mí cuando se alcanza un punto de aparente no retorno entre ellas. Habla de S. con distanciamiento y resignación, no deja que ninguna emoción tiña el relato; emerge el perfil de una mujer aparentemente inafectiva. La chica ha sufrido mucho por la pérdida del padre y la madre parece que quiere borrarlo de su memoria. Si los hijos desean ir al cementerio, los manda solos: ella no los acompaña.

La madre ha mentido durante mucho tiempo sobre la enfermedad del padre, desencadenando la rabia de S., quien no estaba al tanto de la gravedad de la situación y no perdona a su madre que no le diera la posibilidad de acercarse más al padre antes de su muerte. Además está celosa del hermano de 12 años. La madre no entiende por qué, pero me dice que le hace dormir con ella en la cama conyugal: «Lo mimo y lo acaricio como a un niño chiquitín, es muy bueno y muy dulce», dice delante de su hija casi con tono de reto. S. se considera hija de un padre que ya no está y de una madre con la que no se entiende. Siente una rabia grande, vive de modo transgresor, al margen de los parámetros legales: no ha terminado la ESO, pasa fuera toda la noche, roba, se droga, tal vez trapichea. Habla de ello con desprecio y con una suerte de orgullo: la calle es su mundo exterior, su grupo, su *familia* alternativa.

S., aparentemente, no da valor alguno a la existencia; provoca a la vida, que la ha desafiado arrebatándole al padre; se siente defraudada en un derecho primario y responde a la ofensa con ira y agresividad. Parece incapaz de actuar en una dirección, más bien reacciona y lo hace con violencia, encerrada y constreñida en una cárcel mental de convicciones limitantes que ella misma se ha construido.

El reto es acoger y reconocer el valor de esta rabia, ayudarla a comprender su sentido, colaborar a que se deshaga de ella para impedir que se vuelva contra los otros y sobre todo contra sí misma, provocando conductas autoagresivas. Se trata de ayudarla a encontrar alternativas a su modo de comportarse, planteándole determinadas cuestiones sobre las que reflexionar:

- ¿Qué tipo de hija adulta habría querido ver su padre?
- ¿Qué proyecto de vida tenía para su niña?
- ¿Le ha transmitido alguna cosa que hoy querría agradecerle?
- ¿Qué principios y valores respeta cuando está con sus amigos?
- Su padre ha dejado un rastro a lo largo del camino: ¿Qué quiere dejar ella a quien venga detrás?

He podido trabajar con S. solo porque me ha pedido ayuda para gestionar su rabia, y solo en este ámbito he podido ayudarla en parte. Después le han asignado una psicóloga de los servicios sociales y ha iniciado un recorrido terapéutico en contacto con caballos; ha obtenido buenos resultados.

CELOS EN FAMILIA

El caso de C., sin embargo, se desarrolla en una difícil dinámica familiar entretejida de carencias afectivas, celos y problemas fisiológicos del crecimiento. A veces los mecanismos familiares son más complejos de lo habitual. C. vive con su madre y el padrastro, que no le perdona su indolencia y la pincha continuamente subrayando cualquier pequeña falta sin reconocer sus aspectos positivos: va bien en el instituto, es responsable y madura. C. reacciona con rabia, no se siente escuchada ni entendida. Según dice el padrastro, quiere ser siempre el centro de atención y plantea continuas exigencias que él encuentra inaceptables. Se sienten recíprocamente rechazados y compiten por obtener los cuidados de la madre/esposa. Este es el único punto que tienen en común, además de la prepotencia en casa.

C. parece mayor y más madura respecto a su edad; toca el violín, lee libros y cómics, le encanta asistir a clase, la historia y el iluminismo, por los valores de libertad que reivindicaba. Ha tenido un pasado *emo*[12] que ya no cultiva, porque lo considera extremista. Adora la música, el *rock* en particular. Escucha pop para relajarse y *heavy metal* cuando está furiosa o nerviosa. Asocia ciertos fragmentos musicales con determinados estados de ánimo. Conoce el *jazz*, porque su madre lo oye. Tiene varios amigos, pero no soporta a las personas frívolas y vacías que se preocupan únicamente de lo externo. Es intolerante y vindica-

---

[12] Nacido en Estados Unidos en los años 80 como subgénero de la música *punk*, el término alude hoy a una moda adolescente que se distingue por el maquillaje exagerado y ciertos elementos ornamentales y de indumentaria comunes.

tiva: si el padrastro se confunde con un tiempo verbal, lo corrige. Parece que ha encontrado un terreno donde vengarse.

La madre pide mi intervención, porque quiere que el marido acepte a C. y que ella sea tolerante con él. Se trata de un objetivo en parte irrealizable, debido a que implica la voluntad de terceros; el único objetivo que C. ha expresado ha sido el de lograr que su madre se separe. También esto es irrealizable, por cuanto se trata de una elección que escapa a su control y a su responsabilidad.

"COACHING" Y ADOLESCENTES

«Si hacéis las mismas cosas que habéis hecho siempre, obtendréis los mismos resultados que siempre habéis obtenido» (Lord Cromwell). En el *coaching* enfocado a los adolescentes, suele partirse de peticiones de los padres y se intenta conciliar sus objetivos con los de los hijos para encontrar un punto de contacto. El *coachee* es la persona con la que trabajamos, y solo ella definirá los objetivos hacia los que encaminaremos nuestros esfuerzos. No podemos actuar por una persona interpuesta: el protagonista es siempre el chico o la chica. El *coaching* les ayuda a aclarar y a rediseñar sus sueños y sus aspiraciones, a afrontar retos y obstáculos, a surcar el mar abierto o a continuar manteniéndose a flote si no ha llegado todavía el momento de desplegar las velas. Es un camino común en el que surgen procesos decisorios y se afrontan cuestiones vinculadas a las esferas emotiva, familiar, sentimental, relacional y académica.

Para superar un momento crítico, para afrontar un cambio, el *coach* moviliza las energías y las motivaciones, reforzando la capacidad de los chicos a través de actividades y ejercicios. Se trata de ayudarles a encontrar las estrategias más adecuadas, haciéndoles conscientes de las propias potencialidades, mejorando su autoestima e infundiéndoles la seguridad de que serán capaces de adecuar la gestión de las relaciones con la familia, con el mundo de los adultos y con sus coetáneos. El fin es que encuentren la fuerza y el valor necesarios para cambiar el curso de las relaciones conflictivas y desarrollar áreas de mejora.

El trabajo con los adolescentes parte de algunos interrogantes concretos:

- ¿Qué quieren cambiar hijos y padres?
- ¿Qué resultados desean obtener?
- ¿Hasta qué punto están dispuestos a implicarse en primera persona?
- ¿Qué representa la rebelión o el problema?
- ¿Qué hay detrás de un modo provocador de actuar?
- ¿Qué cambios/mejoras se quieren aportar?
- ¿Qué aspectos deben entrenarse en el adolescente?
- ¿Cómo dar valor a los recursos de un joven?

Llegamos a las respuestas tras un recorrido de varias etapas:

1. Creación de un vínculo empático de confianza.
2. Análisis de la situación y de los problemas que deben resolverse, respetando las áreas "reservadas" que no se hayan hecho explícitas.
3. Definición de los objetivos y de los resultados que se buscan, correspondientes a las intenciones y motivaciones personales.
4. Definición del pacto de *coaching*: asunción recíproca de responsabilidad respecto a los pasos que deben darse y a los resultados obtenibles, valorando el esfuerzo personal en conseguir lo que se desea.
5. Identificación de los aspectos positivos que deben valorarse y de las áreas mejorables que hay que potenciar.
6. Desarrollo de la actividad (metáforas de vida mediante las cuales se revela el proceso de *coaching*).

7. Integración y expansión de perspectivas.
8. Toma de datos del recorrido realizado y reconocimiento de los resultados obtenidos.
9. Por último, concordancia con un *plan de acción* familiar.

Esta última fase es indispensable para hacer más concreto el recorrido realizado y comprometerse consigo mismo de modo responsable a través de comportamientos precisos, de una naturaleza tal que puedan ser reconocidos por los demás miembros de la familia.

El plan de acción se basa en determinadas demandas clave que afectan a todos los miembros de la familia:
- ¿Qué quieres que cambie?
- ¿Qué importancia tiene para ti este resultado en una escala de 1 a 100?
- ¿Qué estás dispuesto a hacer para que las cosas mejoren?
- En el próximo periodo, ¿qué comportamiento específico cambiarías?
- ¿En qué plazo deseas ver resultados concretos?
- ¿Cómo pondrás de manifiesto que tienes claro el objetivo?

Si sabemos dónde vamos, será fácil dar el primer paso... el resto llega por sí solo. Toda elección implica una renuncia: es una verdad que acompaña a cualquier decisión. Es necesario, por consiguiente, otorgar peso y significado bien a lo que se renuncia, bien a lo que se persigue.

¿Pero cuál es la palanca que mueve todo esto? ¿Qué sueño se hace realidad al alcanzar el objetivo? ¿Qué efecto tendrá en la vida? Imaginar los beneficios facilita el camino. El sueño representa la meta por la que vale la pena combatir, así como la alegría de perseverar, y alimenta el entusiasmo incluso en los momentos difíciles, cuando pensamos que no lo conseguiremos. Es la esperanza del resultado que anhelamos lo que dirige e inspira vías creativas.

ENTRE BASTIDORES. LOS CASOS VISTOS EN TELEVISIÓN

Ítaca

Cuando emprendas tu viaje a Ítaca
pide que el camino sea largo,
lleno de aventuras y de experiencias.
No temas a los lestrigones ni a los cíclopes,
ni al colérico Poseidón,
seres tales jamás hallarás en tu camino,
si tu pensar es elevado, si selecta
es la emoción que guía tu espíritu y tu cuerpo.
Ni a los lestrigones ni a los cíclopes
ni al salvaje Poseidón encontrarás
si no los llevas dentro de tu alma,
si no los yergue tu alma ante ti.
Pide que el camino sea largo.
Que muchas sean las mañanas de verano
en que llegues –¡con qué placer y alegría!–
a puertos nunca vistos antes.
Detente en los emporios de Fenicia
y hazte con hermosas mercancías,
nácar y coral, ámbar y ébano
y toda suerte de perfumes sensuales,
cuantos más perfumes sensuales puedas.
Ve a muchas ciudades egipcias
a aprender, a aprender de sus sabios.
Ten siempre a Ítaca en la mente.
Llegar allí es tu destino.
Mas no apresures nunca el viaje.
Mejor que dure muchos años
y atracar, viejo ya, en la isla,

enriquecido de cuanto ganaste en el camino
sin esperar que Ítaca te enriquezca.
Ítaca te brindó tan hermoso viaje.
Sin ella no habrías emprendido el camino,
pero no tiene ya nada que darte.
Aunque la halles pobre, Ítaca no te ha engañado.
Así, sabio como te has vuelto, con tanta experiencia,
entenderás ya qué significan las Ítacas.

Constantino Petrou Cavafis

Conoceremos ahora a los chicos de las familias que han participado en el programa *Adolescentes. Instrucciones de uso*, agradeciéndoles una vez más su esfuerzo y lo auténtico de su compromiso. Todos los casos están descritos siguiendo el mismo esquema: después de una breve presentación de los protagonistas y de los problemas de los que partimos, doy mis impresiones estrictamente personales, defino el pacto de *coaching* que ha guiado nuestro trabajo, cuento las aventuras y las actividades realizadas por los chicos y describo los resultados obtenidos, ofreciendo esbozos de reflexión para desarrollar. Pido excusas a los protagonistas si en la narración aparecen mis interpretaciones personales, esos filtros interiores de la realidad que motivan una lectura parcial.

GRAZIA: DEL CONTROL A LA AUTONOMÍA

LA FAMILIA

La familia de Grazia es de cuño matriarcal: el timón está en manos de la madre. Nos encontramos en Terzigno, en las laderas del Vesubio. La hija primogénita es tranquila y estudiosa, mientras que Grazia y su hermano gemelo están en la edad de las provocaciones, agravadas por la tendencia a insultar y a permitirse gestos agresivos y violentos.

LA MADRE

Anna tiene el control de la familia. Es ella quien le ha impuesto a Grazia el tipo de escuela secundaria después de que la hayan expulsado, dirige a la hija mayor en la elección de los chicos y sigue a menudo al hijo varón para comprobar adónde va y a quién frecuenta. Manifiesta abiertamente su desacuerdo con los métodos educativos del marido. Los hijos la acusan de testaruda y de querer llevar siempre la razón.

EL PADRE

Salvatore se define como una persona tranquila, aunque los hijos afirman que está siempre nervioso; parece interesado únicamente en la vida académica de sus hijos y en mantener un poco de orden en la familia.

LA HIJA

Intolerante, con ideas más bien confusas sobre su futuro, Grazia tiene 16 años y manifiesta su deseo de libertad mintiendo y procurando eludir el control materno, por lo que reacciona a las imposiciones con agresividad.

EL HERMANO GEMELO

Grazia está muy vinculada a Antonio: entre ellos hay una gran complicidad. El chico procura escapar al control familiar pasando el mayor tiempo posible fuera de casa.

LA HERMANA

Lucía, de 20 años, considera a los gemelos superficiales e instintivos. En su opinión, Grazia no valora especialmente las consecuencias de sus actos (bebe y fuma demasiado, se deja llevar por los impulsos, falta a las clases hasta perder el curso).

LA PRIMERA IMPRESIÓN

El síndrome de control, cuando los hijos crecen y tienden a desear mayor libertad, es bastante frecuente. Es posible que las elecciones transgresoras de Grazia respondan más a una necesidad de enfrentarse a su madre que a una auténtica exigencia de libertad. Intenta sustraerse a la vigilancia estricta de sus progenitores tomando vías penalizadoras de gran trascendencia (hacerse expulsar). A su edad se crece mediante la rebelión, es natural, pero el riesgo reside en que se vuelva autodestructiva.

Los padres tienden a hablar interrumpiéndose recíprocamente, rara vez están de acuerdo, discuten siempre delante de los hijos las elecciones educativas de uno y de la otra, con frecuencia discordantes, creando confusión e induciendo en los chicos inevitables tomas de posiciones.

La comunicación versa sobre hechos y comportamientos específicos, casi nunca sobre las relaciones, y revela escasa capacidad de escucha. En casa se termina siempre levantando la voz; cada uno intenta defender su punto de vista. Lucía afirma que, en la familia, «cada uno piensa lo que le da la gana y todos van por libre» sin comprender las razones de los demás.

En la comunicación se deduce que cada uno presta más atención a sus propios parámetros de referencia, sin explicitarlos, y que da por descontado que las opiniones de los demás son erróneas. Es el efecto del teléfono sin cable: se distorsiona la realidad en función de los filtros interiores de cada uno. Cada miembro de la familia interpreta hechos y palabras de modo subjetivo y parcial, sin valorar las opiniones ajenas ni la posibilidad de consirar las posturas iniciales. Sin embargo, solo reconociendo los puntos de vista de los demás se puede tener una visión más completa de las situaciones.

Es el juego de las perspectivas. Cuando se pregunta a distintas personas que contemplan una misma panorámica qué detalle atrae su atención, se comprueba que cada uno se interesa por aspectos muy distintos.

EL PACTO DE "COACHING"

Cuando Grazia se encuentra conmigo, detecto en su mirada un punto de recelo que pronto deja paso a la curiosidad. Reconoce tener una actitud anárquica e identifica fácilmente el terreno sobre el que quiere trabajar: aclarar sus ideas sobre el futuro para poder expresarlas y argumentarlas. Me empeño en afianzarla mediante un recorrido que le ayude a ser más consciente de sus exigencias y de sus sueños, para construir gradualmente el porvenir que desea. Los padres le piden respeto y esfuerzo, mientras ella querría ser escuchada y tener más libertad.

> *Los adolescentes se rebelan contra las normas, quieren tener pleno control de sus vidas, pero no disponen todavía de los instrumentos necesarios para argumentar sus deseos. Muchos tienen claro de qué quieren alejarse (del control y de las prohibiciones de los progenitores), pero no la meta que pretenden alcanzar. Sin embargo si no se sabe adónde se quiere ir, no se va a ninguna parte.*

EL RECORRIDO

Pienso en un recorrido orientativo, en el cual Grazia deba realizar unas cuantas elecciones y después valorar las consecuencias y los resultados. Hay caminos fáciles, cómodos y rápidos que no conducen lejos; mientras otros, arduos y fatigosos, llevan mucho más arriba. Me esfuerzo en ayudar a Grazia a concentrarse sobre todo en las metas que quiere conseguir, y a ponderar mejor los posibles resultados de sus decisiones.

Nuestro trabajo parte de una reflexión sobre el método para orientarse en la vida. ¿Qué elementos debemos tomar en consideración? Le propongo un viaje de exploración al mando de una nave. Ella me mira como si estuviese loca; le explico que se trata de una auténtica simulación de navegación.

Vamos a la Academia Italiana de las Tecnologías Marítimas, donde el comandante Nardi acepta trabajar con ella en calidad de instructor. Grazia titubea, está un poco cohibida, pero se presta al juego. «¿Adónde quieres ir?», le pregunta el comandante. «A Barcelona», responde Grazia divertida. Decide una meta, establece el rumbo con ayuda de las cartas náuticas, pone a punto la nave y por fin se coloca al mando del simulador de maniobra. Tiene a su disposición un verdadero puente de mando y, en las paredes que la rodean, gracias a sofisticadas herramientas informáticas, aparecen imágenes tridimensionales del puerto del que zarpa y, después, navegando ya en mar abierto, de grandes olas. Por fin se divisa tierra nuevamente: es la conclusión del "viaje". Durante la travesía Grazia se encuentra con otras naves, y el comandante Nardi le explica cuándo y cómo ceder el paso, pero también cómo no perder de vista el puerto de destino y cómo controlar el rumbo. Al principio Grazia manifiesta una actitud pasiva, pero gradualmente le coge el gusto al nuevo desafío.

Lo siguiente es razonar sobre el sentido de esta experiencia. Ella reconoce que normalmente decide por impulsos, sin pararse a pensar ni a valorar las consecuencias de sus elecciones. Ahora ha comprendido la importancia de tener claros los puntos de referencia para decidir hacia dónde dirigirse, prever eventuales obstáculos y comprender las variables externas que pueden influir en el rumbo. A lo largo de la travesía ha entendido que a veces uno se ve obligado a cambiar de dirección para no chocar con otras naves, encallar o sufrir otro tipo de percances náuticos. Grazia acepta la importancia de escuchar a quien más sabe y la necesidad de respetar ciertas normas. Reconoce además que tiene poca capacidad de decisión, pero también porque no está acostumbrada a elegir: «Si los míos están siempre encima y me dicen lo que tengo que hacer, no aprenderé nunca cómo se elige».

Concreta un objetivo a largo plazo: "quiere convertirse en una mujer libre, autónoma e independiente".

Dejar a los hijos espacios de autonomía, allá donde sea posible, permitirles decidir, valorar pros y contras, ayudándoles si acaso a obtener las informaciones necesarias, es un modo de ayudarles a crecer y de incrementar su seguridad en sí mismos. También una elección errónea puede ser preciosa para valorar las consecuencias y entender cómo actuar mejor. Los posibles ámbitos de decisión en la familia son muchos: de las aficiones o de los deportes que practicar a la disposición del cuarto, al tipo de ropa que se usa o al centro de enseñanza que se escoge.

Continuamos trabajando sobre el principio de causa-efecto tomando como ejemplo el fumar, uno de los terrenos de confrontación con los padres. Grazia admite haber encendido el primer cigarrillo solo por emular a sus amigas, por sentirse mayor, y en el fondo no cree que resulte demasiado perjudicial. Le pido que se imagine lo que sucedería con una plantita sometida a la acción del humo todos los días, repetidamente. Me responde: «¡Se secaría!». Con la ayuda de Giuseppe Borrelli, escaparatista, Grazia representa las consecuencias que para la salud tiene la presencia, o la falta, del humo del tabaco. Dispone de materiales modestos: tejidos, madera y otras cosas. Sus manos comienzan pronto a crear: la chica entrelaza unas cuantas ramas secas con hojas podridas y otras con flores y frutos, esparce cortezas y guijarros... Su inconsciente sabe distinguir con exactitud la condición de bienestar de quienes no fuman de los daños que provoca el hábito. Soy testigo de la mirada satisfecha de Grazia. Ha trabajado sobre una idea y, después de delinear un proyecto, lo ha llevado a cabo. No sé si suprimirá los cigarrillos de su vida pero, al menos ahora, es más consciente de lo perjudiciales que son.

El siguiente paso es ayudarla a acortar distancias con los padres, aprendiendo a comunicar sus ideas, a respetar las de ellos y a reconocer el valor de los distintos puntos de vista. Un modo de ponerla en el lugar de los padres. Le propongo una actividad particular y muy estimulante, para la cual deberá recurrir a todo su coraje: se trata de una experiencia de escalada de árboles, que la llevará a contemplar el mundo desde lo alto con ayuda de Alfonso Mormone, arboricultor experto. Grazia se pone el arnés y el casco de seguridad y, armada con sogas y garruchas, empieza a ganar altura desde el suelo. La veo fatigada y un poco cabreada, y cuando ha subido unos cuantos metros la oigo decir que no puede más. Está empapada en sudor, pero de repente recupera la energía, levanta la cabeza y trepa hasta la copa de un pino marítimo secular con una altura de al menos 12 metros. Cuando pone el pie sobre una rama de la copa, la oigo gritar: «¡Lo he conseguido! ¡Si quiero, puedo!».

Buscar una frase guía, inventarla o tomarla prestada, puede revelarse como una pequeña pero eficaz estratagema para mantener el rumbo. Es una forma totalmente personal de concentrarse en las intenciones profundas y en las motivaciones insatisfechas. La frase escogida activa el interruptor que recuerda lo que es importante para uno y dota de mayor significado a las acciones.

Grazia finaliza con éxito esta experiencia. Se siente satisfecha y más segura, pues poniendo en práctica su frase guía ha sabido llevar felizmente a cabo una actividad física que requiere gran esfuerzo. Comprende al vuelo la metáfora de la actividad: al cambiar de perspectiva, la realidad adquiere nuevos significados y nuestro modo de valorarla e interpretarla se amplía. Desde allá arriba el mundo parece diferente y distante, como a veces ocurre con sus padres.

LOS RESULTADOS

Nuestro trabajo termina delante de un espléndido ocaso a orillas del mar. Grazia reflexiona racionalmente sobre lo que ha experimentado a nivel emotivo. Y, en consecuencia, sobre los recursos que ha encontrado en su interior: ha visto su valor, su capacidad de ampliar la perspectiva y ha individualizado el método correcto para realizar sus elecciones. No obstante, quiere que sus padres escuchen sus exigencias, que la hagan hablar.

> *Los adolescentes disponen de los recursos y de la capacidad intelectual y emocional para ser conscientes de las situaciones y comprender cómo hacerlas evolucionar. Sin embargo, no pueden hacerlo solos, necesitan compartir y discutir. Y no pueden cambiar a padres ni a hermanos: cada uno es responsable de los resultados globales que se obtengan.*

Para concluir nuestro trabajo nos reunimos con los padres de Grazia que, tras ver el resumen grabado de sus actividades, se comprometen a confiar más en su hija y a disminuir el control. También reconocen que detrás de las mentiras de Grazia había una necesidad de defenderse de su actitud de jueces.

> *Sucede que los chicos escogen el atajo de las mentiras porque temen el juicio de los otros. Si frente a la verdad los padres reaccionan con un castigo o una limitación de la libertad de sus hijos, es más que probable que en vez de frenar las mentiras, las incentiven. ¿Qué hacer entonces? Empezar a dar ejemplo de cómo se escucha de verdad, de manera atenta, activa, metiéndose en la piel del interlocutor.*

Anna se esforzará por aproximarse a la verdadera Grazia, no a aquella que desearía ver. El padre tratará de crear un ambiente más acogedor y positivo. Grazia vuelve a casa llevando consigo una imagen más clara de la mujer en la que quiere convertirse, libre y segura. Ahora solo falta cultivar el terreno de la comunicación: tratará de explicar con más claridad sus pensamientos, para ayudar a sus padres a apoyarla en las decisiones que tome durante su vida.

SARA: DE LA DESMOTIVACIÓN A LA CREACIÓN DE UN PROYECTO PARA EL FUTURO

LA FAMILIA

La familia de Sara pasa por momentos difíciles. Tres generaciones de mujeres conviven en la vivienda popular de la mayor, después de que su hija se haya separado del marido y se haya trasladado a vivir con ella llevándose a su propia hija. La abuela las ha acogido, pero da señales de impaciencia. Sara se rebela contra sus intrusiones y le falta el respeto a ella y a su madre.

LA MADRE

Milena se levanta a las cuatro de la mañana para ir a limpiar una propiedad muy grande. Vuelve a casa a las tres de la tarde, a tiempo de tomar una comida frugal y desplomarse después rendida en el sofá. Le preocupa la desmotivación de Sara, siempre por ahí, haciendo novillos.

LA ABUELA

Silvana, que aloja en su casa a Sara y a Milena, hace patente su cansancio por la presencia de la hija y la nieta. Pide que Sara ayude más en casa.

LA HIJA

Sara no tolera las normas, no soporta la presencia de la abuela. Quiere recuperar una relación serena con su madre y pensar en su futuro.

LA PRIMERA IMPRESIÓN

De Sara me impacta su mirada: ojos resignados, anclados en una realidad dura, que no se permiten soñar un futuro mejor, que tal vez son incapaces de imaginar un mañana distinto. Sara vive en un contexto difícil: su madre trabaja de noche y tiene que descansar de día; ella pasa la jornada con la abuela y apenas puede salir a dar una vuelta con las amigas, en un barrio degradado que no ofrece nada a los jóvenes.

EL PACTO DE "COACHING"

Su madre quiere que retome los estudios que abandonó; la abuela, sin embargo, que ayude más en casa.

Sara se muestra disponible desde el momento en que nos conocemos, tal vez curiosa ante mi presencia, como yo me siento ante ella. Me enseña su cuarto y me impresionan las letras de canciones y los poemas que tapizan las paredes. Algunos los han escrito sus amigos, pero para ella son fragmentos de verdad, fragmentos de sueños, de historias vitales distintas a la suya que, acaso, la ayudan a distanciarse de la realidad de cuando en cuando.

Mirando los vídeos que reproducen discusiones familiares, me dice que el problema es su abuela, porque tiende a meterse siempre entre su madre y ella; además, influye sobre su madre. Oye lo que piden de ella su madre y su abuela, y le explico que mi tarea es ayudarla a cambiar las dinámicas habituales y a encontrar un poco de serenidad.

El objetivo de Sara es hacer realidad "un sueño" en el futuro. Disfruto de las confidencias que me revela y descubro que quiere retomar los estudios y matricularse en un curso de esteticista. Hago todo lo que puedo por afianzarla en este recorrido y ella me promete intentarlo con todas sus fuerzas.

> *El* coach *no obtendrá resultado alguno si la persona a quien entrena no pone empeño por su parte. El sentido de un recorrido de* coaching *se basa sobre todo en suscitar la conciencia de que es posible cambiar por uno mismo.*

Le propongo tomar contacto con su proyecto laboral futuro, experimentar el contexto en el que deberá moverse una vez terminados los estudios que quiere emprender. Se trata de tender un puente entre el deseo expreso de Sara y la realidad, de hacerla vivir su sueño en el presente, de estimular sus motivaciones, de ofrecerle elementos críticos para que reflexione, de hacerla partícipe de su elección. De que tenga, también, la posibilidad de revisar la decisión de abandonar los estudios.

EL RECORRIDO

Acompaño a Sara a un centro de estética, donde entrevista a Katia Franzetti, la propietaria, y a diversos profesionales; la chica demuestra gran interés y curiosidad. Les pregunta a todos cómo han llegado a trabajar en aquello, qué estudios han realizado, cuáles son sus principales aptitudes y qué es lo más importante para que la cosa resulte.

Vasco Stolzi, peluquero experto, le enseña los primeros rudimentos del oficio mientras le cuenta la pasión que pone en su trabajo y la alegría que le produce ver la satisfacción de las clientas. Le explica lo duro que son no solo las horas de sala, sino también los estudios y la actualización profesional constante. Todos le hacen entender lo importante que es también la actitud, el modo de relacionarse con las clientas, la disponibilidad, el sentido de responsabilidad y una cultura general que permita conversar con la clientela. Sara asiste a sesiones de limpieza de cutis, de masaje y de peluquería; aprende también técnicas sencillas de masaje facial. La tarde transcurre rápidamente y Sara sale del centro de estética con una nueva luz en los ojos: ¡La propietaria le ha prometido un periodo de prácticas en su centro en cuanto se titule!

El objetivo de un coaching *debe anclarse en una motivación de realización: como si se tendiese un puente hacia un resultado futuro y se proyectase una ruta que recorrer. Cuanto más se logra visualizar el resultado que quiere alcanzarse, tanto más fácil será la posibilidad de realizarlo. En este caso, Sara ha entrado además en su "sueño", ha experimentado con sus cinco sentidos un proyecto profesional que solo era una vaga idea en su mente; ha visto cómo se trabaja, ha escuchado a quienes realizan el trabajo, ha podido practicar un masaje a una clienta, ha olido los aromas de las cremas y los demás productos, ha degustado el placer de imaginarse propietaria de su centro de estética. Esta experiencia le ha permitido individualizar un camino que recorrer.*

Le pregunto que, según ella, cuál es la razón por la que hemos realizado esta visita, qué ha aprendido, qué se lleva. Sara comprende el sentido de la experiencia, es receptiva y percibo su entusiasmo: me dice que esto es lo que quiere hacer de mayor. Le hago notar su capacidad para aprender lo que ve; creo expectativas y la preparo para el día siguiente diciéndole solo que se enfrentará a otra actividad distinta, que tal vez podría no gustarle, pero que estoy segura de que ella sabrá darle el significado justo.

A la mañana siguiente le espera una tarea dura, que tal vez podría rechazar. Se trata de limpiar los baños de un edificio grande en compañía de una limpiadora profesional. El objetivo es doble: por un lado se pretende dotar de valor y dignidad al trabajo de su madre, del que tiene una vaga idea por lo que oye hablar y al que desprecia. Ahora va a vivirlo desde dentro y, si no le gusta, puede encontrar una alternativa. Quiero darle la oportunidad de elegir su destino: si no retoma los estudios, tiene grandes posibilidades de continuar la tradición familiar y tener que dedicarse a estas tareas.

Sara acepta vivir también esta experiencia y se entrega a fondo. Hemos alcanzado los objetivos: ha comprendido que, incluso tras un trabajo que desprecia, hay una profesionalidad que no se puede improvisar. Es un empeño útil, necesario. Le pregunto cómo afrontará la vida, qué objetivos persigue, qué destino se está construyendo. Si pudiera embellecer su vida con un estupendo maquillaje, ¿cómo mejoraría su aspecto?, ¿qué estaría dispuesta a hacer para transformarla?

Siento su deseo de mejorar: se da cuenta de que si no vuelve a los libros, su destino será el mismo que el de su madre, y no quiere «¡limpiar baños que otros han ensuciado!». Está frente a una encrucijada: en dos días ha podido vivir directamente sus dos posibles futuros.

> *Cada elección implica una renuncia: es una verdad que acompaña a todas y cada una de las decisiones. La elección de dejar los estudios niega a Sara la posibilidad de seguir un curso profesional satisfactorio. Si en lugar de ello vuelve a hincar los codos, todo cambiaría. Podrá pasar menos tiempo con las amigas dando vueltas por el barrio, pero ahora ha experimentado en su propia piel las consecuencias de sus decisiones y ya no tiene dudas de lo que quiere hacer.*

Vamos a dar una vuelta por el centro de Roma. Le entrego una Polaroid y le pido que fotografíe aquello que le impresione. Mira a su alrededor e inmortaliza patios, edificios, plazas. Le pido después que se concentre en los detalles y ella se pone a fotografiar flores, arcos, ventanas, balconcitos, el letrero de la calle de la Paz. Me dice que tiene miedo de no encontrar nunca un poco de paz. Sus temores están aflorando, lo advierto. Hablamos del significado de la sombra que nos sigue, que parece ajena a nuestros cuerpos y que sin embargo nos pertenece. Es una parte oscura de nosotros de la que no queremos saber nada, pero solo porque no la conocemos. Basta iluminarla para que desaparezca y deje de darnos miedo. Nuestras creencias negativas la ennegrecen, mientras que el conocimiento la aclara hasta hacerla inocua.

Sara está ampliando sus puntos de vista: tomar fotografías la ha ayudado a reconocer que nuestra visión de la realidad es muy parcial y subjetiva, que para reducir el margen de error es necesario ampliar la visión de conjunto o, por el contrario, descubrir detalles y aspectos que se nos escapan a simple vista. Cada particularidad tiene sentido en el contexto general. Quién sabe si ha descubierto tal vez su interés por la fotografía, un nuevo *hobby*.

Cuando mira a su madre, ¿en qué detalle de su vida se fija? ¿Qué ve cuando cambia de perspectiva? Sara querría vivir solo con ella, pero se da cuenta de que por el momento hay impedimentos económicos. Querría que su abuela respetase su espacio, sus pequeñas exigencias y que le permitiese colaborar. Silvana, en efecto, se comporta de un modo que activa una suerte de vínculo doble: por una parte pide ser ayudada, y por otra critica el modo en que su nieta la ayuda. Sara es consciente de la injerencia de la abuela, que les da techo y se lo echa en cara.

Continúa nuestra excursión por Roma. Le propongo a Sara que pare a los transeúntes y les pregunte si puede fotografiarlos. Me dice que no, que no es capaz, que le da vergüenza. La invito a hacer juntas el primer intento; se convence. Se ve que el asunto la divierte. Es cada vez más desenvuelta, más insistente, interpela a mujeres y hombres, a turistas y comerciantes.

Cuando lo dejamos dice que se siente más segura de sí misma, que se ha dado cuenta de que es capaz de dar pasos que le parecían imposibles, porque el obstáculo estaba solo en su cabeza y lo ha superado.

LOS RESULTADOS

Concluimos el recorrido con un último ejercicio. Sara hace un colaje de su vida, del pasado al futuro. Recorta de un periódico y pega sobre un cartón grande una mujer tumbada que se somete a un masaje, después un fajo de billetes, un globo aerostático de colores y, encima de todo, la figura de una mujer de pie con los brazos levantados. Me explica que estas imágenes la representan volando hacia su sueño.

Ofrecer la posibilidad de observar la vida pasada y presente e imaginar el futuro que se quiere construir, es un modo de suscitar la conciencia de la relación causa-efecto entre las elecciones que se llevan a cabo y las experiencias que se viven. Los pasos del presente van construyendo el futuro, del cual somos responsables. «El pasado es historia, el futuro un misterio y el presente un regalo» *(Deepak Chopra)*[13].

Cenamos en un restaurante con una de las vistas más bellas de Roma. Sara imagina que puede proyectarse en el futuro y visualizar, desde lo alto, su centro de estética: «¡Allá abajo está, lo veo, el edificio amarillo!», me dice indicando un punto del crepúsculo romano.

Cuando me reúno con la madre y la abuela y vemos juntas las imágenes de sus broncas, su clave de lectura es evidente: la abuela reconoce que se entromete en las discusiones de madre e hija y hace de menos a Milena a los ojos de Sara... provocando su rebelión. La abuela se conmueve viendo a su nieta empeñada en las actividades de la semana y recibe su motivación estupefacta: «Por lo general es siempre tan apática...». La madre sonríe al ver a su hija limpiar baños, pero al mismo tiempo se le llenan los ojos de lágrimas: «¡No debe terminar como yo!».

El plan de acción se basa en unas pocas preguntas clave:

- *¿Qué quieres que cambie?*
- *¿Qué estás dispuesta a hacer para que la situación mejore?*
- *Así pues, en el próximo periodo, ¿qué comportamiento concreto cambiarías?*

La vuelta a casa es abundante en emociones y promesas. Cada una dará un paso hacia las otras. La abuela comunicará por las noches qué tipo de ayuda necesita de su nieta al día siguiente, pero esta tendrá libertad para decidir cómo realizar las tareas pe-

13 Deepak Chopra: *Las siete leyes espirituales del éxito. Una guía práctica para la realización de sus sueños.* Edaf, Madrid 1996.

didas. Sara ayudará en casa y respetará los horarios de volver por las noches. La madre encontrará todas las semanas un espacio que dedicar solo a su hija: un paseo, una *pizza*, un helado... Sara recibe como regalo una máquina fotográfica y sus fotos. Estos días es también su cumpleaños. Cuando me marcho me da un fuerte abrazo: "Le prometo que seré una de sus primeras clientas".

ANTONELLA: DEL PESO A LA LIGEREZA

LA FAMILIA

La madre, el padre y tres hijos viven en Corridonia, un pueblecito de Las Marcas donde se trasladaron desde Apulia muchos años atrás. Los padres, personas sencillas dedicadas al trabajo y a la familia, no saben cómo tratar a una hija adolescente que, a causa del sobrepeso, se ha recluido en un estado de aislamiento y se ha vuelto muy agresiva en casa.

LA MADRE

Carla no comprende las reacciones de la hija. Han tenido siempre una buena relación y ahora Antonella se revuelve en cuanto su madre se le acerca. Intenta seducirla proponiéndole continuamente ocasiones para salir de casa, pero tan solo obtiene reacciones duras y una mayor cerrazón. Querría ver sonriente y feliz a su hija, porque estrenara un vestido nuevo en lugar de los acostumbrados pantalones y camisetas extragrandes.

EL PADRE

Alfio trabaja todo el día fuera de casa; es un padre afectuoso pero ausente de las dinámicas familiares. No sabe cómo tratar a su hija.

LA HIJA

Antonella tiene 14 años y dos hermanos más pequeños con los cuales riñe a menudo. Sus broncas son precisamente las que han llevado a los padres a pedir mi intervención. Según la madre en apariencia no se quieren, pero se buscan si están separados. Antonella tiene la lágrima fácil, es sensible y emotiva. Cuida su aspecto, se cambia a menudo y no lleva un cabello fuera de sitio; sufre porque nunca encuentra nada que le siente bien. Tiene pocas amigas, pues se considera distinta a las demás. Sus condiscípulos le toman el pelo a menudo, o al menos ella piensa que es así. No soporta la presencia opresiva de su madre.

LOS HERMANITOS

Riccardo tiene 9 años y Pietro 6. El primero tiende a provocar a su hermana para llamar su atención, mientras que el segundo le gusta que le den mimos. Antonella no soporta su presencia, quiere que la dejen en paz.

LA PRIMERA IMPRESIÓN

Antonella es considerada perezosa: inicia deportes y actividades diversas, que poco después abandona. No tiene más pasión que el canto y el piano, pero su madre nunca le ha pagado un curso porque no va bien en los estudios. Carla no valora sus peticiones: no le parece que puedan tener interés formativo fuera del currículo escolar, ni que vayan a favorecer la realización de su hija.

Antonella sufre una obesidad importante, pero el "problema" no se afronta explícitamente en la familia. Los padres hablan de ello por alusiones, y Antonella se escabulle o rompe a llorar si siente que la presionan. El asunto del peso se ha convertido en un tema tabú familiar, y, si se afronta, se hace en términos de juzgar, de castigar. Antonella no ha visto nunca a un médico ni a un especialista que le haya prescrito una dieta adecuada. La familia presta poca atención a la comida; la niña come dulces y todo aquello que le parece con nada más que abrir la nevera. La madre propone regímenes sin convicción alguna, y luego compra canutillos de crema al chocolate, que parecen ser un símbolo de agregación: todos los comen en familia.

Antonella no se acepta, no se reconoce en el propio físico, y por tanto se autolimita, no quiere salir del caparazón. Además, reconoce que sus kilos excesivos tienen *peso* en la familia, que constituyen una circustancia que le permite enfrentarse a sus padres, y así experimentar, aunque sea de modo ineficaz y autodestructivo, la autonomía de su control para hacer lo contrario de lo que se espera de ella.

> *A esta edad el físico se transforma de modo repentino, causando bruscos cambios de humor y dificultades para redefinir la propia identidad, que se construye también a través de la imagen externa. El peso es con frecuencia un arma para comunicar cosas a nuestro entorno.*

¿Qué quiere expresar Antonella mediante su sobrepeso y las riñas con los hermanos? ¿Problemas de celos o simplemente ganas de desvincularse de los pequeños, demostrando que es grande (también en las dimensiones)? ¿Cómo puede hacerse valer? Antonella hace peticiones que caen en el vacío. Tiene la sensación de que sus exigencias carecen de peso en la familia... ¿Es posible que haya acumulado kilos para llamar así la atención de sus padres? Come sobre todo cuando está nerviosa, con voluntad autodestructiva. ¿Qué quiere expresar cuando pierde la calma? ¿Quién la saca de quicio? ¿Qué otra cosa podría hacer para librarse de su nerviosismo sin autolesionarse?

EL PACTO DE "COACHING"

El vídeo de los padres suscita en Antonella una fuerte emoción: se siente desorientada y herida por sus palabras. Al oír sus preocupaciones y darse cuenta de cómo subrayan que ella es la causa de su distanciamiento, se echa a llorar. Siente el peso de las exigencias y de las expectativas que ella tiene y genera. Cuando nos conocemos, percibo que está dispuesta a escucharme y a reflexionar sobre su situación. No rechaza la propuesta de trabajar juntas para conseguir algunos cambios en su vida. Quiere actuar sobre uno de los aspectos en que los padres han hecho hincapié: perder peso. Tengo la sensación de que señala este objetivo para contentarlos, pero es un área muy delicada. Debo estar atenta a enfrentarme a ella indirectamente, para evitar su fuga tal como acostumbra a hacer en el seno de la familia. Mi empeño va dirigido a hacerle descubrir una motivación fuerte por la que valga la pena adelgazar, conquistando la serenidad y la salud.

EL RECORRIDO

Para trabajar con Antonella decido afrontar nuestra actividad con ligereza y alegría, disfrutando de su amor por el canto y la música. Recurro al compositor Moreno Raspanti y a Wanda, mi amiga del Wanda Circus. Son dos artistas que ayudan a jóvenes con problemas mediante talleres de teatro. En el caso de Antonella, estoy convencida de que trabajar con su cuerpo puede ayudarla a retomar el contacto con una parte de sí misma que rechaza considerar o respetar.

Nuestros amigos nos esperan en la cima de una montaña. Wanda nos recibe con una cálida sonrisa bajo el mechón rosa que adorna su cabeza rapada.

«De dos como estos puedo esperarme cualquier cosa», me dice Antonella divertida y dispuesta a la aventura, pero no se espera el agotamiento que tendrá que soportar. Wanda le propone inmediatamente una caminata importante, para oxigenar los pulmones y percibir las reacciones del propio cuerpo. Establecidos el punto de salida y el de llegada, se inicia la excursión: las únicas normas que seguir son respirar, caminar velozmente y llevar la sonrisa en los labios. Antonella las sigue, un poco sin aliento. Durante los ejercicios de respiración intenta bajarse la camiseta que le cubre la tripa, preocupada por la imagen que los otros puedan formarse de ella; tiene costumbre de sentirse juzgada. Wanda es enormemente perspicaz detectando las señales de incomodidad, y le explica con dulzura que ahora tiene que concentrarse solo en lo que hace y no en su aspecto. La subida es cada vez más trabajosa y Antonella muestra un gran cansancio, pero también una increíble determinación. Ha recogido el guante y se enfrenta al reto sin protesta alguna. La cima de la montaña representa todas las metas que pueden alcanzarse, y el camino no está hecho solo de esfuerzo y de empeño: se puede afrontar también con ligereza y con la sonrisa en los labios. Wanda la ayuda a tomar conciencia de cuanto ha visto y del método que han adoptado. Ella la sigue, se siente aceptada y libre de expresarse.

> *Cada etapa de nuestro camino nos sirve para oxigenarnos, para recuperar las energías, para realizarnos, para juzgar si el rumbo es el justo, para reflexionar sobre lo que está cerca, para reiniciar el camino con las ideas más claras sobre cómo afrontar mejor las etapas sucesivas. Y también que la más alta de las montañas se escala empezando con un pasito.*

Al volver de la excursión Antonella me mira un poco atravesadamente, pero sonríe. No esperaba cansarse así pero, sin embargo, se siente feliz de haberse movido después de tanto tiempo recluida entre las paredes de la casa. Capta también el sentido metafórico de la actividad, y ha descubierto que cuenta con recursos insospechados para enfrentarse a los retos. Alentada por los resultados, Wanda le propone continuar el trabajo en un pequeño teatro. Antonella, curiosa y disponible, la sigue, pero cuando se da cuenta de que debe salir a escena para realizar ejercicios físicos, veo que se crispa. Wanda la invita a jugar con el cuerpo, usa la música, la ironía, todas sus hábiles armas didácticas, pero la chica opone resistencia. Es una actividad que representa una dura prueba para una faceta todavía débil de Antonella: exponerse ante los demás. En una pausa, me acerco y percibo su malestar. Le pregunto si quiere hablar de ello, pero no un recurso apropiado en ese momento: mejor escribir. Moreno viene a nuestra ayuda. Antonella me dice que la música representa para ella las emociones puestas en notas; le pido que entre en contacto con lo que siente y lo transforme en palabras para escribir la letra de la canción: «*Todo negativo, siendo mucho miedo, siento ansiedad y desconfianza; mi mundo es todo gris, pero no debo preocuparme, no son más que marionetas y no me asustan. Soy testaruda, no me importa nada, lo conseguiré. ¡Entonces venga, venga, Antonella, venga, ya verás cómo lo logras!*». Escribiendo, ha delineado y expresado inconscientemente una estrategia vencedora para gestionar el juicio de los demás. Los convierte en inocuos, en insignificantes marionetas, a fin de reencontrar la determinación de superar el miedo, de redimensionar el juicio. Acompañada por el acordeón de Moreno, encuentra la tonada justa.

> *A los chicos no se los fuerza. Pueden aceptar una determinada propuesta si participan de algún modo en ella, si se corresponde con su lógica interna. Haber oído y respetado las exigencias y la resistencia de Antonella le ha permitido dar un paso adelante. El flujo de las emociones la inducía a reflexionar y elaborar una queja, más que a violentarlo o exorcizarlo. Solo después de haber dado voz a esas emociones ha podido volver al escenario, pero para cantar su canción. Cada uno guarda dentro de sí sus propias respuestas.*

LOS RESULTADOS

Antonella se abre con dificultad, pero siento que he establecido con ella una relación de confianza y de confidencias. En la actividad que ha desarrollado ha entrado principalmente en contacto con su físico, lo ha cuidado, reconociendo reacciones y potencialidades, y ha escuchado a su corazón para transformar sus emociones en algo que ha podido cantar.

Ha llegado el momento de reelaborar racionalmente el recorrido realizado, a fin de tomar mayor conciencia de las enseñanzas que de él se desprenden: podrán ser útiles como medio de focalizar sus deseos para el futuro, creando un vínculo con los resultados que quiere obtener en el presente. Se trata de ofrecer la posibilidad de acceder a los propios recursos interiores y de ponerlos en valor. Quiero reforzar su capacidad de decisión y darle la seguridad de que es capaz de cambiar lo que no le gusta, para que sienta la responsabilidad de las acciones que debe realizar.

Jugamos a descubrir las cartas de las emociones que han inspirado la canción: preocupación, ansia, miedo, tristeza, y, después, reacción, seguridad y felicidad. Antonella relee las palabras que ha escrito y asocia los sentimientos que han acompañado a su estrategia vencedora al movimiento de la mano. Se da cuenta de que parte de abajo cuando dice *«todo es negativo»*, hasta volver a encontrar la mano en alto cuando exclama: *«¡Antonella, venga, ya verás cómo lo logras!»*. Ha forjado una suerte de alianza entre cuerpo, mente y corazón.

Ahora está dispuesta a examinar de nuevo todo lo realizado y a reflexionar sobre ello para darle sentido a la experiencia. Escribe en una cartulina A + G, lo que representa nuestro encuentro. Dibuja su camino, reconociendo en cada fase las emociones experimentadas: del ansia y del temor iniciales a la curiosidad, el interés, la diversión, la satisfacción, el sentido de realización y la conquista de la tranquilidad posteriores. ¿Y después, qué sucederá? Retomamos el objetivo del que partimos: perder peso. ¿Qué está dispuesta a hacer tras considerar todos los recursos que ha detectado en sí para obtener este resultado? Seguirá los consejos de Wanda: hará ejercicio físico, caminará, comerá lo justo atendiendo tanto a la cantidad como a la calidad de los alimentos. La invito a mirar hacia delante, a imaginar cómo será cuando se sienta en forma y recupere la línea. Le pido que escriba una frase que represente el estado de ánimo de ese momento y sus palabras son: «¡Soy feliz de haber conseguido lo que quería!». Al final de nuestro camino juntas, Antonella expresa su felicidad y reconoce su aprecio por las actividades desarrolladas. Se lleva la convicción de que creyendo en sí misma es capaz de todo.

Antes de la vuelta a casa, me reúno con los padres para mostrarles cuánto ha hecho Antonella partiendo de su mismo objetivo. Los padres no dan crédito cuando la ven escalar la montaña: ¿Qué recursos nuevos ven en su hija? El padre me contesta: «El valor». Ambos se proponen reconocer sus cambios y apoyarla en las decisiones que tome. El reencuentro está teñido de emociones fuertes; también a mí me tiembla la voz. Antonella hace partícipes a sus padres de sus intenciones para lograr la meta que se ha fijado y les pide, a su madre en particular, que vigile la comida que pone en la mesa. Sabe que la clave del éxito es creer en sí misma, y los padres se comprometen a confiar en ella.

MARTA Y FILIPPO: DEL MENOSPRECIO AL DESCUBRIMIENTO DE LOS PROPIOS RECURSOS

LA FAMILIA

Cinco hijos y una familia tradicional que vive en San Giovanni Rotondo, el pueblo del padre Pío. En este clima decoroso, místico y reservado, resultan aún más estridentes las tentativas de los adolescentes de la casa por hacer pedazos normas rígidas e imponer su autonomía mediante explosiones de ira, palabrotas y broncas.

LA MADRE

Rosa, profesora de religión, es una mujer fuerte que reclama de los hijos adolescentes un constante rigor en los comportamientos y en el respeto a las normas. Siente impotencia, no sabe qué hacer: se han convertido en chicos demasiado rebeldes.

EL PADRE

Alberto, médico, muy religioso, no tolera la intemperancia de los hijos. Pide nuestra ayuda porque querría que fuesen más obedientes y responsables.

LA HIJA

Marta, 14 años, un pasado *emo*[14], pasa el tiempo encerrada en su cuarto escuchando música, chateando e intercambiando mensajes con amigos y desconocidos; apenas puede, corre a reunirse con sus amigas.

EL HIJO

Filippo, 15 años, es considerado demasiado débil por la madre. Además, un episodio de acoso denunciado en la escuela le ha *manchado* y vuelto muy inseguro. Como se siente más pequeño que los demás, se ha hecho amigo de sus "carniceros" y se deja defender por el grupo, aunque ya no cree en la amistad.

LOS OTROS HERMANOS

Sandro y Marco, de 20 y 19 años respectivamente, chocan sin cesar con los hermanos adolescentes. A Pierluigi, el más pequeño, lo mima y lo malcría toda la familia.

LA PRIMERA IMPRESIÓN

Es una familia muy tradicional, inspirada por arraigados principios católicos, en línea con el clima que se respira en todo el

---

[14] Véase nota de la p. 82.

pueblo. Se distinguen tres bloques *graníticos*: los padres (aliados en un método educativo basado en el "sistema del palo y la zanahoria"), con la madre en el papel de mala y el padre, que aparentemente es el bueno, ejerciendo con mano de hierro la educación de los hijos; los hermanos mayores, buenos y estudiosos, que responden a las expectativas de sus progenitores y asumen a menudo un rol de vicepadres llamando al orden a los menores; los hijos adolescentes son cómplices en la búsqueda transgresora de la propia identidad. El hijo pequeño, el benjamín de la familia, sabe bien en qué brazos refugiarse según la situación.

Filippo y Marta, como tantos adolescentes, están experimentando modos y modelos alternativos a los propuestos por sus padres. Tienen en común una gran fuerza, que les lleva a hacer elecciones radicalmente opuestas a las familiares. En el pasado Marta se sumó a movimientos musicales extremos, para después distanciarse de ellos. Filippo, por su parte, frecuenta amistades que los padres no aceptan.

A estas edades las contraposiciones ayudan a crecer, pero si se sofocan, las situaciones corren el peligro de fosilizarse y provocar síntomas de sufrimiento en todos. Marta reacciona con desprecio a las exigencias de su madre: su comunicación se basa en peticiones, imposiciones, reprobaciones, gritos e insultos. Los hijos se sienten oprimidos. Filippo reclama el derecho de vivir experiencias, mientras los padres asumen que, por descontado, es incapaz de distinguir entre las positivas y las negativas. La madre lo considera frágil aún, pese a que en familia demuestra gran energía para rebelarse contra las normas impuestas.

¿Cómo ayudar a Filippo y Marta a valorar su potencial y su diversidad? ¿Qué otras estrategias pueden encontrar para afirmar su presencia sin

chocar necesariamente con los padres? ¿Marta ama la música y qué más? ¿Qué sabe hacer verdaderamente bien? ¿Cómo piensa diferenciarse de su madre? ¿En qué mujer ha decidido convertirse? ¿Cómo puede mostrar una nueva cara? Y Filippo, ¿cómo puede revelar su lado gentil, amigable y respetuoso? ¿Cómo puede conquistar la autoestima y sentirse más fuerte y seguro de sí mismo?

EL PACTO DE "COACHING"

Tras un primer momento de desconcierto y de haber sopesado para deducir si podían fiarse de mí o no, Marta y Filippo aceptan iniciar el camino juntos.

Cuando miran el mensaje que han dejado los padres, sus reacciones me sorprenden: «¡Payasos, tienen doble cara!», sostiene Filippo. Marta, sarcástica, asume una actitud de desafío: «¡Menos mal que se han ido!».

Para iniciar mi trabajo no basta saber qué quieren los padres (mayor obediencia), necesito conocer el objetivo específico de los hijos. ¿Sobre qué se puede trabajar? «Queremos mayor libertad y más confianza», responden casi a coro. ¿Y qué pueden hacer para obtenerlas? Demostrar que merecen más confianza se convierte en nuestro campo de trabajo. Les ayudaré a expresar aspectos y características que, por lo general, quedan vedados a los ojos de los padres. Hay otros aspectos que merecen ser valorados y reconocidos. Filippo quiere demostrar que es más fuerte de lo que parece, y Marta da señales de disponibilidad para abrirse (en parte) al mundo exterior a fin de reafirmarse en su confiabilidad.

Mi objetivo es llevarles a explorar nuevos caminos, como alternativa a los ya recorridos, para diferenciarse del resto de la familia. Se trata también de ayudar a los padres a aceptar y a valorar las peculiaridades y las elecciones de los dos adolescentes en un ámbito de respeto recíproco, y a los hermanos mayores a reconquistar el espacio y el nivel filial. De este modo podría recuperarse una alianza con los más pequeños, recolocando la demarcación del nivel generacional: padres de una parte e hijos de otra. Podrían abandonar entonces el papel de vicepadres y convertirse en puntos de referencia de Filippo y Marta.

EL RECORRIDO

Para los dos hermanos pienso en actividades en las cuales puedan experimentar, descubrir nuevos aspectos de sí mismos y, eventualmente hacer aflorar talentos rompiendo esquemas para salir del rumbo previsible (transgresiones, delitos, encierros, castigos). Trabajaremos juntos, pero también por separado.

La primera experiencia es una metáfora fácil. Le propongo a Filippo que pase una jornada con Ciro di Corcia, campeón nacional de boxeo, con quien se ejercitará para entrar en contacto con su fuerza, no solo física. Marta, que asiste, tiene la tarea de observar a su hermano y servirle de espejo; le ayudará a reconocer la nueva imagen de sí mismo. Filippo se esfuerza, procura poner empeño, pero al principio está poco convencido: la postura no dejar lugar a dudas; la cabeza baja, la mirada en el suelo. Ciro lo reprende unas cuantas veces, lo estimula, lo desafía, hasta que Filippo empieza a poner el alma en lo que hace y lanza los primeros golpes con convicción. Lo veo sonreír, siente que ha superado las primeras resistencias y se mete en el juego. Marta nota los cambios: al principio nervioso, cansado, pero sobre el ring está más decidido. Después de una buena carrera por la playa para concluir la sesión de entrenamiento, Ciro ve que Filippo tiene la mirada al frente y la cabeza bien alta. «Está más orgulloso», subraya Marta.

El espejo de los otros. Emitir o recibir observaciones privadas de juicio, puras manifestaciones de impresiones personales, aceptar la confron-

tación abierta, ayuda a los chicos a reconocerse. Para Filippo es importante sentir cómo lo perciben los otros, una forma nueva de verificar también desde el exterior los cambios que nota en sí.

Propongo a Marta una experiencia que en mi opinión debería ayudarla a salir del caparazón, a encontrar nuevas modalidades expresivas: un taller teatral y musical de exploración de los cinco sentidos. Vamos a reunirnos con Cosimo Severo, director de un taller frecuentado por multitud de chicos. «Marta, ¿quieres experimentar cosas nuevas?», le pregunta Cosimo nada más conocerla. «No», contesta ella secamente. «¿Cómo ves el teatro?», insiste. «¡No lo veo de ninguna manera!», responde ella. «Marta, escríbeme algo en la mano si no te apetece hablar», continúa Cosimo, paciente; ella le escribe con mayúsculas en la palma de la mano: «Ke brasa!». En los siguientes ejercicios expresa, cada vez con mayor claridad, sus posiciones: «¿Pero no habían cerrado los manicomios?», dice con sarcasmo. Está poniendo de manifiesto su oposición, su capacidad de reaccionar si algo no la convence. Filippo me dice, como espectador, que Marta adopta una praxis parecida en familia: frente a una imposición (que es como probablemente ha percibido la propuesta del taller teatral), reacciona remando a contracorriente. Filippo nota también, sin embargo, que tal vez tema sentirse ridícula, no estar a la altura; de ser así, estaría escenificando una reacción de fuga. Le cuento las impresiones de su hermano: «Filippo me conoce muy bien», responde ella. Lo acepto y secundo su rechazo: ha demostrado ser fuerte y decidida. Se lo hago notar y razonamos juntas también sobre el hecho de que, al oponer resistencia a ultranza, no ha podido aprovechar la oportunidad de vivir una nueva experiencia.

En esta ocasión aprovecho el punto crítico y asumo la responsabilidad del éxito de la prueba. Marta, en efecto, ha logrado expresar lo que quería, pero actuando del modo acostumbrado. Cada vez que vive una imposición, reacciona duramente con un rechazo. Por mi parte, yo he omitido algo fundamental para ella: la participación en la propuesta. Esta era la diferencia que habría querido hacerle vivir: enfrentarla a la responsabilidad de hacer una elección. También yo tengo todavía cosas que aprender.

La tercera iniciativa que propongo la acuerdo con los chicos. Nos vamos a un taller artístico a *crear* una obra de arte, en un clima de total libertad, con el escultor Corrado Grisa y el pintor Antonio Menichella. Los hermanos pueden mirar lo que quieran, buscar inspiración, elegir en lo que les apetece trabajar y escoger cómo hacerlo. Los dos jóvenes artistas ponen a su disposición una rica gama de colores y materiales, y se ofrecen de compañeros en esta aventura. Marta se siente atraída por los aerosoles y Filippo prefiere trabajar la madera.

Con el paso de los minutos Marta se transforma, se ilumina, concentrada en decidir cómo usar los colores y los lienzos que tiene a su disposición: ha encontrado una vena creativa y un modo original de expresarse. Filippo realiza otro proyecto utilizando de buena gana sierras, cepillos y papel de lija, con lo que transforma un trozo de madera tosca en una mandolina sobre la que satisfecho graba su nombre. También Marta firma con grandes letras su primer lienzo: Marta '12. Al firmar, reconocen que sus obras los representan.

Filippo admite con satisfacción haberse sentido libre: ha tenido la posibilidad de decidir qué y cómo hacerlo. Una sensación nueva para él. También su hermana reconoce sentirse muy satisfecha de haber conseguido expresarse con libertad.

En todas las familias hay normas y límites que respetar. A veces, sin embargo, los padres olvidan que los hijos crecen y que se puede pasar de la imposición a la participación. En una edad en la que los chicos están desarrollando capacidades de decisión, discutir sobre cómo llevar a cabo pequeños asuntos familiares, dejando que sean ellos quienes decidan, puede representar una preciosa ocasión de crecimiento.

LOS RESULTADOS

Antes de volver a casa, Marta y Filippo hacen hincapié en los resultados conseguidos y en que pretenden obtener de su familia respuestas distintas a las acostumbradas.

Han manifestado el deseo de gozar de más confianza y más libertad, y ahora deben encontrar las estrategias para demostrar que las merecen. Marta se compromete a abrirse más para darse a conocer mejor, y Filippo pone de manifiesto su deseo de dejar claro que no es tan frágil como los demás creen, que puede cuidar de sí mismo y tomar decisiones en asuntos que le conciernen. Luce el sol, y los chicos plantan en un prado banderines sobre los que han escrito sus resultados, consignando el recorrido por etapas y comparándolo con los días precedentes. Filippo se ha liberado de su timidez y se siente más seguro, más desenvuelto. Marta ha descubierto que si se siente libre puede crear, puede expresar sus sentimientos, y que dentro de sí tiene mucho que comunicar. Han descubierto además que entre ellos hay un vínculo fuerte, que pueden colaborar y divertirse juntos.

> *Para obtener cambios reales, cada uno debe esforzarse por modificar algunas cosas, debe acercarse a los demás de forma distinta a la acostumbrada. En estos procesos familiares no es suficiente la buena intención de una sola persona: deben colaborar todos los miembros de la familia.*

Los chicos se proponen responder a sus padres de modo más amable, a «tocarles las narices» menos y a colaborar más, y les piden a los demás que hagan otro tanto. Ambos son conscientes de haber cambiado, pero dudan al pensar en las eventuales respuestas paternas. Saben que si en ellos no se producen también algunas modificaciones, todo volverá a ser como antes.Cuando veo a los padres, advierto que son conscientes de los progresos de los hijos: «Filippo está más seguro de sí mismo y Marta puede sonreír». Les hago reflexionar sobre la modalidad de las relaciones del entrenador que ha acompañado a los chicos. Entienden que el modelo de imposición no funciona, mientras que la comunicación abierta y participativa les pone de buen humor y estimula su disponibilidad. El padre reconoce que, con frecuencia, frenan a los hijos cuando intentan expresar un deseo o una idea. Rosa y él se sienten en parte responsables de una situación que consideran insostenible: han cercenado las nuevas potencialidades de los hijos y su deseo de cambiar. Se comprometen a valorarlos por lo que son, a escucharlos y a hacer posible un diálogo abierto y sin juicios.

Pero las cosas no pueden cambiar de la noche a la mañana. En los días transcurridos juntos cada uno de los participantes ha visto o ha intentado ver las cosas desde un punto de vista distinto, aunque no sea fácil entender el de los otros. Los padres están abiertos al diálogo y admiten que tal vez sus hijos no conozcan a sus progenitores más que por el rol un tanto estereotipado que asumen. Han prometido que intentarán mejorar el modo de comunicarse; aparentemente la dificultad mayor reside en cambiar las dinámicas familiares ya cristalizadas, aunque en ocasiones puede bastar con modificar el tono de voz y decir, por ejemplo: «Te quiero mucho, ¿qué sentido tiene gritar así?». Los chicos se comprometen a dirigirse a sus familiares con más cortesía. En el fondo, el reto común es ser todos más amables.

Detrás de las discusiones hay a menudo motivos que no se tiene la capacidad de exteriorizar. A la madre, por ejemplo, le preocupa que la hija salga sin que ella sepa adónde ni con quién: lo único que quiere es que la tranquilicen, saber con quién sale Marta. Bastaría con admitir la propia ansiedad o preocupación y no limitarse a imponer prohibiciones incomprensibles para los hijos. Por otra parte, es sano que los chicos comiencen a vivir su propia vida. El trayecto evolutivo pasa por la confianza, el sentido de responsabilidad, la contraposición de puntos de vista diversos y la aceptación de exigencias recíprocas. Es un juego de equilibrios, y el mejor camino es el de prueba y error.

¿Lograrán nuestros héroes cambiar verdaderamente la atmósfera y la calidad de la vida familiar? No creo en los milagros, pero estoy segura de que si todos se afanan por trabajar en la misma dirección, reencontrarán al menos una cierta paz familiar.

LUIGI: DE LA RABIA A LA DETERMINACIÓN PROYECTIVA

LA FAMILIA

Luigi ha perdido a su padre en un accidente laboral. Después de su muerte, su madre se ha trasladado con la familia de Nápoles a Matera, donde vive con sus padres. Luigi manifiesta precozmente una intensa incomodidad y una escasa integración en la familia y en el centro de enseñanza. Se rebela, ignora las normas, responde mal a su madre, vive aislado del núcleo familiar, come solo, vuelve tarde por las noches, no habla con sus hermanos, hace novillos. La madre dice que se está echando a perder; se relaciona con chicos de la calle y durante un tiempo se le conocieron malas amistades; intervino una asistente social para «devolverlo al buen camino». Va de matón, gasta bromas pesadas a las chicas y se busca problemas con los chicos, llega fácilmente a las manos, pero sostiene que de mayor quiere ser carabinero. En la familia falta una relación de confianza entre madre e hijo y es esto a lo que Luigi reacciona.

No acepta que los maestros le llamen por su apellido, quiere ser llamado por su nombre, como para dejar claro que solo puede contar consigo mismo. No acepta intromisiones por parte de nadie. La madre está exasperada y ha perdido el control. Solicita mi intervención para reencontrar el diálogo con el hijo.

LA MADRE

Margherita es una mujer cansada, agobiada por sus cuatro hijos y las preocupaciones económicas. Le gustaría contar con Luigi, pero este no acepta ni exigencias ni imposiciones; su madre tiene una relación con su hijo en la que solo lo descalifica: lo único que pone de manifiesto es todo aquello que no funciona en él.

EL HIJO

Luigi tiene 16 años y su adolescencia está caracterizada por profundos cambios: en pocos años ha perdido a su padre, ha cambiado de ciudad, de centro de enseñanza, de amistades. No tiene puntos de referencia y se ha vuelto agresivo. Está rabioso con todos; quiere que lo respeten pero no sabe respetar. Escribe historias para expresar lo que lleva dentro y no logra sacar, se siente una mota en el universo, querría ser reconocido por los demás, dejar una huella tangible. Sus valores son el amor, la amistad, los sentimientos.

Le ha dado a leer sus cuentos a su madre, pero esta no los aprecia; Luigi sostiene que ella reprime las emociones. Quiere libertad, tener su espacio; se siente inútil, el ambiente en el que vive le viene estrecho, no acepta normas impuestas. El único modo de expresarse que conoce lo ha aprendido en la calle, donde para hacerse reconocer por los demás es necesario levantar la voz y las manos, hacerse el duro. No conoce alternativas.

LA HERMANA

Concetta es la hermana mayor: tiene 18 años. Expresa francamente su desilusión por el comportamiento de su hermano en familia. Luigi le contesta porque la identifica como un aliado de la madre, una especie de viceprogenitora: «¡Ya tengo una madre que no soporto, figúrate dos!».

EL HERMANO

Felice, de 14 años, es la víctima propiciatoria de las bromas pesadas y los abusos del hermano.

LA HERMANITA

Assunta tiene 8 años y es la "mascota" de la familia, pero también sufre a menudo el carácter intemperante de Luigi.

LA PRIMERA IMPRESIÓN

Viendo las imágenes de Luigi en casa y leyendo sus historias, me doy cuenta de que trás su fachada de chico duro esconde algo bien distinto. Intuyo un alma auténtica, sensible e incomprendida, y otra violenta, postiza, que se ha colocado porque es el único disfraz que ha encontrado disponible. Quiero ayudarle a recuperar un modo de hacerse reconocer y apreciar por los otros y de reencontrar el camino a casa y a sus afectos.

> *Cualquier problema o tragedia que puedan vivir unos padres suele repercutir en los hijos con consecuencias directas o indirectas, aunque los progenitores no tengan intención de que así sea. Las decisiones familiares, impuestas a veces con toda la buena fe del mundo sobre los hijos sin implicarlos mínimamente, pueden tener efectos devastadores. El mensaje que los chicos perciben es: «No cuento para nada, no me toman en consideración». Se activan así mecanismos de autorrefuerzo. Los padres, a menudo inconscientemente, descalifican a los hijos y estos tienden a aislarse.*

Luigi no se siente reconocido y afirma con fuerza su personalidad. Antes de iniciar nuestro trabajo, me planteo una serie de preguntas: ¿Qué tiene de "alienable"? ¿Qué representa su rebelión? ¿Qué quiere comunicar? ¿Qué esconden sus provocaciones? ¿Cómo dar valor a sus orígenes y a su familia? ¿Cómo ayudarle a integrarse y a ampliar sus expectativas? ¿Qué hacer para que la madre reconozca el valor de Luigi y la hermana recupere su papel junto a él?

Reconozco en el chico diversos aspectos positivos: tiene una gran energía, sabe defender sus ideas, expresa los sentimientos que experimenta, es inteligente, posee una buena dialéctica y diferentes valores de referencia. Observo también algunas áreas en las que trabajar: la confianza, la integración social, la percepción de sí y la forma de comunicación.

EL PACTO DE "COACHING"

Cuando Luigi ve el vídeo de la madre y la hermana reacciona con dureza. Se toma muy mal su partida de Nápoles: la considera una huida de sus responsabilidades en lugar de un intento de sanar los conflictos de la familia: «¡Las cosas no son así, uno no se larga! Solo pido un poco de afecto... pero no creo que se resuelva la situación huyendo cuando las cosas no funcionan». Luigi admite que siente una gran rabia escuchando a su madre decir que le quiere mucho: «¡Son solo mentiras!», susurra. Me escucha con atención y advierto en su mirada una cierta desconfianza, aunque también la disponibilidad a recibir la oportunidad que se le brinda.

Vemos juntos otras imágenes que resumen los conflictos familiares. Luigi sostiene que nadie le da nunca la razón. Percibe el muro que le separa de su madre y de los hermanos. Solo quiere ser entendido. Me comprometo a ayudarle a encontrar el modo adecuado de hacerse entender mejor por los demás.

EL RECORRIDO

Luigi pide ser reconocido, y solo puede hacerlo mediante el uso de la rabia. Decido respetarlo, ayudándole solo a aceptarla y utilizarla. Le propongo que pruebe las artes marciales y pido para ello la colaboración de Sandro Caffaro, maestro de karate, cinturón negro séptimo dan, acostumbrado a tratar con chicos difíciles. Sandro le explica que el karate se basa en la capacidad de control y en la autodisciplina: «Es más fácil golpear al adversario que no golpearlo». Le enseña los primeros rudimentos para realizar correctamente los ejercicios de preparación, mientras le explica que se combate con gran disciplina y según unas normas precisas que respetan al adversario; además, hay que utilizar la fuerza del contrincante en provecho propio, más que oponerse a ella con violencia. Le enseña sobre todo técnicas de defensa, porque el karate es un arte defensivo más que ofensivo. «Concéntrate en el entrenamiento, acostúmbrate a liberar la mente de cualquier otro pensamiento y concreta positivamente tus energías», continúa Sandro. Luigi se esfuerza con gran seriedad, sin perderse ni una palabra de lo que dice el maestro; realiza cada una de sus indicaciones con empeño y disciplina.

Cuando la prueba finaliza, mientras los montes del fondo se tiñen de un rojo crepuscular, le pregunto qué experimenta y cómo se siente. Me mira fijamente a los ojos y responde: «Si pensabas que con el karate me desfogaría y me calmaría...», hace una larga pausa que me obliga a contener el aliento, «lo has clavado, ahora me siento mucho mejor». En efecto, ahora se ríe y los músculos de su cara están relajados. Respiro otra vez. Luigi se da cuenta de que puede controlarse, de que puede cambiar de estado de ánimo mediante el ejercicio físico.

Ahora es necesario ayudarle a encontrar una estrategia de comunicación alternativa a la violencia y la agresividad, que ha aprendido en la calle y que también aplica en casa.

Nos trasladamos a Polignano a Mare, un pueblecito próximo a Bari, y nos acercamos al estudio de Peppino Campanella, artista del vidrio. Luigi se mueve admirado entre las obras, formula pregunta tras pregunta y, curioso, quiere conocer también sus técnicas de trabajo. Peppino le propone realizar un aprendizaje con él. Luigi podrá descubrir que la fuerza y la energía interiores pueden encontrar expresión en el arte. Además, esta experiencia posee un fuerte impacto metafórico: el vidrio es delicado y frágil, pero también peligroso. Hay que tratarlo con respeto, porque si se maneja bruscamente se rompe y puede herir, como los gestos violentos o las palabras cortantes.

El trabajo del proceso comprende varias fases. Luigi comienza a cortar tiras de cristal y más tarde puntas, «con la misma técnica que usaban los hombres del neolítico para construir instrumentos de caza», explica Peppino. Las piezas de vidrio se amuelan y se lijan después una a una. Luigi es el primero en asombrarse de la paciencia y del valor que demuestra: «¡No tengo miedo ninguno de tocar el vidrio y no pensaba que fuera a lograrlo!». Se mueve con gran seguridad y atiende con interés cuantas indicaciones recibe. Crea el molde de arcilla, donde meter las piezas y donde después cuela el metal fundido. Una vez que termina su obra, la limpia con aire comprimido para eliminar los rastros de arcilla y por fin me la enseña con orgullo: medio sol con rayos de vidrio que brillan a la luz. «Es un regalo para la abuela», me dice.

«¿Por qué te he propuesto esta experiencia?», le pregunto. «Tal vez para hacerme entender que tengo paciencia», me responde. «¿Qué harás con esa paciencia, cómo la usarás?», insisto yo. «Con la familia y con los demás, en casa y fuera de casa», me responde serio. Y luego, mirando su obra, señala con el dedo el centro de su sol. Me dice que cuando nos conocimos él estaba en el centro del laberinto, no veía el camino de salida, y que ahora tiene la sensación de haber superado muchos obstáculos y de vislumbrar una luz. Sus palabras me sorprenden por su intensidad y me confirman la riqueza interior que percibí al principio.

LOS RESULTADOS

Luigi está elaborando cuanto ha visto, descubriendo tal vez que puede comunicarse de modo distinto, respetando a los otros y acogiendo diversos puntos de vista. Está dispuesto a descubrir nuevas perspectivas y diferentes posibilidades de evolución.

Ya que le gusta escribir, al final de la semana le propongo un ejercicio de escritura creativa, una prueba para ayudarle a entrar en contacto con su parte más íntima, para hacerse guiar por el inconsciente hacia el futuro, hacia el sueño que dice no tener.

Le pido que se concentre escuchando un poco de música y le entrego una hoja en la cual hay una sola frase de la que partir. Debe escribir todo aquello que le pase por la mente, tal cual, sin detenerse y sin pensar, ni siquiera en la ortografía, durante cinco minutos. Cuando lee sus palabras, el taller entero se emociona y veo a los trabajadores que contemplan la escena enjugarse las lágrimas.

«Miro a lo lejos, soy un hombre adulto, un punto luminoso para mi familia, mis amigos y los demás. He conseguido entender por qué es importante la vida, una experiencia que no se olvida fácilmente. Pienso, reflexiono, comprendo que el camino que sigo no es el bueno; me detengo y pienso. Tal vez hubiera sido mejor pedir información. Qué estúpido he sido queriéndolo hacer todo solo. Ahora me encuentro en un agujero, pero ante mí veo una luz, un punto luminoso, y allí está mi futuro, que es mío y solo mío. Ahora, siguiendo el camino hacia la salida, pienso: "Querido Luigi, cree en ti mismo, como si fueses tú el sol de la mañana que enciende los pensamientos y la sonrisa de alguien. Vive la vida como si acabaras de nacer y recuerda que la persona en la que debes tener más confianza eres tú. Así lograrás entender lo importante que eres para las personas que

crees que no te quieren mucho. Recuérdalo, llevas una familia sobre los hombros"».

Me cuesta hablar: un nudo en la garganta me lo impide. Luigi ha hecho un pacto con su propio inconsciente, ha forjado una alianza entre mente y corazón comprometiéndose consigo mismo a construir su futuro. Ha decidido cambiar, todavía no sabe cómo, me dice, y siente ya la falta de sus familiares.

Un cartelón final le ayuda a racionalizar el recorrido. Luigi divide la hoja en tres partes: ayer, hoy y mañana. Le pido que represente como quiera las experiencias más significativas. Reflexiona un momento, completa el trabajo y lo comenta. En el pasado está Nápoles, los viejos amigos a los que oye todavía y el padre que ya no está. En el presente hay un nuevo Luigi, consciente de su propio valor, pero también de las cosas que quiere cambiar; y está la familia, con la que quiere ponerse de acuerdo. En el futuro hay además una nueva familia, la que él construirá. «Hoy construyo mi futuro; gracias a quienes están aquí y me han ayudado, percibo todos los recursos y quiero usarlos. Quiero convertirme en alguien importante, quiero hacer cosas positivas, quiero pensar en MI futuro». Luigi ve el camino que le llevará a ser quien quiere ser en el futuro. Siente que ha empezado a subir por los peldaños de una escalera y es consciente de que llegará a la cima subiéndolos uno a uno.

La transformación es evidente: el chico mismo la percibe. Voy a buscar a la madre y a la hermana para compartir con ellas los resultados de nuestro trabajo; llevo algunas imágenes que muestran al nuevo Luigi.

La hermana se conmueve escuchando las palabras del hermano y las conclusiones del ejercicio de escritura creativa. ¿Qué pueden hacer ellas para permitirle que siga expresándose así? Concetta manifiesta su disposición a volver al pasado, a ser como antes, cuando estaban unidos, eran cómplices y se ayudaban en todo. Si lo ve triste, no lo ignorará, se acercará a él y permanecerá a su lado, como hace una hermana con un hermano. Ya no quiere ser otra madre. Margherita declara su intención de modificar la relación con él y con los otros, procurando escucharlos más.

> *El principio de integración es una estrategia para ampliar las expectativas. Se trata de reconocerlo cuando aflora, valorarlo, hacerlo emerger al estado de conciencia. Todos los jóvenes transmiten señales llenas de significado mediante las palabras: los adultos no deben esforzarse por comprender su sentido, deben sencillamente ayudarles a tomar conciencia.*

Luigi ha reconocido sus dos almas y ha elegido la que quiere seguir. El puntito luminoso del universo, que cita más veces, entra en relación con otros puntos; ha trazado líneas que le unen a ellos. Partiendo de los propios valores (amor, amistad y sentimientos), ha comprendido que quiere construir su futuro sobre esta base. Ahora debe reflexionar sobre cómo pretende llevar a cabo ese propósito en los distintos contextos de la vida. Cuando vuelve a casa es una fiesta: les da a todos un abrazo especial, cuenta las aventuras vividas y advierte que todos albergaban el deseo de reencontrarse. Los dejo mientras los unos declaran a los otros el empeño por respetar el plan de acción de cada uno para reencontrar el sentido de la familia.

RAFFAELLA Y PAOLO: DEL CONFLICTO A LA ALIANZA ENTRE HERMANOS

LA FAMILIA

La familia vive en Bolonia. El padre está siempre fuera, trabajando, y la madre, ama de casa, ha renunciado a todo por los hijos, como ella misma dice, dedicándoles su vida y su tiempo. Es un grupo familiar caótico, alegre y bullicioso, que entra en crisis cuando los hijos adolescentes comienzan a expresar su individualidad buscando espacios de autonomía.

LA MADRE

Rita intenta llevar las riendas de una familia sin normas, y soporta sobre sus hombros el peso del deber sin la compensación de resultados tangibles.

EL PADRE

Michele pasa fuera todo el día; cuando vuelve es de noche y solo quiere un poco de tranquilidad, pero es incapaz de obtenerla y de gestionarla.

LA HIJA

Raffaella tiene 15 años, es temperamental, guerrera, dura y severa con el hermano y con los padres, pero rica en vitalidad y pasión.

EL HIJO

Paolo es el mediano: irrefrenable, parlanchín, dispuesto siempre a la broma y a la juerga hasta resultar invasivo. Tiene 13 años y la primera impresión que da es la del típico hijo mediano que se ve obligado a poner en acción todos sus recursos para conseguir todas las atenciones que le brindan al pequeño y los privilegios que disfruta la mayor.

EL HERMANITO

Alessio tiene 6 años y todos los vicios del mimado de la casa.

LA PRIMERA IMPRESIÓN

Parecía que estuvieran respetando un papel impuesto por la costumbre. Como en muchas familias, las dinámicas internas se repiten, se suceden idénticas a sí mismas hasta cristalizar y vincular a sus miembros a roles previsibles.

Después de la primera entrevista, el "paciente designado" resulta ser Paolo. Los padres piden mi intervención por su causa: lo acusan de enrarecer el ambiente, de meterse en líos, de provocar las broncas familiares. Raffaella afirma, sin ambages, que sería feliz si desapareciese de la familia. Paolo, casi por no ser menos, afirma albergar el mismo deseo por lo que a su hermana respecta. Pero no obstante las palabras duras, el lenguaje no verbal, las actitudes y los gestos que percibo me hacen intuir un vínculo fuerte, aunque no quieran reconocerlo ni siquiera ante ellos mismos. La "fachada" esconde una dinámica bien distinta.

EL PACTO DE "COACHING"

A mi llegada, Raffaella me observa con suspicacia y estudiada indiferencia; Paolo pone de manifiesto, inmediatamente, su rechazo a la presencia extraña. Cuando me acerco a él, retrocede al punto de vernos envueltos en una especie de *ballet* involuntario y bufo, mientras nos desplazamos rítmicamente por la estancia, yo dando dos pasos hacia él y él alejándose otro tanto de mí. Miramos juntos las imágenes que recogen los conflictos familiares y, después de haber escuchado las exigencias de los padres, les pregunto a los chicos qué querrían cambiar ellos. Para Raffaella es prioritario el respeto por parte de todos los miembros de la familia; solicita, en particular, ser tratada de modo distinto a los hermanos, en función de su edad y de las diferentes exigencias; de Paolo quiere que sea menos invasivo, que no imponga su presencia en los espacios ajenos (en su habitación sobre todo) y que llame a la puerta antes de entrar. Paolo desea que la hermana le trate igual que a sus amigos, quiere pasar ratos con ella y compartir algo de tiempo al ordenador para adquirir su misma desenvoltura en informática. Les pide además a los padres que intenten escuchar sus opiniones y, especialmente a su madre, que confíe más en él. Lamenta también la excesiva ansiedad de la madre: cuando sale, le somete a interrogatorios de tercer grado (dónde vas, con quién, a hacer qué...) y tiene la costumbre de fisgar su teléfono móvil, cosa que él detesta.

Les explico que mi cometido es ayudarles a obtener lo que desean, pero aclaro que se trata de un trabajo en equipo y que necesito la colaboración de todos. Después de cierta resistencia suspicaz, obtengo un apretón de manos que sanciona nuestro pacto.

EL RECORRIDO

Nos vamos. Es hora de hacer las maletas, porque nos esperan jornadas intensas. En el coche Raffaella está tranquila, habla, ríe y bromea; parece electrizada por la novedad, por la nueva aventura. Paolo está más a la defensiva: ríe y bromea también, pero sin bajar la guardia; no sabe aún lo que le espera. Nuestro viaje termina en Migliarino, donde nos encontramos con Wanda, una amiga especial experta en adolescentes, a los que trata con la técnica de la alegría. En medio de la plaza el público se acomoda ya en sillas dispuestas en semicírculo; los hijos de Wanda, vestidos con multicolores trajes de escena, saltan de un lado a otro recibiendo a los espectadores. Cuando nos ven llegar, se acercan sonrientes para darnos la bienvenida. Wanda, con su vistoso mechón rosa en la cabeza, nos presenta a los miembros de su circo itinerante, el Wanda Circus: sus hijos de 16 y 8 años y el sobrino de 19. Raffaella y Paolo los miran con recelo, pero ella finge no darse cuenta y dice que los esperaba para iniciar juntos el espectáculo. Después de haberles puesto unos cómicos trajes de escena, Wanda los sitúa al borde de la pista y les invita a preparar una montaña de macedonia que se ofrecerá al público al terminar la función.

Raffaella parece divertirse trás su habitual gesto hosco, como si le estuviera cogiendo gusto a la novedad. Paolo me lanza miradas feroces, y en cuanto me acerco me suelta que quiere marcharse, que todo aquello le repugna, que no quiere quedarse. Intento convencerle de todas las formas posible. También Raffaella parece impaciente: los gajos se le resbalan de las manos, como si no estuviera habituada a pelar fruta, y mucho menos a preparar macedonia. Tras unos números de malabarismo y equilibrismo, mientras Wanda echa llamas por la boca, camina sobre cristales y se tumba sobre alfombras de clavos, los chicos continúan troceando fruta y recibiendo aplausos cada vez que esta los nombra. Ahora forman parte del circo.

Cuando les digo que vivirán durante algunos días en el Wanda Circus, Raffaella me mira con sorpresa, pero también divertida: me pregunta si tendrá que ayudar a desmontar el circo después de la función, participar en algunos números, colaborar en las tareas cotidianas... La idea parece estimularla. La reacción de Paolo es la opuesta: se niega a dormir en la caravana, a convivir con «esa gente» un minuto más y quiere marcharse a toda costa. Le explico que es libre de irse, que hay un buen hotel preparado para acogerlo y que solo existe una condición que respetar: los hermanos deben permanecer juntos. O los dos en el circo de Wanda o los dos en el hotel; tienen que ponerse de acuerdo. Paolo habla con la hermana y ella, mientras desmonta un panel del decorado, le dice claramente que no tiene ninguna intención de irse, que se está divirtiendo y que él haga lo que le parezca. El chico está despechado, furioso y me mira con odio. No está acostumbrado a hablar con Raffaella, a ponerse de acuerdo con ella: lo habitual es comunicarse mediante empujones y gritos. Ahora, sin embargo, se trata de encontrar una mediación.

Cuando la función termina, un balón llega botando de algún sitio en su ayuda. El hijo menor de Wanda comienza a jugar en la plaza ahora vacía, y resulta que el fútbol es la única pasión que Raffaella y Paolo comparten y practican. No se resisten a los primeros tiros, y al cabo de unos pocos minutos están inmersos en un partido surrealista en la plaza desierta, a la una de la madrugada. Les esperan después bocadillos y refrescos, que la producción ha preparado para todos. Cansados, sudorosos y famélicos, se sientan en un extremo de la plaza y comen con apetito. El ambiente es sereno, los hijos de Wanda son hospitalarios y los tratan como si fueran dos compañeros más comentando el programa del día siguiente. Sin forzar nada, Raffaella y Paolo forman ya parte del Wanda Circus. Paolo ha retomado su papel de juglar, ríe y hace bromas a costa de los presentes. En la confusión general, le oigo decir que tiene sed. Voy a buscar agua y, como si no tuviera costumbre de ser escuchado, cuando se la llevo me mira sorprendido y me dice que si le he oído. Es la primera mirada de interés que capto en sus ojos, la primera fisura que me permitirá acercarme a él. Percibo su necesidad de ser escuchado y considerado.

A la mañana siguiente los chicos se despiertan a buena hora pero de mala gana. Hay que organizar el descampado donde aparca la caravana de Wanda; se trata de preparar la mesa del desayuno, de sacar las sillas, de disponer las cosas y luego lavar los platos. Y pensar que en su familia Raffaella ni siquiera acepta ir a comer a un restaurante porque rechaza utilizar cubiertos con los que han comido extraños, y Paolo acostumbra a sentarse a la mesa cuando todo está listo. Es increíble verlos ir de una parte a otra para prepararlo todo. Durante la comida, Wanda y los chicos respetan cierto ritual: se pone bien la mesa y se come con la debida calma, posiblemente escuchando buena música. Por las noches se cena a la luz de las velas. Las comidas son el momento más importante de la jornada, el momento del reencuentro, de contarse cosas y comentarlas lejos del estrés y de los afanes de cada cual.

Los chicos se acercan después a Wanda, pues hay que preparar los números de la próxima función. Juegos de habilidad, pequeños *sketchs* cómicos, canciones, coreografías que hay que escenificar. Paolo quiere aprender a utilizar el monociclo, pero solo se cansa. Le ofrezco el brazo como apoyo y, después de algunas negativas, acepta mi ayuda. Usamos un limón para señalar la meta que debe alcanzar y rápidamente lo logra. ¡Ha descubierto otra habilidad!

Los chicos aprenden una regla fundamental: en la mesa se sonríe, estar de morros no es una opción. Raffaella se ve obligada a relajar los músculos de la frente, de las mejillas, y a tirar de la comisura de la boca para asumir un aire risueño. Al poco rato no tiene necesidad de esforzarse: el clima es placentero, divertido, se respira alegría, se hacen bromas y se toma el pelo sin mala intención. Wanda propone una segunda regla: ella cocina y los demás se lo comen, sea cual sea el resultado de sus esfuerzos, en consideración al trabajo realizado. Todo se dice con naturalidad, sonriendo y sin darle importancia.

Los chicos han aprendido varias cosas. Tienen la capacidad de superar obstáculos aparentemente insuperables. Paolo puede cambiar su opinión rápidamente sobre las personas, puede abandonar un prejuicio enraizado, un preconcepto. Ha logrado vivir en una caravana con gente que al principio le resultaba inaceptable, y por si fuera poco ha compartido el minúsculo espacio con el perro de Wanda. Raffaella come serena con cubiertos y servilletas usadas por extraños, y colabora en todas las actividades del programa en compañía de su hermano. Los hermanos han aprendido juntos a comunicarse de modo distinto, sin ataques, sin insultos, sin malos modos. Hasta para regañar el tono de voz puede ser conciliador y amable.

Nos sentamos en unas hamacas para recuperar el aliento y hablar. Paolo reconoce que sus padres lo quieren, que solo pide sentirse respetado como persona, escuchado cuando formula una opinión. Querría también que el padre le demostrase más abiertamente su afecto.

Raffaella se queda aparte. Parece casi despechada por el hecho de que el hermano esté conmigo. Ella también quiere probar el monociclo, pero después de ver los progresos de Paolo renuncia. Intuyo su rivalidad más que su complicidad. Me acerco para hablar, pero responde a mis preguntas de mala gana y con monosílabos. Poco a poco me abro paso ante su actitud defensiva: considera que su hermano es la causa de todos los problemas familiares, no soporta su vehemencia ni su modo de atraer a toda costa la atención de los demás. Les reprocha a los padres que no sean más autoritarios: es sobre todo muy severa con el padre, al que considera esclavo de la madre: «Habla con sus palabras, no tiene opinión propia», dice.

Propongo un ejercicio a los dos hermanos. Se trata de explorar las emociones experimentadas durante estos días, de adquirir conciencia de ellas. Su capacidad de dejarse llevar es también muy distinta. Paolo pasa revista a toda la experiencia y descubre que ha vivido un vasto repertorio de sensaciones: rabia al ver el vídeo de los padres, decepción por su decisión de irse, sorpresa cuando descubre que tendría que vivir en el Wanda Circus, temor de no estar a la altura para afrontar las nuevas experiencias, vergüenza al salir a escena, satisfacción por las pruebas superadas, felicidad por las mañanas al madrugar dispuesto a enfrentarse a un nuevo día. Raffaella admite haberse sorprendido ante el mensaje de los padres y haber experimentado compasión por su gesto. Solo reconoce otra emoción, la satisfacción por haber superado obstáculos aparentemente difíciles.

Raffaella, como muchos de sus coetáneos, vive lo borroso de las emociones, pero no lo reconoce. A su edad se sufren tormentas hormonales, cambios físicos que no siempre son aceptados, abundan las alteraciones de humor y a los momentos de apertura y de diálogo siguen otros de cerrazón y de ansias de aislamiento. Las emociones son un terreno resbaladizo que todavía se gestiona con dificultad.

Leo en los ojos de la chica lo difícil que le resulta abrirse. Paolo percibe su malestar y, de repente, cambia su relación conmigo: se alía con la hermana, asume una actitud protectora e intenta alejarme. Al principio me siento desplazada, me hace sentir fatal, pero recuerdo que mi objetivo no es ser aceptada por los chicos sino facilitar su alianza. Sonrío al verlos preparar juntos un número para la función de la tarde. Después de muchas pruebas están listos; llega el momento, se encienden las luces y salen a escena. Raffaella y Paolo dan entonces lo mejor de sí mismos, parecen cómodos e intercambian miradas de complicidad, divertidos y emocionados. El público ríe complacido, aplaude y ellos lo agradecen inclinándose y, de la mano de todos los demás, disfrutan del éxito de la función.

LOS RESULTADOS

Siento que hemos obtenido un resultado importante: Paolo y Raffaella han cambiado su modo de relacionarse. Han dejado de ser víctimas de roles prefijados, se han liberado de las cadenas de lo "previsible". Hablan entre ellos con tranquilidad, bromean y se toman el pelo sin empujones ni palabrotas. Han descubierto un entendimiento nuevo, una complicidad que parece separarlos pero que en realidad los une. Les ha bastado compartir experiencias distintas a las corrientes, descubrir nuevas habilidades, encontrar cada uno su propio espacio. Han vivido en el seno de una extraordinaria familia circense, donde el respeto recíproco y la observancia de determinadas normas permite mantener un clima sereno, acogedor y cooperativo.

Me he citado con los padres de Raffaella y Paolo en casa de la abuela materna, donde la familia se reúne los fines de semana. Rita y Michele están a punto de discutir, pero quieren lograr un poco de tranquilidad. Les hago ver algunas imágenes de una bronca familiar en la que Raffaella ataca al padre, mientras Paolo se mete en medio y asume su acostumbrado papel de payaso.

La madre se pone nerviosa por la confusión y los gritos, y el hermano pequeño se agita. Michele intenta comentar las imágenes, pero lo hace mirando a su mujer en busca de signos de consenso. Se lo hago notar y le pido que me mire mientras habla conmigo. Él sonríe, sabe de lo que hablo; es una dinámica recurrente. Me dice que quiere ganarse el respeto de Raffaella en tanto que padre. Yo le hago notar que Raffaella, en el transcurso de la discusión, le pide que exprese su opinión personal, le está invitando –aunque sea de modo descortés– a tomar una posición, a asumir su papel de padre, a no estar pendiente de lo que su mujer diga. En las imágenes que vemos, Raffaella, de pie, le señala amenazadoramente con el dedo, mientras el padre, medio tumbado en el sofá, intenta reaccionar con actitud sumisa. Le digo a Michele que se ponga en pie, que permanezca con la espalda erguida, que respire hondo y que levante el mentón. Le pido que, imaginando que Raffaella está delante, le diga lo que piensa, lo que hubiera querido decirle el día de la bronca. Las palabras que escucho son las de un hombre que desea mantener una relación amistosa con sus hijos, que querría dialogar más que enfrentarse, que pide y ofrece respeto. Son palabras auténticas, congruentes con su postura y su tono de voz, y resultan por consiguiente creíbles. Las mismas palabras pronunciadas recostado en el sofá y con Paola de pie frente a él, no hubieran tenido peso alguno.

El enfrentamiento entre generaciones es un episodio natural: los hijos adolescentes contestan la autoridad de los padres porque quieren sentirse mayores, pero en este caso el enfrentamiento sucede porque Raffaella desea que el padre desempeñe un rol que no sabe gestionar. Michele quiere ser amigo de sus hijos, pero se olvida de que amigos ya tienen muchos: lo que necesitan es un padre acreditado, con peso propio, aunque sea amistoso, y lo reclaman.

Mientras seguimos mirando la filmación, pido a Rita y a Michele que se fijen en el comportamiento de Paolo. Durante el feroz ataque de Raffaella, y frente a la obvia dificultad del padre para reaccionar, Paolo va a sentarse junto a él y le roza un brazo. Michele parece fastidiado y se le agría el gesto. Les pido que interpreten el comportamiento del chico; la madre se da cuenta, por primera vez, de una dinámica típica de su familia que hasta el momento no había entendido: en apariencia, Paolo organiza el follón para gozar de la atención de los demás, pero en realidad tiene una gran sensibilidad, capta todas las tensiones y a las primeras escaramuzas intenta neutralizarlas entrometiéndose. Hemos visto ya que está mucho más dispuesto a reconocer las emociones que su hermana; asume un rol protector hacia el padre, rozándole el brazo para manifestarle su presencia y su alianza. Los ojos de Michele se llenan de lágrimas cuando cae en la cuenta de la realidad de los hechos. Escucha también las palabras grabadas del hijo en las que le pide más demostraciones de afecto.

La vuelta a casa de Raffaella y Paolo es emocionante; el clima resulta acogedor y alegre. Los padres se ríen de los mechones fucsia que Wanda les ha teñido en el pelo; los chicos se quitan la palabra de la boca para contar sus aventuras. Cuando me reúno con ellos, analizamos juntos la experiencia vivida. Cada uno había partido exigiendo cosas específicas a los demás, pero ahora saben que todos deben cambiar para que el grupo cambie.

Les pido a todos que reconsideren sus objetivos particulares, que reconozcan sus intenciones profundas y que definan lo que están dispuestos a hacer para ir al encuentro de los otros y facilitar su evolución recíproca. En una cartulina, Paolo dibuja cuatro columnas que recogen las tareas respectivas. Las suyas: llamar a la puerta siempre que quiera entrar en la habitación de Raffaella y decirles siempre a los padres con quién va cuando sale. Las de Raffaella: dedicar por lo menos una tarde a la semana a su hermano para enseñarle a usar el ordenador y a chatear. Los dos se comprometen a echar una mano en casa.

Michele, a demostrar más abiertamente su afecto por sus hijos y a realizar alguna actividad con ellos, como asistir a partidos de fútbol. Rita intentará dirigirse con un tono de voz más moderado a los hijos, evitará gritarles y no fisgará en sus teléfonos móviles.

> *Mi tarea concluye con un plan de acción final; esta fase es indispensable para concretar aún más el recorrido desarrollado. No basta con tomar conciencia de los resultados que se quieren conseguir, las buenas intenciones no son suficientes: es necesario asumir un compromiso con uno mismo, responsablemente, a través de comportamientos específicos visibles para los demás miembros de la familia.*

Con las cámaras apagadas, Raffaella prepara crepes para todos, mientras Paolo se afana con el relleno: ¡Están colaborando! Cuando me llevan la crepe más llena de crema de chocolate y avellanas y me abrazan, me conmuevo.

FABRIZIO: DE LAS CONVICCIONES LIMITADORAS AL CAMBIO

LA FAMILIA

La familia de Fabrizio vive en Bolonia. Los padres son profesionales muy atareados fuera de casa, con un único hijo atendido por niñeras y por una abuela todoterreno. De improviso, sin embargo, el niño de la casa se ha transformado en un adolescente rebelde que amenaza el equilibrio familiar.

LA MADRE

Amelia, que pasa mucho tiempo fuera de casa por cuestiones laborales, está agobiada por las continuas discusiones con el hijo: sus conversaciones típicas están plagadas de amenazas y de castigos; le preocupa además la alimentación incorrecta y anárquica del chico. Le llamaba su "pequeño príncipe", y ahora se pregunta: «Se ha convertido en una peste, ¿será de verdad él?».

EL PADRE

Franco querría ver a su hijo asumiendo responsabilidades y comenzando a pensar un poco en su futuro. En su opinión, solo se siente atraído por la diversión y no se esfuerza en nada, mucho menos en los estudios.

EL HIJO

Fabrizio, de 13 años, se considera simpático, abierto y holgazán. «Soy como soy, un espíritu libre, y nadie puede oscurecer mis pensamientos. Si lo hacen, me vuelvo malo». Le encanta jugar y divertirse, y tiene un fuerte sentido de la amistad y la justicia. Es el líder de un nutrido grupo de amigos que corretea por la casa: lo quieren mucho y él iría con ellos y por ellos a cualquier parte. Odia el centro de enseñanza y a los profesores.

LA PRIMERA IMPRESIÓN

Los padres aprecian la apertura y la disponibilidad de Fabrizio hacia los otros, pero no la hostilidad que manifiesta hacia el esfuerzo académico. En la familia ya no hay lugar para el diálogo y el nivel de tensión ha llegado al límite. Su madre lo acusa de asumir posturas prepotentes e irritantes. El principal tema de conflicto son los estudios: no sabe concentrarse y se distrae con suma facilidad. A causa de experiencias negativas con ciertos profesores, Fabrizio tal vez haya llegado a la conclusión de que es imposible adoptar una postura acorde con los docentes y, en consecuencia, tiene una pésima opinión de los estudios en general. Rinde culto a la libertad, pero desvinculándola de proyectos personales. Los padres quieren que desarrolle el sentido de la responsabilidad, que aprenda a concentrarse y que siga una alimentación correcta.

EL PACTO DE "COACHING"

Fabrizio me recibe con aparente disponibilidad, sonriente y cordial, aunque luego me confiesa que ha percibido mi personalidad como de carácter "rígido" y que ha dedicado la primera media hora que hemos pasado juntos a estudiarme y a decidir si sería oportuno lanzar una contraofensiva. Afortunadamente no ha habido necesidad.

Vemos juntos el mensaje de los padres y las imágenes de los enfrentamientos cotidianos. El padre le insta a que vaya a realizar tal o cual tarea mientras mira un programa de televisión que le gusta y la madre lo regaña y lo critica porque come justo antes de merendar. Fabrizio me hace notar que cuando lo interrumpen sin respetar sus ritmos, se pone intolerante.

> *Se trata de problemas que vale la pena afrontar de forma adecuada y en el tiempo justo para así tener la posibilidad de argumentar con calma. Aquí los padres actúan por el bien del hijo, pero son poco oportunos y obtienen el efecto contrario al deseado. Su intervención deja traslucir la urgencia por expresar un estado de ánimo y por obtener resultados inmediatos, sin tener en cuenta las exigencias del hijo en el momento concreto. La reacción agresiva, por consiguiente, surge no tanto como un rechazo de hacer lo que se le pide, sino como un modo de afirmar el derecho a ser respetado.*

Con el paso del tiempo Fabrizio se relaja y me sorprende cómo establece objetivos personales que coinciden con los de los padres. Quiere mostrar algo más de coraje en el instituto y mejorar su alimentación «lo que sea preciso». Hacemos un pacto: yo le apoyaré y él será responsable de los resultados.

El trabajo se basará en el principio de causa-efecto: procuraré que Fabrizio reflexione, en especial sobre las consecuencias de sus elecciones y sobre las acciones necesarias para obtener lo que pretenda, y le estimularé para que reconozca capacidades y recursos que podrá utilizar donde sea oportuno, incluso prescindiendo del centro de enseñanza.

EL RECORRIDO

Mi objetivo es hacer que desconfíe de su percepción de ser un holgazán incapaz de concentrarse. Le propondré tareas que exigen esfuerzo y atención, es decir, le demostraré que tiene determinadas capacidades y que puede modificar su visión negativa del centro escolar.

> *Uno de los principios guía del* coaching *es la aceptación, el respeto hacia la persona tal como se manifiesta, para seguir el flujo natural del* coachee *y acompañarlo según sus ritmos, gustos y prioridades. Si a Fabrizio le gusta jugar, partiré del juego; si le encanta estar con amigos, lo involucraré en esa actividad.*

Iniciamos el recorrido jugando con una pelota. Mi intención es hacerle descubrir que si se quiere verdaderamente una cosa, se puede lograr, basta con centrarse en los resultados deseados. Empieza el juego, y comienzo lanzando. Fabrizio atrapa todos los tiros; después le pido que utilice solo la mano derecha, y continúa sin fallar ni una, pero cuando le digo que se sirva de la izquierda, la pelota cae al suelo varias veces. Fabrizio, un poco resentido, me dice que es normal, que no es zurdo. Le pido entonces que no piense en su mano izquierda, sino que centre la atención en la pelota que llega, en observar bien sus franjas de colores y en escoger el color que más le gusta. En el primer lanzamiento, Fabrizio se hace con ella y se me queda mirando sonriente y asombrado. ¡Lo ha conseguido! Reconoce que si quiere, sabe concentrarse, y que ha entendido el mensaje del juego: basta focalizar la atención, contar con una estrategia y no dejarse influir por pensamientos engañosos.

Nuestro trabajo de exploración de sus talentos continúa. En las actividades sucesivas no solo debe concentrarse, sino también respetar instrucciones precisas. Vamos a experimentar el tiro con arco. El instructor, Lucio Giliberti, le proporciona los primeros rudimentos para dar en el blanco. Fabrizio escucha con atención y sigue sus indicaciones: «En una competición hay muchísimos rivales, pero tú estarás solo con tu flecha; todo lo que hagas será mérito tuyo, no podrás pedirle ayuda a nadie, todo dependerá de tu entrenamiento». De este modo, el instructor le explica cómo afrontar una competición. Fabrizio se pone a ello y, después de algunos intentos..., ¡a la diana! Es feliz al confirmarse a sí mismo que sabe concentrarse y que es capaz de obtener los resultados esperados si se esfuerza. Al término de la experiencia, Fabrizio me expone el nuevo sistema que adoptará en el instituto para mejorar: estar más atento, escuchar las explicaciones y profundizar en los comentarios. Para las actividades sucesivas decido aceptar la petición de los padres, que lo consideran superficial, e intento que Fabrizio adquiera un mayor sentido de la responsabilidad. Reconociendo su liderazgo natural, implico también a los amigos en un proyecto de solidaridad social. Cuando le explico la idea, Fabrizio abre mucho los ojos y hace una mueca poniendo de manifiesto toda la perplejidad y el temor a no salir airoso del empeño, pero yo estoy segura de lo contrario. Con la ayuda del grupo, deberá persuadir a los comerciantes de Bolonia de que donen alimentos y ropa para los necesitados. Pongo a prueba la capacidad persuasiva de Fabrizio: empieza bien, convenciendo rápidamente a sus amigos para que le sigan. Cuando se trata de decidir la estrategia que van a adoptar con los comerciantes, encuentran ciertas dificultades. ¿Presentarse como miembros de una asociación católica o simplemente como voluntarios que están recogiendo alimentos y ropa para los sin techo de la ciudad? Optan por la segunda posibilidad. Al reflexionar, se dan cuenta de que a la verdad nadie puede ponerle objeciones. La empresa resulta menos sencilla de lo previsto: reciben muchos rechazos y no tienen más remedio que afinar cuidadosamente el modo de comunicación, pero por fin, gracias a la tenacidad y a la determinación, empiezan a salir airosos de las tiendas cargados de bolsas.

Fabrizio es feliz porque ha obtenido un resultado inesperado. Entre otras cosas, está contento de haber contribuido a acabar con el prejuicio de que los comerciantes piensan solo en sus propios intereses. Pregunta si podrá continuar hasta las últimas consecuencias con el proyecto solidario, quiere asegurarse el premio de mirar a los ojos de las personas que se beneficien de él. Nos dirigimos a Iacopo Fiorentino, responsable de la asociación Piazza Grande, que ayuda a quienes carecen de alojamiento fijo. Iacopo propone a los chicos formar parte de la unidad móvil que todas las tardes recorre la ciudad distribuyendo alimentos, mantas y todo aquello que se necesite. La experiencia resulta conmovedora para Fabrizio y sus amigos. Se encuentran rodeados por ojos acongojados, manos tendidas, miradas perdidas en el vacío. Todo el botín se revela de repente poca cosa respecto a las exigencias. Son conscientes de no ser más que una gota en el océano, pero ahora saben cómo ayudar a quien tiene verdadera necesidad de ello. Se derrumba otro prejuicio: Fabrizio reconoce que tenía miedo de acercarse a quienes viven al margen de la sociedad, por todas las cosas que se oyen, pero se ha dado cuenta de que son personas como las demás, solo que más desdichadas.

Los chicos han vivido emociones fuertes, se han sentido útiles, saben que han hecho el bien y están contentos por ello. Fabrizio entiende además el sentido de la experiencia: ahora sabe que puede ser responsable, que es capaz de esforzarse con gran seriedad en empresas más dificultosas, nuevas, nunca experimentadas.

Hacer cambiar de idea a los chicos a estas edades puede parecer una empresa ímproba, pero lo cierto es que tienen necesidad de experimentar, de tocar con las manos. Los castillos de las convicciones limitadoras y de los prejuicios no son del todo inexpugnables: pueden derrumbarse bajo el peso de nuevas percepciones y, sobre todo, de experiencias directas.

Mi tarea no ha terminado aún. No debo olvidar que Fabrizio quiere aprender a cuidarse comiendo mejor. Decido trabajar esta cuestión de modo indirecto, en un parque destinado a la protección de aves. Los animales se adaptan, se dejan adiestrar, pero mantienen un sano instinto para reconocer y aceptar únicamente alimentos sanos para ellos, un hábito que casi con seguridad Fabrizio ha perdido. Sospecho que cuidar animales le hará entender cuán importante es prestar atención a lo que se come. Vamos a Ferrara y, durante todo un día, Fabrizio se convierte en ayudante de Lorenzo Borghi, director de un centro de la Lipu (Liga Italiana para la Protección de las Aves). Su tarea es preparar el alimento para las aves convalecientes. «La alimentación es fundamental: si nos equivocamos en alguno de los procesos relacionados con la preparación del pienso, el animal no se recupera y corre peligro de muerte», explica Lorenzo y subraya la importancia que una alimentación correcta tiene también para las personas. Fabrizio se empeña asimismo en esta empresa, y pone todo su interés en terminar bien su trabajo: pica despojos de carne y se los mete en el buche a una rapaz en peligro de extinción. Por fin, ya habituado a mi pregunta ritual, «¿Qué te aporta esta experiencia?», me responde con aire cómplice: «¡Que es importante nutrirse correctamente para estar bien!».

LOS RESULTADOS

Me quedo con la impresión de que mi recorrido con Fabrizio ha finalizado. Desde mi punto de vista el chico ha experimentado gran mejoría en el plano de la conciencia, y es más responsable en lo que respecta a la vida académica y a la salud. Quiero celebrar con él sus pequeños grandes éxitos regalándole unos cuantos globos de colores.

Fabrizio escribe sobre cada uno de ellos una característica que ha descubierto o reconocido en sí mismo en el transcurso de estas jornadas: capacidad de persuasión, reflexión estratégica, saber decir la verdad, meterse en la piel de los demás, más seguridad y autoestima, esfuerzo, concentración, responsabilidad. Y proyectándose en el futuro, ¿en qué hombre quieres convertirte?: «En alguien bueno, inteligente, que ayude a los demás», me contesta. Suscribo un pacto con él: se esforzará por convertirse en la persona que quiere y desarrollará sus recursos hasta lograr que afloren. Eso dice al tiempo que suelta los globos y los contempla mientras ascienden hacia el cielo.

Los padres se quedan estupefactos ante el proyecto del hijo que han considerado holgazán y rebelde: no les queda más remedio que rectificar sus puntos de vista y empiezan a hacer comentarios que demuestran su gran apertura de mente. Se dan ahora perfecta cuenta de la estructura cristalizada de roles en la que todos estaban presos, y que generaba siempre unas dinámicas idénticas.

Las cosas cambian si todos cambian: en este punto todos están de acuerdo. Franco modificará su estilo de educar, reprendiendo menos a su hijo e intentando entender más. Amelia estará más atenta a respetar los tiempos y las exigencias de Fabrizio y adoptará una comunicación más proclive al diálogo que a la reprobación.

Fabrizio dejará de apelar a la coartada de la pereza. Durante los días que hemos pasado juntos nunca se ha mostrado holgazán ni desentendido sino que, muy al contrario, se ha comportado como alguien decidido y maduro, capaz de movilizarse para lograr sus metas.

IVAN Y NICOLA: DE LAS MENTIRAS A LA PARTICIPACIÓN EN LAS NORMAS

LA FAMILIA

La familia vive en Lodi y sus ritmos derivan de los afanes laborales de los padres y de las actividades de los chicos. Todo marcharía sobre ruedas si no fuera por la intemperancia del hijo mayor, que contraviene las normas de forma permanente, exige cada vez más libertad y, especialmente según la versión de la madre, lleva por mal camino al hermano mediano.

LA MADRE

Mónica tiene una relación dura y severa con sus hijos, pues pretende que sus normas sean respetadas por encima de todo y no duda en dar algún que otro bofetón. No tolera que los chicos quieran tener siempre la última palabra.

EL PADRE

Quirino intenta ser amigo de los hijos, pero en presencia de su mujer se irrita y cae en actitudes tales como leer los mensajes de sus móviles. Se lamenta de que Nicola, el mayor, considere la casa como un hotel y esté pendiente solo de su comodidad.

LOS HIJOS

Nicola, de 16 años, está en permanente conflicto con los padres por su incapacidad de respetar el horario de llegada nocturno. Inventa prórrogas exageradas, excusas y coartadas, y hace novillos siempre que puede. Ivan, de 14 años, es menos rebelde, pero comienza también a exigir más libertad y quiere salir por las noches con Nicola, aunque este lo rechaza. Los conflictos entre los dos están a la orden del día.

EL HERMANITO

Lorenzo tiene 4 años, y recibe los mimos de los hermanos y de los padres.

LA PRIMERA IMPRESIÓN

Nicola e Ivan se encuentran en el centro mismo de una sana crisis de la adolescencia, que los padres son incapaces de reconocer: les cuesta admitir que los hijos están creciendo, que tienen necesidad de conquistar su autonomía también fuera de casa y que sus exigencias están cambiando.

Nicola se pasa el día mintiendo, y esto no hace más que reforzar el vicioso círculo familiar. Sus embustes son contraproducentes: sus padres pasan de la prohibición al castigo y se vuelven más intolerantes, lo que a su vez provoca nuevas mentiras y esto hace que pierden la confianza en su hijo.

> *En algunas familias se perciben con facilidad ciclos repetitivos caracterizados por comportamientos, encontronazos y discusiones previsibles. Es como girar en círculo pasando siempre por los mismos puntos. Se repiten los modelos comportamentales: regañina-rebelión-castigo-transgresión-mentira-regañina... Todo un recorrido con piloto automático: los miembros de la familia son fieles al papel que les corresponde y los cambios se evitan cuidadosamente. Esto continúa hasta la saciedad, hasta que alguno rompe el bucle y hace pedazos los esquemas.*

Las mentiras están a la orden del día. Para Nicola no hay otra solución, porque está convencido de que con su madre es inútil hablar: «Mi madre piensa solo en los estudios y no se entera de mis necesidades y de que quiero salir con mis amigos; entre otras cosas, ¡no puedo marcharme a casa antes que las chicas! ¡Me tratan como si fuera un niño de dos años!». Nicola está en plena formación de su identidad social, por lo que busca defender su imagen en el grupo y considera que el horario de vuelta a casa tiene un significado vital que va mucho más allá de la simple obediencia a los padres. ¿Cómo pueden los hijos influir en la percepción que los padres tienen de ellos? ¿Cómo dar señales de cambio?

EL PACTO DE "COACHING"

El vídeo de los padres deja a los chicos sorprendidos y decepcionados. A mi llegada son aún presas de cierta desorientación. Miramos juntos las imágenes de las discusiones familiares y las comentamos. Mónica y Quirino quieren obtener mayor obediencia y respeto a las normas, pero debo profundizar en diversos puntos de vista. Mi objetivo es ayudarles a todos a cambiar en la dirección que desean para obtener los resultados esperados. ¿Y qué es lo que quieren Nicola e Ivan de sus padres?: «¡Más libertad!», responden a dúo. Forjamos un pacto basado en el esfuerzo recíproco. Yo me encargaré de iniciarles en estrategias de supervivencia en casa alternativas a las habituales, sobre todo a aquellas tan previsibles e ineficaces como las mentiras, y ellos las pondrán en práctica a fin de explorar nuevas posibilidades de solución. Están de acuerdo, deciden confiar y nos estrechamos las manos.

EL RECORRIDO

En este caso parece que un curso de supervivencia nos viene como anillo al dedo. El objetivo que me fijo es ayudar a Nicola a tener más libertad, a renegociar algunas de las normas familiares y a reconquistar la confianza de los suyos. Me planteo también la cuestión de los vínculos entre los hermanos. ¿Se tratará de acabar con un conflicto o de reforzar su vínculo?

Acompaño a los chicos al centro de Roberto Lorenzani, cerca de Parma, que se ocupa de adolescentes rebeldes y con poca autoestima. La Adventure Academy, que así se llama, no rechaza a nadie y, cuando llegamos, Roberto nos explica inmediatamente que las normas son muy pocas pero férreas: educación y respeto por uno mismo, por los demás, por los objetos y por los horarios. Nadie esperará si se llega tarde. Nicola expone sus temores, dice que tiene miedo de no lograrlo, aunque ni siquiera sabe lo que le espera.

La vida en el centro de Roberto es decididamente espartana. Nicola e Ivan tienen que ocuparse de sus cosas, empezando por prepararse las camas para dormir. Por la mañana se despiertan muy temprano.

La primera prueba consiste en la construcción de una balsa. Roberto explica cómo unir sólidamente los maderos entre sí, cómo fijar después los neumáticos y, por fin, cómo botar el resultado del trabajo en las aguas de un lago. Los chicos escuchan con atención las palabras de Roberto: Ivan sigue las instrucciones con desenvoltura, mientras que Nicola parece un tanto medroso, mira a su hermano e imita sus gestos. «No hay nada imposible y casi todos pueden hacer casi todo», le anima Roberto. Los nudos deben estar bien hechos: lo suficientemente apretados para unir con fuerza, pero realizados de tal forma que luego puedan soltarse con facilidad. Parece que es una metáfora de los conflictos familiares: es normal que haya discusiones o disputas en casa, pero luego es necesario aclararlas, eliminar las tensiones y superarlas. Pese a que la botadura se realiza con cierta aprensión, ¡la balsa aguanta! Nicola e Ivan reman hasta el centro del lago, buscando un espacio de merecido relax. El paisaje es maravilloso: las cimas de las montañas en lontananza, los árboles de la orilla reflejándose en el agua y el aire con el punto justo de frescura. Observándolos trabajar, percibo su complicidad y su capacidad de apoyarse y darse ánimos.

Les pido que comenten lo que han vivido: ¿Qué han aprendido de esta experiencia? Han comprobado la posibilidad de trabajar juntos y están contentos y satisfechos. Pregunto después a Nicola qué le impide decir la verdad sobre la hora de regreso cuando sale por las noches: «Si dijese la verdad, no me dejarían repetir». A continuación le digo si habría un margen para establecer un horario que pusiera de acuerdo a ambas partes: «Con mi madre es imposible», contesta. Le hago notar que hasta hace pocas horas consideraba imposible construir una balsa para remar en medio del lago. Sonríe y comprende el mensaje, pero insiste en que quiere más libertad. ¿Y qué significa eso para él? «Ser igual que los demás, no sentirse marginado». Las cosas cambian si nosotros cambiamos; les explico que no pueden esperar una conducta distinta de su madre: ellos mismos deberán dar algunos pasos en una nueva dirección.

Hay que ayudar a los chicos a dar valor a las experiencias y proporcionarles siempre una tarea. También las experiencias negativas son aprovechables, ya que, como suele decirse, de los errores se aprende. Pero no es frecuente encontrar adultos que consideren positivos los errores de los adolescentes, que los vean como oportunidades de crecimiento y de aprendizaje.

La siguiente prueba supone un reto aún mayor: deben sobrevivir una noche en el bosque, construyendo un refugio y encendiendo una hoguera para calentarse. Disponen de hojas, ramas, troncos, piedras, cuerdas, dos sacos de dormir y una lona. Bajo la guía de Daniele, un instructor de la escuela, recogen hojas para construir una suerte de iglú donde guarecerse de la humedad y del frío nocturnos. La lona también los resguardará en caso de lluvia.

Solo disponen de dos cerillas para encender la hoguera, así que la tarea exige la máxima atención. La primera se apaga... «En la naturaleza», dice Daniele, «no hay segundas oportunidades para sobrevivir, es imprescindible no desaprovechar ninguna ocasión sino, por el contrario, aprovecharlas al cien por cien». Mientras el fuego empieza a avivarse, prosigue: «Los ambientes hostiles son grandes reveladores, no importa quién se sea ni de dónde se venga. La posibilidad de sobrevivir depende solo de la inteligencia, de la determinación y de la capacidad de las personas». Es justamente en las situaciones más difíciles donde pueden descubrirse los propios recursos y las estrategias vencedoras. Los chicos pasan la noche acampados en el bosque.

Deben hacer turnos para alimentar la hoguera y evitar que se apague. Por analogía, pienso en la familia, donde es necesario alimentar las relaciones para impedir que se deterioren. A la mañana siguiente Nicola reflexiona sobre la experiencia vivida y sobre el comportamiento de su hermano, que había renunciado a sus turnos de reposo para no dejarlo solo: «Es mejor hacerse compañía que dormir». Ivan está feliz por haber compartido esta aventura con Nicola. ¿Qué os ha enseñado la prueba? «¡Que los dos juntos somos más fuertes que uno solo!».

Ahora les espera la tarea más difícil y de mayor esfuerzo, que exige también mucho valor. Deben descender por una pared rocosa de más de 50 metros de altura (como un edificio de 16 pisos), con la única ayuda de unas cuerdas atadas a las extremidades. Un sistema de bloqueo garantiza la seguridad del descenso. Los chicos se colocan el equipo necesario, casco incluido, y Nicola hace pasar delante al hermano pequeño: «Venga, Ivan, prueba tú primero». Ivan salva el parapeto, veo que sus músculos se tensan y, mientras se cuelga del borde con una mano, se esfuerza por mejorar la presa; luego se deja ir. En pocos minutos ha llegado al suelo orgulloso de su coraje. Nicola no es capaz de bajar inmediatamente después y sigue a su hermano con cierto temor en los ojos. Cuando concluye el descenso, profiere un grito de alegría y de liberación.

Mientras desde arriba les aplauden, veo que se miran entre sí y me lanzan un desafío. No puedo decepcionarlos, me digo, soy también un ejemplo. ¿Pero cómo superar mi terror a las alturas, mi vértigo? Aunque me están pidiendo que me reúna con ellos, lo sigo pensando; intento no mirar hacia abajo y busco los ojos de los miembros del equipo con la esperanza de que alguno me invite a desistir. La directora mira a los demás, me anima; los cámaras me contemplan divertidos mientras empiezo a sudar. Roberto se me acerca provisto de un arnés y un casco. Sé que estoy frente a una prueba que tengo que superar y, sin razonar demasiado (por esta vez), me encuentro con los pies suspendidos en el vacío. Mi mente se concentra solo en dos cuestiones: tiro del mosquetón y dejo que la cuerda corra. Cuando pongo los pies en el suelo siento que me tiemblan las piernas, pero consigo que no se me note. Los chicos corren a mi encuentro y me abrazan. He celebrado así con ellos mis primeros 55 años. Me han regalado la certeza de que hay siempre una ocasión a mano para aumentar un poco la autoestima. ¡Ese día me sentí una verdadera leona! Entendí así la importancia de transmitir mensajes breves y concisos a la mente para afrontar una prueba difícil, ya que de este modo se evita que la asalten pensamientos negativos. ¡Pero aún tenía que superar el obstáculo principal: me esperaba el ascenso de la montaña a pie!

Esta prueba tiene un fuerte impacto emotivo; refuerza la percepción de uno mismo y la conciencia sobre los inagotables recursos de que se dispone. Los chicos lo reconocen y me dicen que también se pueden superar los obstáculos que parecen insuperables.

LOS RESULTADOS

Cuando la actividad concluye, Nicola e Ivan se dan cuenta de que su objetivo de partida (tener más libertad) estaba mal planteado, porque implicaba influir en la voluntad de los padres, forzarla hacia las propias exigencias. Ahora ven que necesitan centrar la atención en sí mismos. Solo pueden obtener resultados satisfactorios si tienen el control directo de sus actos, como movilizarse para obtener lo que más desean.

¿Qué será lo que permita a los padres dejarlos más libres?: «La confianza», me responden. «¿Y cómo obtenerla?». «Demostrando que se merece». Su tarea es concreta: no dirán más mentiras, asumirán sus responsabilidades, obedecerán de buena gana las exigencias paternas. Les propondrán mejorar el modo de comunicarse, escucharán pidiendo ser escuchados para establecer puntos en común y acordarán con ellos las normas que deben respetarse. La redefinición del objetivo es pues demostrar que se merece la confianza; si se pone verdadero empeño en ello, se encontrarán los comportamientos adecuados para obtenerla.

Ivan ha aprendido de esta aventura que su hermano y él forman un buen equipo y quiere llegar a un nuevo acuerdo con los padres. Nicola es más consciente de estar en posesión de los recursos necesarios para enfrentarse a su madre con la cabeza alta, sin tener que recurrir a las mentiras. Se siente más fuerte, ha descubierto que posee la capacidad de superar obstáculos aparentemente insalvables y que puede lograrlo solo.

Antes de que vuelvan a casa, me reúno con los padres para razonar con ellos y para que vean unas cuantas imágenes de la experiencia que han vivido los hijos. Les explico que he descubierto en Nicola el temor a ser juzgado, y que ese sentimiento puede acentuar la tendencia a buscar vías de escape, como esconderse tras las mentiras en lugar de afrontar directamente una situación. Los padres deberán ayudarle a recuperar la seguridad y apoyarle para que pueda afrontar la vida sin temor a sus juicios. Deciden ampliar el horario de vuelta por la noche y acordar con los hijos la línea educativa que seguir. La vuelta a casa sirve también de ocasión para estrechar el pacto entre ellos: las cosas cambiarán solo si todos y cada uno de ellos dan un paso después del siguiente.

SANDRA: DE LOS SECRETOS A LA PARTICIPACIÓN

LA FAMILIA

Los padres de Sandra se dedican en exclusiva al trabajo y a la casa, y no tienen ni siquiera el tiempo necesario para llevar una vida social. Es una familia corriente, que atraviesa dificultades con el crecimiento de los hijos. La situación en casa es muy tensa: paradójicamente, se pasa de silencios ensordecedores a gritos que caen en el vacío.

LA MADRE

Maddalena es cajera en un supermercado de un barrio de la periferia milanesa, y todos los meses debe lograr que cuadren las cuentas domésticas. Es en apariencia la más fuerte de la familia, tiene un gran sentido del sacrificio y controla de cerca a los hijos. Su principal fuente de preocupación es Sandra, a la que define como testaruda e influenciable por las malas compañías. No quiere que chatee en internet y le ha roto el ordenador en dos ocasiones. Su exigencia es que su hija sea responsable y obediente.

EL PADRE

Stefano trabaja todo el día fuera de casa como obrero e intenta que la familia no carezca de nada, pero delega en su mujer la gestión de las normas. Cuando habla de sus hijos todavía les llama «los niños».

LA HIJA

Sandra, de 16 años, no escucha a nadie, no se esfuerza en el instituto y ha perdido un curso completo. Como contrapartida ayuda mucho en casa, va a la escuela dominical y se ocupa de los niños. Le encanta bailar, cantar, chatear y utilizar el Messenger. Adora a Gigi d'Alessio y Federico Moccia, y se identifica con los protagonistas de sus canciones y sus novelas.

Le gusta ir a clase, sobre todo de idiomas, y siente antipatía por la historia, que se niega a estudiar. La han censurado, porque cuando necesitaba ayuda no la solicitó. Muestra cierto orgullo y quiere hacer las cosas por sí misma. Parece más madura de que lo que corresponde a su edad, y suele preferir la compañía de chicos mayores que ella. Tiene sentido de la ironía y de la autoironía, y dice lo que piensa aun a costa de hacer daño al interlocutor.

EL HERMANITO

Cristian tiene 11 años. En el centro de enseñanza no va mal, juega al fútbol y tiene muchos amigos.

Con la hermana discute siempre quién tiene preferencia a utilizar el ordenador y, por lo general, se dicen palabrotas o llegan a las manos. Suele estar más de acuerdo con los padres que con la hermana.

LA PRIMERA IMPRESIÓN

En la familia es la madre quien se ocupa de los hijos, y está muy claro que sus intentos indagatorios irritan a Sandra: los considera intrusiones en su mundo. Entre madre e hija los choques son siempre frontales, toda ocasión es buena para discutir y una y otra procuran decir la última palabra. Sandra no tolera que su madre quiera decidir en cuestiones que ella considera únicamente suyas: la manera de vestirse, qué maquillaje ponerse, con quién salir. Maddalena sostiene que darle indicaciones precisas a su hija sobre estas y otras cuestiones forma parte de sus tareas.

Pero en el juego de los roles, que ahora resulta irritante, advierto por parte de Sandra el deseo de sentir a la madre más cercana y en Maddalena el sufrimiento que le produce el rechazo de su hija. Percibo un mecanismo de contradicción entre comportamientos e intenciones.

Sandra exhibe la típica ambigüedad de los adolescentes: aunque está creciendo, es aún en parte una niña. Los padres quieren que sea más responsable, pero no le conceden la autonomía necesaria para que desarrolle tal cualidad. La madre la critica cuando muestra su lado infantil y le grita si quiere parecer más adulta mediante la forma de peinarse o la ropa que se pone. Sandra se cierra en banda y no cuenta nada suyo a la familia, aunque querría dialogar con ella. Se sincera en lugar de eso en Facebook chatea con amigos o con desconocidos, mientras Maddalena, a escondidas, intenta descubrir sus secretos.

> *Hasta una edad determinada los niños lo cuentan todo, incluso en demasía, exasperando en ocasiones a los padres con su cháchara: quieren compartir historias y emociones. Pero de improviso dejan de parlotear. Confían únicamente en los amigos más cercanos o, lo que resulta ciertamente paradójico, en internautas desconocidos, porque estos no pueden juzgarlos, mientras los padres quedan al margen. Es un cambio natural que puede resultar muy crítico si se transforma en terreno de choque.*

Parece evidente el contraste de la dimensión “femenina” entre madre e hija: en la primera está edificada sobre el principio deber-sacrificio-intransigencia, mientras que en la segunda parecen prevalecer el placer, la frivolidad y la flexibilidad. Un episodio del pasado produjo gran alarma en los padres: descubrieron que por la red circulaba una foto de la hija con poca ropa. Sandra ha entendido la tontería cometida y pretende conquistar de nuevo la confianza de los suyos. Tal vez por la prisa en crecer, o puede que por salir del refugio familiar, ha sido demasiado atrevida y ahora se da cuenta, aunque los padres parecen decididos a no confiar en ella.

> *La adolescencia es, por antonomasia, la edad de los excesos: el reto consiste en encontrar el equilibrio. Los chicos están confundidos, intuyen quiénes son, querrían experimentar, tener oportunidad de cometer errores para entender de qué modo proceder mejor, pero no siempre los adultos se muestran comprensivos en la fase de paso. Cometer un error en el recorrido es correr el riesgo de colgarse una etiqueta que excluya la posibilidad de cambiar.*

A Sandra le resulta muy difícil tener de confidente a su madre: el riesgo es un juicio que la penalice. Para ella es más fácil y más cómodo confinar en su mundo interior los secretos de las primeras experiencias afectivas y sexuales.

Emerge también otro aspecto contradictorio típico de los adolescentes: la necesidad de pertenecer al grupo, de uniformarse, pero, al mismo tiempo, de distinguirse de los demás. Por una parte Sandra declara que no quiere ser condicionada por las amigas, obsesionadas con las marcas, pero por otra obliga a su madre a comprarle ropa que le sirva para adecuarse al grupo. Conformista por un lado, por otro quiere ser aceptada por lo que es y no por cómo se viste.

EL PACTO DE "COACHING"

Cuando Sandra me conoce en su casa, se muestra desorientada y miedosa. Me siento bajo observación: antes de otorgarme su confianza tiene que estudiarme. Viendo las imágenes que le he traído sobre los conflictos familiares, descubro que no tiene dificultad para reconocer el valor del punto de vista de los padres, que es capaz de asumir sus responsabilidades y de ofrecer una lectura madura sobre el modo en que querría que cambiasen las cosas en su familia. Se da cuenta de que ha cometido errores y que deberá esforzarse por reconquistar la confianza de los suyos, pero cuenta con hacerlo.

Reconoce también que el camino será duro: como acercar la montaña (así representa a su madre) al mar (con el que le gusta identificarse). No soporta las imposiciones y querría ser capaz de hablar con Maddalena, de mantener un diálogo sereno con ella. Querría que salieran juntas alguna vez, sentirla a su lado como una amiga, más allá del rígido rol materno, que según Sandra consiste en control, reprobación, castigos y prohibiciones.

Su objetivo es establecer una relación distinta con su madre, pero se da cuenta de que el resultado no depende solo de ella: deberán buscarlo entre las dos. El objetivo será hacerse comprender mejor por ella y permitirle entrar en parte de su mundo.

EL RECORRIDO

El tema principal es el de la confianza y la aceptación. ¿Cómo puede Sandra merecer la estima de sus padres y conquistar al mismo tiempo más autonomía? ¿Cómo puede aprender a valorar los pasajes evolutivos que está viviendo y que le permitirán crecer con equilibrio?

El hilo conductor de nuestra actividad es la toma de conciencia. Intentaré ayudar a Sandra a ser más consciente de cómo está creciendo, de cómo puede gestionar las nuevas emociones que experimenta; ella, por su parte, hará lo posible por abrir su corazón, lo que servirá también para ofrecer a su madre una imagen más tranquilizadora.

Sé que Sandra adora el mar, que es la metáfora por ella evocada para representarse a sí misma. Decido por consiguiente iniciar nuestro recorrido juntas a la orilla del mar. Salimos de Milán y nos dirigimos hacia Varazze, en Liguria. Damos un paseo tonificante por la playa, con los pies descalzos, y recogemos piedras y conchas; después nos sentamos bajo los árboles de un parque. Este es el primer ejercicio.

Sandra me habla de su mundo interior, de los pensamientos más íntimos que confía únicamente a las páginas de su diario. Le encanta escribir sus emociones sobre la amistad, el amor, las experiencias. Le pregunto si desea escribir y se pone a llenar las páginas de un cuaderno. Me dice después que no quiere compartir lo que ha escrito; la tranquilizo, garantizándole que respetaré sus secretos, pero le pregunto si hay algo que quiera revelarme, algo que me sirva para comprender nuevos elementos de su mundo. Considerando su amor por la música, pido la colaboración de un joven cantautor de éxito: estoy segura de que gracias a la cercanía de Emanuele Dabbono encontrará la fórmula justa para expresar abiertamente lo que experimenta, para plasmar sus pensamientos en una canción.

Nos encontramos con él a orillas del mar. Protegidos por unos escollos, con las olas rompiendo bajo ellos y las gaviotas contemplándolos desde lo alto, Emanuele y Sandra hacen los primeros intentos. Los acordes de la guitarra acompañan las palabras de Sandra y, mágicamente, nace su canción. Se ha dejado comprometer con alegría. Emanuele está plenamente satisfecho, al punto de que le propone grabar el resultado. Nos trasladamos a un estudio de grabación: «Ver mis palabras plasmadas en una canción y poderla cantar me produce escalofríos», es lo primero que dice Sandra después de grabar su tema, que ha titulado *A un paso del cielo*. Se da cuenta de que es posible hacer público un pequeño secreto y le produce un gran placer compartir con los demás los sentimientos que experimenta, me dice entusiasmada, aferrando el cedé que recoge su voz y la de Emanuele.

Al día siguiente la acompaño a un campamento de verano en la playa, donde se suma a los animadores para entretener y hacer jugar a los niños. Muestra una gran familiaridad con los pequeños, y mucha fantasía, e inventa juegos y bailes que todos siguen divertidos. Reflexionando sobre las capacidades aplicadas en esta experiencia, reconoce tener iniciativa y contar con la fuerza necesaria para vencer la timidez. Además, se maneja bien con los niños, sabe guiarlos con dulzura y corregirlos con paciencia, sin reprenderlos si se equivocan. Es cuanto querría que sucediese en su familia: «A veces un poco de miel vendría bien para endulzar nuestras relaciones», afirma.

Volvemos por fin a Milán; mi empeño es ayudarla a mejorar su relación con la madre. Decido tomar en consideración un punto crítico para ambas, el del *look*. Después de haber explorado la dimensión más íntima de Sandra y de haberla visto trabajar en una actividad práctica, trato de encontrar con ella una imagen coherente a la que pueda adherirse sin impostaciones ni resistencias. El objetivo es también poner en valor su feminidad con un aspecto original que no le salga demasiado caro. Un reto para su autoestima y para el deseo de ser aceptada por lo que es. Le propongo experimentar con su imagen, buscando un término medio que le permita sentirse cómoda sin suscitar las críticas maternas. En esa investigación me apoya Susanna Musoni, habituada a trabajar con jóvenes artistas. Susanna intenta entender los gustos de Sandra, estimulándola a vivir su edad sin enmascararse para aparentar lo que no es. Sus consejos resultan maravillosos. Después de dar una vuelta por un mercadillo y unas cuantas tiendas de moda joven, nos metemos en una *showroom* para probar las nuevas adquisiciones. Sandra pide consejo y acepta de buen grado la guía de quien puede encaminarla y darle buenas ideas para elegir y combinar la ropa. La que se mira entonces en el espejo es una chica satisfecha. El mensaje es que se puede ser femenina con poco gasto y sin tener que disfrazarse. Susanna le hace notar que no ha hecho más que seguir sus gustos, que ella se ha limitado a aconsejarla para concretar su estilo a fin de que se sintiera más cómoda. El trabajo sobre el *look* concluye con la intervención de Laura Sorrenti, una peluquera joven y habilidosa que ayuda a Sandra a maquillarse de acuerdo con su edad. Estamos trabajando en un territorio muy crítico, donde es habitual el intercambio de palabras gruesas con la madre, motivo por el cual invito por sorpresa a Maddalena. Cuando Sandra la ve se crispa, pero después parece feliz de compartir un espacio tan femenino y cómplice con ella. Aunque ofrece cierta resistencia inicial, Maddalena se presta también a dejarse maquillar (lo que no le ocurría desde el día de su boda) a manos de Sandra: «A lo mejor es una señal», me dice la hija, «mamá parece dispuesta a escuchar mis peticiones; por primera vez se deja maquillar por mí, siempre se negaba».

A veces hace falta muy poco para demostrar la atención que se le presta a un hijo: basta con aceptar lo que propone, seguirle en sus intereses del momento, escuchar sus peticiones: a través de un juego, de una diversión, de la creación de un espacio frívolo, se reafirma un vínculo profundo.

LOS RESULTADOS

El trabajo con Sandra ha reforzado su autoestima, ayudándola a valorar sus puntos fuertes, a reconocer su unicidad respecto a los coetáneos o a lo que su madre esperaba de ella. Concluimos el recorrido repasando las etapas seguidas. ¿Cómo es hoy Sandra y en qué quiere convertirse? Exploramos los diferentes roles que tiene en la vida. Jugamos con combinaciones de distintos colores: Sandra dibuja un corazón rojo, una estrella rosa, un anillo azul y un sol amarillo que representan sus dimensiones existenciales: el amor, la evolución hacia la edad adulta, la amistad y la familia. Sandra ve en las figuras diferentes aspectos de sí misma, pero cuando le pido que las una entre sí, advierte que ella es todo eso, la suma de unas partes que a menudo viven cada una por su lado. Ahora sabe que puede acceder a los muchos recursos de los que dispone, a las mil facetas de su identidad, cada vez que quiera; puede ser amigable con sus condiscípulos, afectuosa en familia, decidida con los amigos, y ello con la infinita variedad de combinaciones que alberga su rico mundo interior.

Cuando me reúno con Maddalena y Stefano les asalta la perplejidad. Hago pasar las imágenes de la semana que muestran una Sandra distinta, más tranquila y razonable, y se preguntan qué sucederá cuando vuelva a casa. Por supuesto que ningún milagro: el cambio será posible únicamente con el esfuerzo de toda la familia. Recuerdan los errores de Sandra y sus recaídas, pero se afanan por reconocerle cada pequeño cambio a mejor.

Reconocer los cambios y los progresos ayuda a los chicos a consolidar el proceso de crecimiento y a seguir evolucionando. El riesgo de con-

tinuar percibiéndolos como eran es el de hacerlos retroceder para ser como antes, obligándoles a repetir los mismos errores y a reproducir los comportamientos inadecuados.

Maddalena se esfuerza por dirigirse a su hija con mayor dulzura, intentar ser amiga además de madre para ayudarla a comunicarse. Sandra está dispuesta a cambiar; implicará más a su madre en su vida y procurará responderle con mayor cortesía.

Sandra es ahora consciente de su propia fuerza, pero también de su fragilidad. Ha aprendido a aceptarse y a reconocer que si quiere, puede cambiar y pedir ayuda cuando lo necesite. Entrevé la vía para unir la montaña al mar: está colmada de palabras, de emociones y de experiencias que vivir juntas.

LUCA: DE LA REBELIÓN A LA COMUNICACIÓN

LA FAMILIA

Tras haber vivido en Milán durante años, la familia de Luca se traslada a Lodi. Con ocasión del nacimiento de su segundo hijo, la madre vuelve durante algunos meses a su pueblo natal, Striano, próximo a Nápoles, donde Luca está escolarizado. Regresan a Lodi, pero después de un par de años los padres se separan por decisión de la madre, que se establece de nuevo en Striano con sus hijos. Aunque debía ser una fase provisional –eso les había prometido la madre a los hijos– transcurren otros dos años y Luca echa raíces una vez más; así que cuando les comunica que la van a trasladar otra vez, se opone con todas sus fuerzas. La convivencia en casa se hace imposible.

LA MADRE

Caterina es una maestra que durante diez años ha mantenido una relación simbiótica con su hijo mayor, que ella define como «de novios». Difícil ahora pretender el respeto a la autoridad materna. No tolera que Luca «se ponga gallito» ni que «vaya de macho», y se lo reprocha con tono despectivo. El hijo no soporta al nuevo compañero de su madre y vive cada petición como un ultraje; reacciona entonces con agresividad, grita y usa palabrotas que hieren a Caterina. Las broncas son continuas. Ella le ha levantado la mano al descubrir que fumaba en casa. Ahora quiere llevárselo de Striano, dice, para alejarlo de los amigos que frecuenta, aunque sostiene que en el fondo son buenos chicos. Querría recuperar la confianza en su hijo.

EL HIJO

La vida de Luca ha sido más bien ajetreada. Se ha visto obligado, a pesar suyo, a cambiar varias veces de amigos, de ambiente, de centro de enseñanza, de maestros, de contexto, de casa y, por último, ha tenido que dejar a su padre en otra ciudad. Es un chico seguro de sí mismo, no teme los obstáculos y es muy decidido. Si se marca una meta, la persigue; solo renuncia si no puede hacer otra cosa. «Cuando discutimos, la última palabra la digo yo», asegura hablando con la madre. Para Luca, Striano es la conquista de la libertad. El pueblo es pequeño y limita, pero los amigos un poco mayores tienen coche. Él no frecuenta una sola pandilla, es amigo de todos y no hay chico del pueblo al que no conozca. Sabe que puede contar con ellos y ellos saben que él está dispuesto a ayudar siempre a quien lo necesite, sobre todo si es víctima de una injusticia. Fuma, pero no porros. Se declara contrario a las drogas. Tiene un profundo sentido de la justicia: de mayor quiere ser abogado. No tolera las prohibiciones injustificadas o arbitrarias, se rebela contra las normas que no comparte y se enfrenta también a la directora del centro de enseñanza.

EL HERMANITO

Corrado, de 4 años, es el pequeño de la casa y está muy mimado y malcriado. Luca se considera fuertemente unido a él pero se niega a darle todos los caprichos, con lo que abundan las broncas.

LA PRIMERA IMPRESIÓN

Con el paso de los años Luca ha desarrollado una gran capacidad de adaptación. Su madre dice que «donde lo deja, se queda», infravalorando los problemas que debe afrontar con cada cambio. Parece tener más años de los que realmente ha cumplido; es inteligente, despierto y se relaciona con chicos mayores, con los que se siente más estimulado. Al principio lo llamaban *el milanés*: Luca, para hacerse aceptar, para pertenecer al grupo, aprendió a hablar napolitano. Está echando raíces en el pueblo y lo ha convertido en su nuevo punto de referencia. No soporta el carácter de la madre, a la que considera «una egoísta que no pensó en sus hijos cuando se trasladó». Todas las mudanzas han sido traumáticas para él, y ahora no quiere perder a sus nuevos amigos. Caterina ha solicitado el enésimo traslado, porque el pueblo se le queda pequeño y porque quiere acercarse a su nueva pareja, pero Luca se opone: la convivencia de la familia se ha convertido en una guerra librada sobre el poder de las prohibiciones y de las transgresiones. El chico guarda mucha rabia dentro de sí, porque se siente víctima de una injusticia. La madre critica a sus amistades y le prohíbe salir con chicos mayores, pero Luca transgrede las normas de cuando en cuando. Ella por toda respuesta hace lo posible por infravalorar a unos amigos que no conoce, diciendo cosas como: «Si salen contigo que eres pequeño, es que su cerebro es también pequeño». Sin embargo, que su hijo prefiera la compañía de chicos mayores se debe, sencillamente, a que es más maduro de lo que corresponde a su edad.

Los adolescentes tienen necesidad de medirse, de experimentar, de dialogar y de sentirse respetados. Antaño bastaba decir: «¡Eso no se hace porque no se hace, y no hay más que hablar!»; los chicos recurren hoy con frecuencia a la capacidad de argumentar y de motivar, y suelen estar dispuestos a escuchar si se les escucha. Las normas impuestas desde arriba suscitan a la rebelión si no se comprenden. Los jóvenes quieren entender el porqué de las prohibiciones y de las normas a las que deben atenerse, y contar con la posibilidad de exponer sus puntos de vista.

Madre e hijo desconfían el uno del otro: mantienen un combate cuerpo a cuerpo en el que ninguno cede, y la situación se agrava por momentos. Luca no quiere normas, pretende gestionar su tiempo libremente sin tener que dar cuenta de dónde ni con quién va. Su madre sostiene que el chico ha traicionado su confianza demasiadas veces para seguir creyendo en él. ¿Qué hay detrás de esta desconfianza recíproca? ¿De qué es expresión la rabia de Luca? ¿Cómo canalizarla? ¿Cómo encontrar una forma más funcional de comunicarse con su madre?

EL PACTO DE "COACHING"

Luca mantiene más o menos el tipo cuando nos conocemos en su casa; conserva un cierto autocontrol mientras ve el mensaje de su madre. Reconoce que sufre a menudo ataques de rabia, como la propia Caterina, por otra parte. Admite que no respeta unas normas que considera estúpidas y carentes de sentido. Es un chico que se expresa con gran propiedad, escogiendo las palabras más adecuadas para comunicar claramente lo que piensa. Acordamos el objetivo de mejorar la comunicación en el seno de la familia, en especial demostrando a su madre que es digno de confianza y respeto y que, por consiguiente, puede asumir ciertas responsabilidades.

Mi tarea, en consecuencia, será ayudarle a transformar la rabia en energía constructiva, valorando su determinación y su capacidad para alcanzar metas, y descubrir a su madre la otra cara de Luca.

EL RECORRIDO

La primera actividad que le propongo requiere bastante esfuerzo (tanto para él como para mí), sobre todo porque hay que levantarse a las cuatro de la mañana. Vamos a acompañar a un pescador durante su jornada de pesca. Luca deberá obedecer las indicaciones y las normas, y mancharse las manos para llevar pescado a casa. Cuando llegamos, el puerto está todavía a oscuras, desierto, recorrido solamente por unos cuantos perros que buscan comida. Los pescadores preparan los aparejos y las redes. Luca tiene los ojos hinchados de sueño y me mira suspicaz. Tal vez piense que habría hecho mejor rebelándose también contra mí. Salimos en la barca de Edoardo, que acepta de buen grado llevar a bordo al joven ayudante, pero que deja inmediatamente claro que en su barca manda él y que sus órdenes deben obedecerse. Luca guarda las formas y parece capaz de adaptarse a la situación, aunque no se cuente entre sus favoritas.

> *Sucede con frecuencia que los chicos descontrolados en familia, habituados a oponerse con todas sus fuerzas a las exigencias paternas, fuera de casa son dóciles a más no poder, poniendo de manifiesto que han asimilado debidamente las normas de la convivencia civilizada y la buena educación recibida en familia.*

Luca es un chico educado que sabe estar con los demás. Intuyo, sin embargo, que no conoce las medias tintas y me esfuerzo por ayudarle a expresar el desacuerdo sin crear conflictos.

Cuando despunta el alba nos encontramos ya en mar abierto. Luca no está cómodo en la embarcación; en más de un momento parece a punto de caerse por la borda mientras el pescador lo observa con sorna. Debe echar las redes, recogerlas y después liberar con cuidado la pesca. Esto resulta verdaderamente problemático para él: no está acostumbrado a ensuciarse las manos. «¡Qué asco!», exclama en cuanto toca las escamas viscosas de los lenguados, que se le escurren entre los dedos y caen a cubierta. Lo veo agobiarse, el pescador le está haciendo pasar apuros. Sin embargo, pese a la repugnancia, le echa valor y termina el trabajo; un brillo de satisfacción ilumina sus ojos. Cuando volvemos a tierra, con el sol ya en lo alto, Luca no ve la hora de descansar, pero en el puerto le aguarda otra dura faena. Toca recoger, reparar y guardar las redes. Luca escucha con atención a Edoardo, lo observa mientras le explica lo que tiene que hacer para reparar el roto de una red. Los viejos pescadores del puerto contemplan divertidos la escena. Luca está exhausto, pero la jornada no ha terminado aún: le esperan una brocha, una lata de barniz y un casco que están renovando. El chico me mira convencido de que se trata de una broma, pero el pescador va en serio, y le explica cómo debe barnizar la barca antes de que Luca pueda proferir la menor objeción. Al mediodía el chico está irreconocible: la camiseta, de un bonito azul celeste, ostenta goterones de barniz anaranjado por aquí y por allá; tiene la frente llena de sudor y el rostro contraído en una mueca perenne por «la peste» de las redes y del puerto, pero, a pesar de todo, cuando le pregunto lo que ha aprendido en el transcurso de la mañana, me contesta que ha descubierto que si se esfuerza puede obtener resultados, incluso en tareas que nunca había soñado siquiera realizar. Cuando le hago notar que ha seguido sin la menor oposición las órdenes del pescador que se ha encargado de él, dice: «En este caso, aunque me cueste reconocerlo, ¡las normas son necesarias!».

Superado el cansancio, proseguimos nuestro trabajo en una actividad que refleja el mundo y los intereses de Luca. El chico sigue mostrando un exterior controlado y habla con mesura, como si no lograse expresar sus emociones. Le propongo, por consiguiente, realizar un videoclip con la colaboración de sus amigos, para enviarle un mensaje a su madre y al mundo de los adultos a través de la música. El objetivo es desarrollar nuevas modalidades de comunicación, a fin de acercar la postura entre ambos y de enseñarle a la madre una parte de sí mismo que al chico le cuesta expresar.

El grupo de amigos se reúne. Luca explica con seriedad la propuesta y motiva a los demás para que lo secunden en esta aventura. Comienzan discutiendo los temas que van a desarrollar en el texto: el mensaje principal que quieren transmitir es la posibilidad de comunicar libremente las propias ideas y opiniones sin temor al juicio de otros. En los folios escritos por los chicos aparecen los primeros conceptos de interés para ellos: la libertad de expresión, el respeto recíproco, la lucha contra los prejuicios, el amor, el miedo a ser jugado. Cada uno se decide a escribir una estrofa, y después, como en un rompecabezas, ensamblan los fragmentos para completar la letra. Ahora deben ponerle música; les ayuda un montador del programa. Escuchan diversas maquetas y, finalmente, encuentran una que les gusta. Luca, investido ahora con la autoridad de director, decide la escenografía y el modo de realización. Por fin llega el momento de rodar el vídeo: los técnicos de la cadena se prestan a ayudar a los chicos, y nuestro realizador dice que está preparado para grabar la actuación. Como escenario elegimos un cementerio de coches destinados a chatarra, situado en la periferia de Striano. Los chicos se cambian: han elegido una ropa acorde con el *rap* que van a cantar; se ponen de acuerdo en los tiempos, en la colocación y en el tipo de ejecución. «Entonces empieza Claudio, después entra Giorgio, luego Isabella y, por último, Francesca. Venga, hagamos un ensayo». Suena la música y cantan el fragmento:

> *«Tú, antes de hablar, aprende a razonar, porque la cabeza sirve para pensar; yo no tengo miedo decir lo que pienso, porque eso da sentido a mi vida... El respeto es lo primero, y cuando uno se atreve y se pone a hablar, debe siempre recordar que expresar las propias opiniones es la cosa más habitual... Cuando estés con una chica, no le pongas*

los cuernos y habla con ella, porque sino puede enloquecer. La vida de un chaval no es nada sin amor, un sentimiento boniti y liberador. Cuando tienes amor, su capa te abriga si todo va bien con la chica que quieres... En las tormentas, recuerda lo bonito que es el verano y las fotos con las palabras que han volado, los ángeles existen, y en tu caminar siempre tendrás un amigo que ayudar... No discrimines ni te dejes discriminar, ábrete a los otros y no seas cuadriculado... No tengas miedo de hablar, échalo fuera, ha llegado el momento de reclamar...».

Los chicos interpretan su *rap*, bailan su *breakdance* sobre el techo de los automóviles destinados a chatarra y con sus aerosoles de colores escriben mensajes sobre los maleteros destrozados y las puertas abolladas. Cuando terminan, se quedan boquiabiertos de haber obtenido tales resultados en tan poco tiempo (dos días). Se miran unos a otros, orgullosos, chocándose las manos y abrazándose de pura alegría.

Luca reflexiona después, en frío, sobre la experiencia. Llega a la conclusión de que la buena armonía y la colaboración del grupo han sido decisivas para el éxito del proyecto, pero también la capacidad de medirse respetando las distintas ideas e integrándolas. Los chicos se han escuchado unos a otros, han tomado nota de lo que les interesaba y, por último, han sabido armar todos los materiales. Además, han seguido las indicaciones de Luca con precisión: el chico tiene que admitir, por segunda vez, la importancia de respetar las normas, y se da cuenta de que ha logrado expresar sus pensamientos y sus emociones descubriendo una vía alternativa para comunicarse. Le hace feliz haber transmitido un mensaje importante no solo a los adultos, sino también a sus coetáneos, a todos aquellos que escuchen y vean el vídeo; un mensaje de apertura y de valoración de la diversidad de cada uno, que incorpora además la petición de ser reconocido y aceptado por lo que se es.

LOS RESULTADOS

Cuando finaliza la actividad llega el momento de hacer balance de nuestro trabajo. ¿Qué ha descubierto Luca de sí mismo que pueda llevarse a casa y utilizar cuando lo necesite? El chico escribe sus palabras clave sobre una serie de tarjetas de colores, que organiza luego a modo de sendero sobre los troncos de los árboles del jardín testigo de nuestras confidencias: «Gracias a la ayuda de otros, he aprendido que sé organizarme y que soy capaz de ser autónomo; he entendido que puedo respetar las normas, o al menos ciertas normas», puntualiza, objetando sin embargo que le queda por entender el sentido de todo esto. ¿Y qué aspecto querría que su madre apreciara más? «La capacidad de organizarme». Luca lee después *Conozco barcos*, ese poema que suele atribuirse (erróneamente) a Jacques Brel; comprende su sentido metafórico y se identifica con un barco «que solo cabecea por la seguridad de no volcarse». Se da cuenta de que todavía necesita crecer y experimentar, pero también de que puede contar con varios puntos de referencia. En el futuro quiere convertirse en una nave sin miedo a volcar, porque será un hombre sólido, seguro de sí mismo y de sus ideas. Define el plan de acción que le permita hacerle comprender todo esto a su madre. La invitará a sentarse a la mesa para establecer juntos normas que ambos acepten y para orientar su relación hacia el respeto mutuo. Luca se esforzará por respetar a su madre y le pedirá que ella haga lo mismo. Se sentirá libre de expresarse y libre de respetarla.

A esta edad el perfil de la propia identidad ya está presente, al menos a grandes rasgos. Los chicos intuyen su potencialidad: ofrecerles ocasiones para experimentarla es siempre una oportunidad de gran enriquecimiento.

Cuando Caterina ve el vídeo de su hijo, se sorprende. Le pregunto qué ha visto de nuevo y de notable en Luca mientras este se cansa y suda junto al pescador. Me contesta: «No ha sido quejica; conmigo se lamenta siempre cuando hace algo nuevo».

> *Expresar opiniones y valoraciones negativas, es perder ocasiones para provocar mejoras en la conducta. Decir «No te has comportado mal», tiene una repercusión muy diferente a afirmar «Te has comportado muy bien», especificando en qué sentido, para reforzar los ámbitos de mejoría. Por ejemplo: «He comprobado tu capacidad de esfuerzo incluso en actividades que no te gustan».*

Caterina escucha el mensaje del *rap* de Luca y sus amigos, su manifiesto musical sobre la libertad de expresión sin temor a ser juzgados; asume la petición del hijo de ser respetado por lo que es. Se muestra favorable a esforzarse en ese sentido, a reconocer los cambios que acompañan al crecimiento de Luca y a dispensarle nuevamente su confianza, sin dejarse influir por las experiencias negativas del pasado.

La vuelta de Luca a casa tiene el color de la alegría del reencuentro: el chico abraza afectuosamente a su madre y a su hermanito. Están dispuestos a partir de cero, anulando prejuicios y preconceptos. Estoy convencida de que Luca sabrá forjar su futuro no como reacción a algo o alguien, sino persiguiendo sus sueños para llegar a ser la nave sólida, la persona segura que siente que puede llegar a ser.

«El secreto de la felicidad no reside en hacer siempre lo que se quiere, sino en querer siempre lo que se hace».

León Tolstoi

ANÁLISIS Y ENTRENAMIENTO DE UNO MISMO

por Luca Stanchieri

UN UNIVERSO QUE CONOCER Y AMAR

ADOLESCENTES Y CLANDESTINIDAD

Los adolescentes viven casi siempre en la clandestinidad. No se trata de una clandestinidad impuesta, sino querida, buscada y construida día a día. Por lo general, el clandestino es quien se sustrae a un poder que lo amenaza. La clandestinidad es una categoría de connotaciones ambiguas que recoge fenómenos muy diversos y contradictorios. Clandestino es quien debe luchar contra una dictadura, quien emigra y pretende sobrevivir en un país sin hambre y sin guerra, aunque también quien desarrolla un comercio ilegal. El clandestino acostumbra a esconderse a los ojos de los demás, pero la clandestinidad de los adolescentes tiene rasgos específicos. No tiene el color de la rebelión contra el poder constituido; no ostenta la necesidad de esconderse, de evitar sanciones feroces; no tiene nada de ilícita; no es transgresora ni violenta.

El adolescente vive en la clandestinidad porque siente la necesidad de sustraerse al juicio y al condicionamiento del mundo adulto. Su clandestinidad es social y cultural, afectiva y existencial, natural y creativa. Es natural por cuanto la adolescencia implica el primer distanciamiento de los padres. El adolescente debe procurar individualizarse, experimentar y experimentarse, inventar e inventarse, descubrir y descubrirse en una identidad específica. El mundo que encuentra y que se despliega ante él es un mundo distinto al de la infancia: el adolescente tiene un cuerpo nuevo, capaz de gestas impensables siendo niño, pulsiones desconocidas, extraordinarias e incomprensibles; tiene amigos con los que jugar, pero también con los que discutir, comprender y estructurar los retos de esta época vital. Tiene la fuerza de un pensamiento que puede arrancarlo de la realidad y llevarlo a través de la fantasía, el deseo, la imaginación y la previsión hacia un futuro *de persona mayor.*

La clandestinidad es natural porque, por definición, el adolescente debe separarse de su ser infantil. El vínculo profundo, indisoluble e indispensable con el mundo adulto es propio de la infancia: no hay niño feliz sin un adulto que lo cuide. Hoy, sobre todo en las grandes ciudades, no hay espacios donde los niños puedan vivir sin la presencia del adulto. El padre y la madre lo planifican todo: los acompañan al centro de enseñanza, los recogen, los vigilan en casa, los sacan de paseo, eligen sus deportes, les animan a desarrollar actividades artísticas, les prohíben la televisión (¡y es el único momento en el que descansan!), les ayudan con los deberes, organizan las fiestas de cumpleaños o los llevan y los traen a ellas, invitan a sus amigos, hacen de canguros, de animadores, de tatas. Allí donde no están los padres, hay un batallón de profesionales de la enseñanza, del deporte, del tiempo libre, que programan la jornada entera. Antaño los niños podían bajar a la calle y jugar sin preocupaciones, pero hoy parece impensable (en las grandes ciudades ni siquiera pueden reunirse en los patios comunes). Por su naturaleza dependiente, por su salud y por su desarrollo, no tienen espacio alguno de autonomía: están siempre bajo la mirada vigilante, atenta y a menudo *preocupada* del adulto de guardia. Algunos padres seleccionan, desde la guardería incluso, los amiguitos que habrán de asistir a la fiesta de cumpleaños. ¡Esta es, en consecuencia, la gran esperanza de los adolescentes: por fin un poco de libertad! Sustraerse a la tutela, a la mirada omnipresente de los adultos. Entrar en la clandestinidad significa descubrir un mundo nuevo.

La adolescencia implica autonomía, y la autonomía implica libertad. El adolescente es lo bastante fuerte e inteligente, ha dado pruebas de ser "un tío (o una tía)". Es verdad que se viste de modo estrafalario, que no hace nada en casa, que habla con monosílabos, que su habitación está siempre en desorden... pero no se droga, no bebe, no fuma. En resumen, que puede salir solo respetando determinados horarios, obviamente. A esta edad se goza de libertad condicional: el adolescente debe someterse a normas y más normas, pero por fin puede sustraerse a la mirada inquisitiva de una persona que dobla su estatura. Puede convertirse casi enteramente en el señor de su mundo. Es el tiempo de la clandestinidad.

UN PASO ATRÁS PARA DAR DOS ADELANTE

Adolescere en latín significa "crecer hasta la madurez". La adolescencia es, por consiguiente, aquella fase de la vida que pone fin a la infancia y prepara para la vida adulta mediante la experimentación alejada de los padres. Es una época de cambios tan repentinos y radicales que, por primera vez, los progenitores tienen la sensación de encontrarse frente a un extraño. ¿Qué ha sido de mi niño tan querido? ¡Ha crecido, señora! Y su tarea es reconocerlo pese a los cambios, semana tras semana. Ha crecido y empieza a separarse. Qué diferencia a cuando le salió el primer diente o empezó a hablar, qué desorientación ante sus primeros razonamientos y sus primeros porqués. La especificidad de estos cambios es que suceden a distancia y no tienen lugar bajo la tutela de los padres.

Rememoremos nuestra adolescencia: nos sirve como un recurso de color local, no para entender ni conocer a los chicos de hoy. Recordemos que los adolescentes no toleran que los padres les digan: «Cuando yo era joven » o «A tu edad, yo...». ¡Y tienen razón! No soportan que los padres se comparen con ellos, se utilicen como patrón de medida y de juicio; o, peor todavía, establezcan competiciones. Al hacerlo, el adulto comunica al chico que yerra, que es inadecuado, que no se ajusta como debería al modelo del padre o de la madre. Volver a pensar en nuestra adolescencia, o en la de nuestros amigos, significa sencillamente recordar cuán profundos y rápidos fueron esos cambios. Para algunos se trata de una etapa extraordinaria de formación y aprendizaje, para otros es la fase de la despreocupación, de la diversión, del juego. Hay quien la recuerda como el periodo más extravagante y maravilloso de la vida, y quien justo en esa época comenzó a trabajar. Durante la adolescencia algunos descubrieron dones y capacidades superiores a la mayor parte de sus colegas, para otros fue un lóbrego túnel en el que pasaron miedo, se sintieron inútiles, perdieron la serenidad de la infancia y temieron que la inseguridad de la juventud los asfixiase. Muchos recordarán para siempre las aventuras con los amigos, las primeras tentativas de conocer a chicas o de hacerse notar a los ojos de los chicos mayores; las bromas, las carcajadas en clase y fuera de clase, las primeras experiencias sexuales, las baladronadas. Pero hay que recordar también las primeras experiencias de exclusión, la sensación de no ser entendido, correspondido, los complejos vínculos con el propio físico, que no estaba nunca la altura, las primeras penas de amor y los traumáticos encuentros sexuales de las primeras fases. Para unos la adolescencia fue un paraíso, para otros un infierno, para algunos cuantos más una ocasión perdida. En muchos casos, sin embargo, sabemos qué ha sucedido después: el que obtenía resultados extraordinarios en los estudios, el que era un punto de referencia para los amigos, el envidiado, el afortunado en amores y novio de la más guapa de la clase, ha crecido y todos estos tesoros se han esfumado: aparecen las dificultades y el chico de oro se mete en un profundo túnel depresivo. Del mismo modo conocemos a personas que, pese a tener enormes dificultades en los estudios y con sus condiscípulos, han logrado transformar sus complejos de inferioridad en proyectos vitales y, con voluntad férrea, han conseguido alcanzar una vida gratificante. Vaya como vaya la adolescencia, los "juegos" de la vida están siempre abiertos. Esta es la gran lección que los adultos deberíamos aprender de la experiencia: la adolescencia es un periodo precioso y complejo que prepara el futuro, pero no lo determina mecánicamente.

Recordar nuestra adolescencia y la de nuestros amigos significa entrar en contacto con el concepto mismo de cambio. En este periodo todo se modifica a una velocidad inaudita, nada se da por descontado y el sentimiento de ajenidad que suscita nuestro hijo es un sentimiento absolutamente motivado: es un extraño y al mismo tiempo la persona que nos es más familiar. Es un familiar extraño al que se encuentra, se descubre y se conoce, no se interpela con agresividad para que retorne a ser lo que nunca más podrá ser. A la ajenidad hay que aproximarse con confianza, para que devenga en descubrimiento y, por tanto, en conocimiento. Es difícil que logremos un proyecto educativo válido sin un enfoque de confianza. Debemos conocer y reconocer el momento en que el chico se aleja porque está creando su propia clandestinidad: he aquí el desafío extraordinario de esta fase. Justamente cuando nosotros, los padres, tenemos mayor necesidad de saber en qué se está convirtiendo nuestro hijo, él tiene necesidad de separarse, de construir su propia vida lejos de casa y de los afectos más consolidados. Justamente cuando podría ayudar y ser útil "piensa solo en salir". No podemos forzar la distancia, no debemos violentarla, negarla, combatirla. Hay que tolerarla. Es necesario, en primer lugar, que nosotros, los adultos, demos un paso atrás para observar desde lejos, dialoguemos sin invadir, cultivemos la curiosidad sin ser inquisitivos. Dar un paso atrás hoy es fundamental para dar mañana dos hacia delante junto a nuestros hijos.

Busquemos por consiguiente acercarnos al mundo de la adolescencia, augurar el marco general de cambios psicológicos y sociales que la caracterizan en el contexto de la sociedad. Recordemos que muchas de nuestras preocupaciones vienen dadas por las percepciones del ambiente en el que un adolescente ha de crecer. Algunas son fundadas, pero otras son artificios alimentados por cierto tipo de industria mediática a la que no le interesa conocer a los adolescentes, sino propulsar los peores miedos de los progenitores.

¿SOY NORMAL? ¡NO, ERES EXCEPCIONAL!

La adolescencia, por tanto, es cambio radical, espasmódico, repentino, total. Afecta a lo físico, a lo psíquico, a las relaciones sociales y afectivas, a las capacidades y las competencias. Nuestro conocimiento del adolescente debe ser adecuado, lo que equivale a decir cambiante, elástico, flexible. Se actualiza constantemente y se debate a través del diálogo, de la escucha, de la observación, de la verificación del rendimiento escolar y de la salud. Observación y escucha, no hacer de policía ni invadir. No lo digo por una toma de postura ética, sino por utilidad práctica. La invasión produce el retraimiento, el diálogo permite el encuentro. Es frecuente que sea la prudencia la que nos dicta nuestros miedos y nuestras preocupaciones. El instinto nos hace percibir lo que la conciencia no alcanza a entender bien; pero, a veces, carece de fundamento.

Las líneas generales que expongo a continuación son seguramente parciales, ya que forman parte de una investigación en curso. Derivan de la mejor literatura sobre la cuestión y de mis experiencias profesionales. Mi objetivo es delimitar un marco metodológico que pueda ser útil para los padres, aunque no alcance a reemplazar la curiosidad afectiva intelectiva que debe utilizar el progenitor para comprender la especificidad, la originalidad, la irreductible individualidad de sus hijos. Son siempre números primos, no hay que olvidarlo jamás.

Todo cambia en la adolescencia, tanto que han variado también las edades que la delimitan. La edad promedio en que las chicas tienen su primera menstruación es de 12 años, frente a los 16 de hace un siglo. La Asociación Médica Australiana define como adolescentes a los jóvenes comprendidos entre ¡los 10 y los 24 años! Parecería que, en los países de nuestro entorno, hablar de adolescencia a los 10 años es arriesgado, pero no lo es para muchos jóvenes de 27. Las investigaciones sugieren que una familia de cada cinco del mundo occidental, tiene en casa un hijo cuyo comportamiento es tan difícil de gestionar que impide que los demás miembros lleven una vida normal. Sin embargo, casi el 90% de los adolescentes supera esta fase de la vida sin grandes convulsiones.

La adolescencia comprende tres fases distintas:
La primera adolescencia: ¿Soy normal?
La adolescencia intermedia: ¿Quién soy?
La adolescencia tardía: ¿Adónde voy?

(Para profundizar en esta división, véase el capítulo dedicado a Cinzia, p. 329).

En ocasiones estas fases se mezclan, pero se viven todas. La normalidad se combina con la originalidad, las relaciones con los pares con la necesidad de distinguirse, la visión de futuro con una concepción de la realidad, y de los contextos en los que se vive, más clara. El viaje individual no se aparta nunca de las relaciones sociales; la distancia respecto de los padres, relación que a menudo experimenta un conflicto radical, puede desembocar en un afecto renovado, más rico, sentido y consciente que al principio. A veces nos perdemos, a veces nos reencontramos. Es un caos cambiante, transformador, veloz y convulso. En ese caos el joven debe poner orden, discernir, imaginar, fantasear, volar alto y ajustar cuentas con la realidad para comprenderla, conocerla y vivirla *desde su punto de vista*. En todos los casos hay cuatro objetivos que los adolescentes deben alcanzar y que imponen la vida y la sociedad:

a) Formarse una identidad positiva.
b) Crearse un grupo de buenos amigos.
c) Transformar los vínculos emotivos con los adultos que se encargan de su cuidado.
d) Identificar metas que tengan en cuenta sus actitudes, vocaciones y potencialidades.

Los padres pueden tener a la vista estos objetivos para verificar que el desarrollo del chico sea sano, adecuado, satisfactorio para él y, *por consiguiente*, también para ellos.

«La primera adolescencia comienza con las respuestas emotivas a los cambios físicos de la pubertad»[15] y termina con el descubrimiento de un valor fundamental: uno mismo proyectado hacia el futuro. El propio ser es más merecedor de culto y devoción que el ser de los otros: padres, enseñantes, sacerdotes o policías. El éxito es el objetivo a corto plazo de los adolescentes de hoy en día; necesitan de él, pero sobre todo están seguros de tener derecho a él. *«Por éxito entiendo el reconocimiento de su valor intrínseco, de su unicidad y de su individualidad»*[16]. Pero ¿cómo se

---

[15] Beta Copley: *Il mondo dell'adolescenza: società, letteratura e psicoterapia psicoanalitica.* Astrolabio, Roma, 1996; p. 81.

[16] Gustavo Pietropolli Charmet: *Fragile e spavaldo: rittrato dell'adolescente di oggi.* Laterza, Roma 2008.

pasa de la duda sobre la propia normalidad a la centralidad del propio valor individual?

La adolescencia no es analizable independientemente de las condiciones sociales y culturales en las que se desarrolla. En las culturas africanas tribales, con la pubertad (a veces mucho antes, como en el caso de los niños soldado) un niño se convierte en guerrero que debe salvaguardar la comunidad, mientras que para las chicas comienza el periodo de procreación[17]. En los países de nuestro entorno la pubertad coincide con la llegada a la enseñanza secundaria; aunque la diferencia es enorme, no debemos infravalorar las dificultades que nuestro contexto crea a los adolescentes. Estos últimos se encuentran en un universo desconocido para el que no están preparados, ni pueden estarlo, vista la distancia radical que existe entre un nivel de educación y otro. Una distancia que acaso pudiera tener sentido hace un siglo, cuando la enseñanza secundaria preparaba para el mundo laboral, pero hoy carece de toda motivación didáctica. Comentar este asunto, sin embargo, queda fuera del alcance del presente libro, pero sí queremos subrayar la distancia entre la enseñanza secundaria y la primaria en una fase de cambio tan crucial en la vida de los chicos. Los adolescentes cambian en todo sin ninguna continuidad con el pasado. Se encuentran faltos de preparación, desorientados; ello hace que tengan prisa por dejar de ser niños. Se sienten obligados a distanciarse de la infancia casi por una cuestión de supervivencia social: la infancia es, por definición, ingenua e indefensa. Y lo hacen radicalmente: se acabaron las sesiones impuestas de piscina dos veces por semana, se acabaron las clases de piano, se acabaron las horas en la parroquia. Se topan con nuevos lugares de encuentro, nuevos intereses, nuevos juegos, nuevas pasiones.

---

[17] Vittorino Andreoli: *Lettere al futuro, per un'educazione dei sentimenti.* BUR Extra, Milán 2008.

Según Andreoli[18], *«cuanto mejor ha sido la relación con los padres en la infancia, tanto mayor será el esfuerzo para separarse de ellos».* Podría surgir un conflicto puesto en acción por el adolescente para hacer funcionar el cambio que los progenitores no entienden, del que no participan y frente al que reaccionan con una conflictividad todavía mayor. Deberán, en lugar de ello, tolerar esa suerte de revuelta comprendiendo que, sin ella, el adolescente se arriesga a no pasar de la fase infantil. Y no puede permitírselo.

Así, mientras crea los primeros conflictos con los padres, que responden fácilmente con alguna bofetada a destiempo, el adolescente debe enfrentarse a los enseñantes, antes la maestra, ahora EL PROFESOR. El cambio de "título" implica una diferencia de autoridad, y uno de sus propósitos es inculcar temor reverencial en los alumnos (que pronto se convertirá en prepotencia). Hay nuevas asignaturas y notas tanto de conducta como de rendimiento; ahora se puede sufrir un rechazo.

Si el reconocimiento falta porque se va mal en los estudios, la identidad, que es una necesidad absoluta, se conforma en otros lugares en los que sea posible obtener ese reconocimiento: *«Si fuera del centro de enseñanza y de la familia queda solo la calle, será la calle la que ofrezca los reconocimientos en los cuales la calle es competente. El sexo y las drogas comienzan a aparecer como modos exasperados de reconocimiento, porque no se han ofrecido otras formas más adecuadas»*[19]. El interés en la clase no existe separado de un vínculo emotivo, y el vínculo emotivo no se construye sobre el recelo.

Se entra en competición con los demás, aquellos que hasta hace unos días eran los compañeros de clase, de juegos, de apren-

---

[18] Ibíd.

[19] Umberto Galimberti: *L'ospite inquietante: il nichilismo e i giovani.* Feltrinelli, Milán 2007; p. 33.

dizaje, de socialización, de formación en común. Se dilucida quién es quién y quién es el mejor, quién va "sobrado" y quién es "cortito". Los chicos se sienten observados: no les queda más remedio que sacar a relucir sus capacidades, habilidades, competencias y nociones aprendidas para tratar de quedar en un lugar honroso. Es preciso demostrar lo que se vale. Los padres se preocupan intensamente: con frecuencia les apoyan, pero a menudo los sustituyen. Si el chico no sabe expresarse, le dicen que se aprenda todo de memoria aunque no lo entienda; si tiene dificultades, se preocupan aun más. ¿Tendrá algo que no funciona?

El chico, sin saberlo, sin estar preparado, y, sobre todo, sin aliados sólidos que lo respalden, ha entrado en un nuevo contexto mientras en su cuerpo se producen cambios vertiginosos. Aparecen los primeros terrores de ser juzgado por una autoridad institucional y, al mismo tiempo, el terremoto fisiológico-hormonal le somete a vaivenes constantes. La sexualidad cambia incluso antes de que la estructura emocional tenga capacidad para afrontarla: pulsiones, deseos, miedos, atracciones, experimentos sobre uno mismo se mezclan caóticamente en su cabeza. Comienza a ser agresivo y a experimentar los primeros miedos frente a un igual. Oye las primeras burlas, las primeras cancioncillas con que sus compañeros quieren herirle y todavía no sabe cómo reaccionar. Intenta no hacer caso. La niña inocente y guapita de nariz respingona que experimenta un repentino estirón se encuentra con las crueles bromas de sus compañeras, comienza a enfrentarse a ellas y a contestarles, descubre las posibilidades de un lenguaje más colorido, se hace violenta y mala. Cuanto peor es, más aliadas encuentra dispuestas a seguirla, aunque solo sea para que la protejan y la vindiquen.

Empieza a descubrir que vestirse es un conjunto de elecciones. El *look* se convierte en una preocupación, como las partes del cuerpo, que se destacan o se ocultan según el propio e inapelable juicio. Y mientras se enamora por primera vez, llegan malas notas contundentes en lengua o en matemáticas.

El adolescente entra en un complicado laberinto de emociones y cogniciones y no tiene ni idea de cómo salir de él. Va a tientas. Después de la enésima, fatigosa y desesperada jornada escolar vuelve a casa. La madre lo recibe entre la preocupación, el ansia y el terror pero, con la sonrisa en los labios, le pregunta: «¿Qué tal el cole?». En la cabeza del adolescente se desarrolla durante unos momentos una película de trama complicadísima que no sabe desentrañar, explicar, detener o verbalizar ni siquiera para sí mismo. Está dentro de la película, pero ignora quién es el director, no entiende la trama; desconoce si es de amor, de aventuras o dramática. Responde sencillamente: «¡Todo bien!». Si la madre insiste, empezarán los problemas. Se mostrará impaciente, superior, burlón. Está descubriendo las extraordinarias ventajas del uso telegráfico del lenguaje: este es el primer signo de que se está convirtiendo en un auténtico adolescente sano.

En ese torbellino emocional, el chico se encuentra al comienzo de un viaje largo y trabajoso hacia la autodeterminación. Afronta una nueva relación consigo mismo, con su inteligencia, con sus emociones. Su aspecto exterior e interior están cambiando, transformándose en una elección que pasa por la adopción de símbolos como el corte de pelo, los vaqueros, las gorras, las bolsas, los zapatos, las películas, la música. Comienza a descubrir la sexualidad en el plano individual, social, racional, cultural. Siente que tiene que echar mano de capacidades de adaptación creativas para desarrollar la competencia en su nuevo contexto académico. Está creciendo, pero es como si su conciencia quedase siempre por detrás respecto a los cambios físicos, prácticos y sociales. Comienza a inventarse y a diseñarse a sí mismo en las nuevas condiciones de vida: siente que los padres van por detrás de él en la comprensión de los cambios y que siguen tratándolo como a un niño. Ellos no lo comprenden y él no sabe explicarse, pero sí sabe que tiene que arreglárselas solo. Si quiere ser considerado y apreciado, debe obtener rendimientos adecuados, bien en el centro de enseñanza bien entre sus amigos. Pero necesitará ayuda y apoyo para alejarse, pese a que no lo parezca. La tarea de autodeterminarse comienza a tener una finalidad precisa: ser reconocido en el nuevo ser que se convierte. El joven empieza a comprender que para lograr lo que desea debe centrarse en su valor individual, intrínseco. Necesita ser valorado como persona, independientemente de sus resultados académicos o de sus relaciones con los amigos. Una apreciación afectuosa, un cariño sincero, una consideración auténtica, un amor incondicional. Las exigencias que plantea a los adultos no son explícitas, pero sí fundamentales: «¿Quién desea verdaderamente mi bien? ¿Quién de vosotros me aprecia y me estima independientemente de los resultados que traiga a casa?».

Los adultos, padres y profesores deben en primer lugar, recoger estas interrogantes, porque son la petición de un escudo protector, de un contexto afectivo, de una pasión sincera y de un interés auténtico por los valores de su persona. Es el supuesto que le permite continuar la búsqueda, el descubrimiento, la invención de su ser, empresa que exige un extraordinario esfuerzo intelectual, social y emocional. Son muchos los adultos que deberían entenderlo, porque aún siguen buscando su propia identidad, antaño predefinida por las inmutables generaciones precedentes.

Hoy la identidad no se hereda del pasado, por plebeyo o aristocrático que se sea, sino que está sometida a un proyecto, una búsqueda y afirmación individual en contextos marcados por el cambio permanente, la precariedad económica, la falta de solidez de los anclajes y de los valores sociales. Si el adolescente no encuentra en los adultos claridad afectiva y ética, apoyo incondicional y propedéutico, comenzará a experimentar el drama de la mortificación y la humillación. Y, de la confrontación con quien lo ha traicionado, saldrá enormemente iracundo.

Permitámonos una sonrisa, porque estamos satisfechos de que nuestro hijo exista y de que el mundo sea más bello gracias a él; estrechémosle la mano con calor y alegría cuando se reconozca en nosotros; dediquénosle una caricia cuando se despierte, porque levantarse por la mañana es lo más difícil del día; ofrezcámosle atención y solidaridad antes que consejos y sermones cuando tenga dificultades; propiciemos abrazos, besos y demás gestos de afecto aunque se retraiga y nos diga que ya no es un niño (él mejor que nadie sabe lo importantes que son esos gestos com adolescente que es). Observémoslo siempre con maravilla, con amor, con el propósito de respetar sus pasiones, sus intereses, sus deportes, sus lecturas, sus juegos de ordenador, sus programas de televisión preferidos, su ropa, sus zapatos: los mensajes verbales y no verbales de un adulto son prácticamente infinitos, ya sea padre, madre o enseñante, si se trata de comunicar al adolescente que el valor de su persona es extraordinario, inviolable, esencial para su vida y para la nuestra. Parafraseando a Vittorino Andreoli, la estrategia de querer mucho es el secreto esencial para establecer una buena relación con un adolescente.

Incluso cuando el adolescente descubre el valor fundamental de su personalidad, tiene la necesidad de una confirmación sentimental antes que proclamada a voces. Quiere saber si está en el camino correcto. Pese a sentirse el centro del universo, necesita a los otros más que nunca. Esta es la primera cuestión que el adolescente plantea al mundo adulto: ¿estás de acuerdo con el hecho de que el valor de mi persona es precioso, único e indiscutible? Esta pregunta otorga a los adultos un enorme poder: el de confirmar o desmentir el primer descubrimiento de la adolescencia, el valor de sí. El adolescente solicita confirmación por el solo hecho de existir, independientemente del rendimiento, del comportamiento, del éxito en los estudios o en los deportes. Es lo primero que le pide al enseñante que, para obtener respeto, debe reciprocar ese valor esencial, incluso si el chico no estudia o es indisciplinado. Para que el adolescente perciba esta confirmación, el adulto debe vivirla dentro de sí, afectiva, emocional, sentimental y filosóficamente. Andreoli expresa muy bien el sentido de un enfoque similar cuando en su *Carta a un adolescente* escribe: «Estoy interesado en ti porque te quiero mucho»[20].

Pero a menudo estamos lejos de respetar a los chicos. Basta con echar un vistazo a los periódicos, la televisión o las revistas dedicadas a los adultos que hablan de los adolescentes. El mundo de la adolescencia, que sigue siendo un misterio para numerosos periodistas, es visto muchas veces como violento, exhibicionista, pasota, egoísta y holgazán. Los adolescentes son pintados como matones o como víctimas de matones, según una dicotomía que niega la complejidad de su mundo, reduciéndola a etiquetas. El acoso escolar se convierte en una suerte de plaga difusa y la primera razón de los suspensos en conducta. La amenaza de ser sometido a sanciones por comportamientos incorrectos se maneja como un arma para disciplinar y normalizar: ¡Algo bien distinto al reconocimiento del valor de la persona!

ENTRE IGUALES

Todos los psicólogos están de acuerdo en que es típico del adolescente insertarse y frecuentar un grupo de iguales, es decir, un grupo de amigos y amigas. La amistad es una urdimbre inextri-

[20] Vittorino Andreoli: *Carta a un adolescente.* RBA, Barcelona 2006.

cable de componentes: emoción afectiva, proceso de conocimiento, acto de compartir, pacto de alianza, relación creativa. El grupo es la representación y el lugar social de la amistad entre iguales. Este aglomerado desorganizado y no homogéneo de adolescentes que se relacionan entre sí, es hoy permanente gracias a las nuevas tecnologías. No está formado solo por aquellos que se conocen en la calle, en la plaza, en los parques, sino por quienes entablan amistad a través de internet. Se trata de una red de contactos de intensidad variable que vive sobre todo de relaciones bilaterales, de intercambios empíricos, de iniciativas prácticas, de tiempo compartido, de intereses, de pasiones, de novedades. No se trata de un grupo de trabajo, no tiene objetivos explícitos ni un estatuto formal de funcionamiento, carece de líder, de misión, de programa que desarrollar. Y sin embargo cada grupo tiene su cultura, su visión del mundo, una conformada por pequeñísimos acontecimientos diarios que afectan a su vida interior y su relación con el exterior. Cada grupo es un universo cerrado en cuanto dotado de una identidad cultural, pero al mismo tiempo tiene límites variables, transitorios, dinámicos, cambiantes. No es fácil entrar en ellos pero es fácil salir. Cambian continuamente, los protagonistas mutan. Para acceder a ellos es necesario ser presentado y mantener un "perfil bajo". El grupo no admite miembros arrogantes sino personas serenas y solidarias, mejor si son ingeniosas: el humor es la virtud más apreciada. Ciertos grupos tienen como finalidad la gestión del tiempo libre, y se relacionan de cara a qué hacer, a las iniciativas del sábado por la noche (en ocasiones dando origen a auténticos *congresos*, a botellones multitudinarios), o de la noche de Fin de Año (fecha que se prepara a partir de octubre). Otros se caracterizan por pasiones e intereses comunes, como el deporte, los videojuegos o la música. Rara vez se trata de grupos politizados, y todavía es más infrecuente que sean violentos. Allí donde la violencia se convierte en parte integrante del grupo, lo habitual no es que se trate de acoso o matonismo, sino de adolescentes que han elegido la vía del vandalismo, las broncas y la brutalidad como elementos representativos de cohesión y de afirmación.

Los grupos "normales" viven de fracciones y tendencias que, en su propio seno, inician el intercambio de informaciones intrínsecas a su núcleo de intereses: se habla de motos, de fútbol, de empresas más o menos heroicas, de chicas; o tal vez de zapatos, ropa y chicos, y siempre de chicas y de chicos. No se habla de los estudios ni de los padres, temas tabú, y raramente se comenta el futuro. El grupo suele estar inmerso en la gestión creativa del presente. La localización debe reflejar su cultura, su situación social, el momento específico que se sirve: no suele reunirse en una casa, sino en la plaza, el parque, la estación más cercana, el bar, el garaje, posiblemente lleno de humo y de latas por el suelo, mientras se juega con la PlayStation o el ordenador, o se ve una película (esto se hace solo habitualmente el día de Año Nuevo, a partir de las ocho de la mañana).

El sentimiento predominante es la amistad, el placer de estar juntos. Los adolescentes forjan entre ellos un vínculo caracterizado por el empeño de no pedir nada al amigo salvo la lealtad, la reserva, la capacidad de compartir y guardar secretos, y una particular forma de vitalidad (no se admiten deprimidos, tristes ni bronquistas). «Elegir a lo largo del camino del crecimiento a un coetáneo, que hasta ese momento ha desarrollado únicamente el papel funcional y relacional de compañero de juegos o de clase, e investirlo con el papel de amigo del alma, es un acontecimiento cultural, simbólico y relacional extraordinario, porque representa el debut de la capacidad de amar y de invertir en un ser viviente extraño a la trama de los círculos familiares»[21]. El primer empeño es decirse la verdad, contarse

[21] Gustavo Pietropolli Charmet: *I nuovi adolescenti, padri e madri di fronte a una sfida.* Raffaello Cortina Editore, Milán 2000; p. 267.

los miedos y los deseos de modo descarnado y sincero. «El pacto que se establece entre dos amigos es compartir la verdad, apoyar al otro en el descubrimiento de su verdadera naturaleza, comentar las diversas experiencias vividas para destilar de ellas el significado más íntimo»[22]. El adolescente que pretende "engrandecerse" contando medias verdades o exagerándolas es juzgado con dureza, que puede llegar incluso a la ruptura del vínculo o a la expulsión del grupo. La amistad prepara a los adolescentes para la pareja, pero no se considera una alternativa a la familia ni trata de competir con ella.

No comparto la idea de caracterizar la relación con el grupo de amigos como un intento de búsqueda de una familia alternativa. Cuando un adolescente entra en un grupo va a experimentar en primera persona dentro de un contexto nuevo, paralelo al familiar. Justamente porque en el grupo y gracias al grupo el adolescente construye su nueva identidad, la ensaya, la inventa, la comparte, comprueba si es aceptada o no. A menudo se adapta también a los estilos, las convenciones, los lenguajes, las vestimentas del grupo. Lejos de "masificarse y perder la originalidad", experimenta su capacidad de adecuarse, adaptarse, integrarse en un contexto nuevo para él. Esta capacidad le servirá muy pronto y la retomará de adulto, cuando deba integrarse en un nuevo ambiente laboral o formar su propio núcleo familiar.

La capacidad de adaptación e integración no debe confundirse con el conformismo acrítico, si bien la crítica adulta de estos procesos habitualmente suele estar impregnada de individualismo. La voluntad de insertarse, de adaptarse, de construir un grupo homogéneo es siempre fruto de una elección y de un compromiso en armonía con los propios iguales, pero con frecuencia también en competición con ellos. El grupo es un labo-

[22] Ibíd., p. 269.

ratorio donde forjar el sentido de identidad: en pocos años puede pasarse de la parroquia a la plaza, o parque, de la plaza a la sede de un partido, de la sede de un partido al bar de debajo de casa. Es una sucesión de vivencias que termina por conformar la imagen completa de uno mismo, la comprensión de lo que verdaderamente interesa y de cuáles son las personas que más agradan.

El grupo se caracteriza por la horizontalidad y, en consecuencia, por la segregación respecto del mundo adulto. «No compito contigo, pero déjame en paz».

Los adultos en ocasiones no entienden, no participan, entran en conflicto con el grupo: «Perdéis el tiempo». «Nunca hacéis nada». «¿Por qué no vais a la parroquia y hacéis un poco de voluntariado en lugar de estar sentados continuamente en la plaza... hablando de qué? ¿Pero no os dais cuenta de que estáis desperdiciando vuestra vida?». Perder el tiempo: esta es la excusa más recurrente. El tiempo debe ser inmediatamente productivo: llevan a cabo tareas, ideas, proyectos para el futuro y de crecimiento, y no obstante se malgasta como billetes de banco que se tiran al viento. Sin embargo, no hay peor equivocación que intentar competir con los amigos de los hijos. El único resultado posible es que los chicos empezarán a verlos como alternativa a la familia, posibilidad que al principio ni siquiera tomaban en consideración.

Tendremos que olvidarnos de competir. El grupo, la amistad, los encuentros/desencuentros, los vínculos que se establecen, que nacen, que mueren, que se rompen y se recomponen entre los chicos tienen una fuerza formativa extraordinaria, desarrollan una función que el centro de enseñanza ha olvidado o de la que, en su impotencia, ha abdicado: "enseñar el arte de vivir".

LA ENSEÑANZA "SECUNDARIA"

Aunque el grupo no es una alternativa a la familia, sí lo es del colegio o del instituto, entendidos estos desde el punto de vista social, como instituciones y como clases. Se crea una suerte de incompatibilidad estructural y, por tanto, un antagonismo esencial entre el centro de enseñanza y el grupo. Lo que el grupo une, el centro de enseñanza lo divide. El grupo iguala, el colegio o el instituto estimulan la competición. No se puede ver a los amigos porque hay muchos deberes, tareas asignadas a las clases de lengua, de matemáticas o de inglés. Los deberes, los trabajos, ocupan todas las tardes, los fines de semana, las vacaciones. Son muchos los teóricos, pedagogos y psiquiatras europeos que están a favor de suprimir los deberes en casa. El centro de enseñanza debería tener un tiempo propio, autónomo, física y simbólicamente, separado del tiempo "libre", de modo que una vez acabada la jornada escolar se pudieran hacer otras cosas. En lugar de ello, el centro de enseñanza compite con otros intereses de los jóvenes; y de vez en cuando pierde. Los chicos, para verse e intercambiar dos palabras, llegan media hora antes a clase o remolonean cuando salen. Se ponen de acuerdo antes de entrar para vivir una jornada distinta, hacen novillos y acumulan faltas. Las cifras de abandono escolar son impresionantes.

Cuando, en calidad de *coach*, hablo con adolescentes o les invito a comentar sus problemas, objetivos y vocaciones, raramente tocamos el tema del colegio o del instituto, ni siquiera cuando hay expulsiones o abandonos. Parece que los chicos estén anestesiados ante la dificultad, el aburrimiento, el desconocimiento y las obligaciones que imponen los estudios. Respecto de esta sustitución se ha extinguido, o no se desarrolló jamás, aquel vínculo activo, sentimental, que sí existe con la familia o los amigos. El rol social del estudiante se ve como algo que no hay más remedio que asumir, un deber, un sometimiento a chantajes y amenazas (los suspensos en conducta no hacen más que empeorar la sensación). En años pasados, los institutos italianos, por ejemplo, fueron *okupados* a menudo: tanto que parecía haberse convertido en una moda. Lejos de serlo, era un grito de protesta, de petición de ayuda, un anhelo de reforma y de cambio, la demostración de que los chicos creían que la enseñanza podía y debía mejorarse. Hoy las *okupaciones* parecen haber remitido, al menos de momento, pero nada ha cambiado sustancialmente. El abismo entre la institución educativa y el mundo de los adolescentes resulta aparentemente insalvable. Ser estudiante no produce alegrías, gratificaciones, no se alinea con otros objetivos, no vehicula un compromiso formativo capaz de preparar el futuro. Se ha perdido la alegría gratificante de llevar a casa una buena nota. Antaño no se veía el momento de volver a casa para decir: «¡Papá, mamá, he sacado un ocho en historia!». ¡Qué felicidad expresaba entonces la sonrisa del progenitor satisfecho!

Una buena nota corre hoy el riesgo de ser solo un objeto de intercambio: «Voy bien en los estudios así que tienes que comprarme la moto, dejarme salir con los amigos, darme cinco euros más». La motivación es totalmente extrínseca[23].

Mientras el adolescente se considera parte integrante del grupo de amigos, de la pandilla del barrio, de la plaza o del parque, se siente ajeno al grupo de clase. No tiene sentido de pertenencia, cuando antes se manifestaba orgulloso de ser "de la clase C de la promoción tal y tal". La clase como grupo rara vez alcanza a captar los afectos del adolescente, porque propicia y alienta una cultura individualista y competitiva basada en la subordinación. Los profesores son en parte responsables y en parte víctimas de esta cultura. No suelen pensar en la clase co-

[23] Edward L. Deci, Richard M. Ryan: *Motivación intrínseca y autodeterminación en el comportamiento humano*. Afluente, 1985.

mo sujeto, como recurso de aprendizaje, ni alientan el trabajo en grupo: siguen mirando al individuo y fomentan la competencia individual[24]. Así los jóvenes se cierran, se distraen, y mientras el profesor explica o hace preguntas se dedican a otros menesteres: juegan, bromean, se ríen, fantasean o, sencillamente, son presa de un aburrimiento mortal. A menudo sufren, porque basta un gesto autoritario, una mirada despectiva, un comentario sarcástico para faltarles al respeto, para destruir y negar su valor como personas. Pero justamente cuando los chicos parecen estar más distraídos y pasotas, se muestran en lugar de ello muy atentos a lo que el enseñante evidencia en términos de competencia, pasión, dedicación, seriedad y justicia. Y entonces su juicio acusatorio se hace inapelable.

Este conjunto de factores –la motivación extrínseca, las heridas narcisistas, la crisis de interés por el estudio, la competencia individual, la intromisión en el tiempo libre por parte del centro de enseñanza– genera un distanciamiento que ocupa el primer lugar afectivo entre el adolescente y el grupo clase. No se trata tanto de rabia (que sería oportuna en caso de que existiera una demanda formativa desatendida por una institución en crisis), sino de indiferencia a los sentimientos de pertenencia, y del duelo que produce la pérdida del sentido mismo del centro escolar.

Estudiar se convierte en una pérdida de tiempo. La pérdida de tiempo, la primera acusación que los padres hacen a sus hijos cuando se sientan frente al ordenador o juegan con la PlayStation, se convierte en el parámetro de juicio del adolescente frente a sus competidores y a los horarios académicos. Al deber de estudiar se le dedica el menor tiempo posible, incluso por parte de los mejores.

---

[24] Vittorino Andreoli: *Lettere al futuro, per un'educazione dei sentimenti*. BUR Extra, Milán 2008.

Es impresionante, sin embargo, la cantidad de tiempo que los chicos dedican a entrenarse, a desarrollar competencias, a buscar la excelencia fuera del tiempo de estudio. Dibujan tiras enteras, que incluyen desde flores a cómics manga. Se hacen expertos en la mecánica de ciclomotores que reconstruyen pieza a pieza. Instalan en sus ordenadores simuladores de vuelo. Se pasan horas y horas en el gimnasio modelando el cuerpo y soñando con convertirse en Schwarzenegger; hacen guantes al retorno de la música de *Rocky* o se entrenan duramente en las pistas de patinaje o de esquí; juegan partidos de fútbol o de fútbol sala como si quisieran convertirse en Ronaldo o en Messi, con una seriedad, una constancia, una coherencia y un sacrificio inigualables; nadan kilómetros y más kilómetros como si se prepararan para las olimpiadas. Si escriben poesía, cuentos, novelas, sueñan con ser los futuros Tolkien. Se pasan tardes enteras cantando, tocando instrumentos, bailando, componiendo música. Si sueñan con el teatro, representan funciones improvisadas o se trasvisten como en *Zelig* y estudian los papeles haciendo reír a sus amigos y soñando con pisar algún escenario famoso en el futuro. Los hay que se entrenan para batir todos los récords de la PlayStation y para ganar en los juegos de rol, de estrategia, de lo que sea. Sus dedos se mueven a velocidad impresionante sobre los teclados, las consolas, los teléfonos móviles.

Estas actividades, desarrolladas con una seriedad desacostumbrada, son comparables al empeño académico y suponen una relación directa o indirecta con los adultos: entrenadores, maestros de música, músicos de más edad, pintores situados, bailarines con trayectoria, actores más o menos consagrados. Abundan también los mitos y los carteles: televisivos, musicales, cinematográficos, literarios.

Todos estos campos –música, danza, teatro, cine, televisión, informática, arte, deportes– son, sin excepción alguna, manifestaciones de la cultura contemporánea y por tanto ámbitos de estudio, de investigación y de posible formación. El colegio o el instituto están normalmente ausentes de todas estas áreas artísticas y deportivas.

Así pues, el drama del distanciamiento abismal entre el mundo de los adolescentes y la enseñanza obligatoria se consuma de forma inevitable. La enseñanza secundaria es, en definitiva, *secundaria* en atención, en interés y en esfuerzo dedicado a los jóvenes.

Fuera del centro de enseñanza todo se hace con impresionante seriedad, aunque se abandona a menudo sin pensar en ello (lo que provoca el estupor y las críticas acerbas de los padres).

Al joven le interesa muchísimo lo que va a ser, quiere saberlo, entenderlo y prepararse como el mejor. No por derrotar a los adversarios, sino por estar seguro de no fracasar como sujeto social, visible y precioso[25]. Así lo manifiesta frente a sus amigos y a los adultos que considera importantes, corriendo el riesgo de avergonzarse porque aspira a la exhibición social acompañado del éxito, del logro, de la excelencia. Los demás pueden ignorarlo, no prestarle atención, no tomarse en serio estos intentos; no lo saben, pero una dosis mínima de mortificación puede llegar a paralizarlo. El aislamiento, el abandono, la soledad son las defensas inmediatas frente a la eventualidad de experimentar vergüenza. Se pierde la aspiración al éxito, a realizar una empresa por la que valga la pena vivir y arriesgarse, y los adultos ni siquiera se dan cuenta del daño causado.

PERO ¿QUÉ TORMENTA HORMONAL?

Con la pubertad y el inicio de la adolescencia comienza la experimentación de los primeros intereses y pasiones, se toma progresivamente conciencia de que para ser definido como "bueno" es necesario demostrar que se tiene "capacidad". Surge el proble-

[25] Gustavo Pietropolli Charmet: *Fragile e spavaldo,* cit.; pp. 58-59.

ma de cómo tomarán los demás lo que hacemos. Todo aquello que en la infancia era natural y espontáneo se convierte ahora en objeto de deseo, de reflexión, de imaginación, de creatividad. El adolescente es como un filósofo y un científico que trazan juntos las líneas maestras de la investigación y dan comienzo a los experimentos trabajando en colaboración estrecha. Del *break dance* a los videojuegos multiplataforma, del fútbol al voleibol, de Facebook a los sms, un flujo continuo que favorece los experimentos y relaciones. La brecha entre formación e instrucción abarca cada vez más porque el centro de enseñanza no logra potencian esa afectividad positiva, de compromiso, que suscitan los juegos y los amigos con los que se juega. El grupo de iguales se elige, a diferencia del grupo clase, y se convierte en el núcleo donde se vive con alegría y dificultades, con pasión y sufrimiento, la integración, la adaptación, el cambio, el valor y los sentimientos de amistad. La escuela de la vida no está en la clase sino fuera, en la plaza o el parque, y si no se puede salir siempre queda internet, con su flujo continuo de frases veloces y fragmentadas.

El joven comienza a experimentar el ser policéntrico, plural, que se manifiesta de forma diferente según el contexto. Es agresivo en casa, cordial con los amigos, pasota en clase, chulito con el compañero de mesa y tímido con la chica a la que admira. En ocasiones se nota desarticulado; en otras, fuera de lugar. Se sorprende. En esta fase empieza a entender que según el contexto necesita ser distinto, así que desarrolla su capacidad de adaptación, de integración, de cambio. El proceso resulta positivo cuando el adolescente percibe las facetas de su carácter como una riqueza, como algo que está en armonía con su ser más auténtico. Será negativo, sin embargo, cuando anhela ser distinto, más brillante, más capaz, más seductor. Lo importante es entender si está en la vía justa, porque aún puede crecer, cambiar y mejorar con serenidad. De otra forma entrará en crisis.

Los chicos viven profundas crisis existenciales, sobre todo cuando tienen mucho potencial y no encuentran un contexto donde poder expresarlo. Disponen de músculos pero no saben utilizarlos, y esto provoca dolor. El crisol de sensaciones vinculado con su ingreso en el mundo del pensamiento, en el de las emociones complejas, se enriquece con la nueva necesidad de un vínculo exclusivo, de un vínculo amoroso.

Algunos hacen como si no pasara nada: se refugian en sus juegos preferidos, pasan horas afinando y retocando el ciclomotor, se entrenan en el gimnasio, intentan hacerse un tatuaje. Otros afrontan la cuestión a cara descubierta, y entonces empiezan las "montañas rusas". Se viven situaciones intensas, crisis de abandono, ensoñaciones con los ojos abiertos, autovaloraciones despiadadas de los propios defectos físicos, competiciones extremas, complejos de inferioridad que ningún adulto es capaz de entender. Los momentos de incomodidad se transforman en hostilidad abierta frente al grupo, o de envidia frente a los amigos. Algunos se encierran en sus cuartos, incomprendidos, inadaptados, frustrados en sus aspiraciones, derrotados hasta que, de improviso, encuentran el amor: no solo como sentimiento, sino como relación.

El nuevo vínculo no tiene nada que ver con la infancia. Así como el grupo no es la segunda familia, el amor no es comparable en nada con la simbiosis experimentada en años anteriores con las figuras principales a las que se ha recurrido. Nosotros, especialistas en el campo, no deberíamos asociar siempre las nuevas experiencias con lo acaecido en la primera infancia, o por lo menos tendríamos que dar al futuro la misma importancia que damos al pasado.

No hay nada predeterminado, y a menudo sexualidad, amor y amistad se confunden. Pese a tener una amplia lista de amigos, a ciertos adolescentes les resulta dificilísimo encontrar un compañero amoroso; hay chicas jovencísimas que viven el sexo como si fuese un juego que contar a las amigas; machitos arrogantes, siempre dispuestos, que se convierten en seres tímidos y huidizos llegado el momento; chulitos de barrio que se "pegan" a la chica que aman, es decir, que desarrollan dependencia hacia ella, que son consumidos por los celos o que se hacen posesivos; chicas que no dudan en pelearse a puñetazos con los chicos, pero que se sonrojan como tomates cuando *él* se acerca. Hay también quienes, a pesar de tener grandes trabas para sentirse como los demás y hacer amigos, encuentran por fin el camino al paraíso y logran formar su "pareja refugio" donde ser felices.

Desde fuera, los chicos parecen más informados que antaño sobre cuestiones relacionadas con el sexo, menos intimidados, más valerosos o arrogantes, más libres o amorales. Esta idea deriva también del clamor por las experimentaciones que aparecen en YouTube, que los medios de comunicación han sabido recoger con maestría. Las cosas son bastante más complejas y, antes de considerar desdeñosamente los experimentos sexuales y amorosos de los adolescentes, los adultos deberían hacer una cierta autocrítica respecto a cómo se presenta la sexualidad (o a cómo se vive de verdad). A los jóvenes se les ofrecen dos enfoques: el médico, centrado en la anatomía, frío y objetivo; y el amenazador, que suele concluir con la prevención de las enfermedades de transmisión sexual y de los embarazos no deseados. Es cierto que estos aspectos revisten gran importancia y deben ser divulgados y conocidos, pero no hay que presentar la sexualidad exclusivamente como un hecho objetivo o como un peligro. El mundo adulto no parece capaz de ayudar a los jóvenes a vivir con tranquilidad la exploración, el conocimiento, la experimentación, la intimidad sentimental y sexual, emocional y física, mental y corpórea. Se transmite una concepción de la sexualidad centrada en el símbolo exclusivo del preservativo, de carácter falocrático y penetrativo. Una sexualidad más cercana a la pornografía que con un enfoque libre, sentimental y consciente de uno mismo, del otro y de la relación íntima.

Tras el acceso ilimitado a multitud de materiales pornográficos propuestos por algunos adultos, el adolescente se encuentra frágil y confuso ante su inexperiencia. Tiene miedo de no estar a la altura, de no dar o no experimentar placer, de ser utilizado, tomado a broma, rechazado, despreciado. Teme que su pene no sea lo bastante grande o que sus pechos resulten demasiado pequeños. Anhela el amor pero al mismo tiempo lo teme, porque se siente confuso, no preparado. Así la sexualidad se convierte con frecuencia en un combate donde se dirimen cuestiones de poder, estrategias, manipulaciones más o menos evidentes en el ámbito de una lógica de poder/abandono. Las chicas a veces utilizan su cuerpo para cerciorarse de que atraen, y después dejar de lado al atraído; con un ojo seducen a los chicos y con el otro compiten entre sus iguales. Ellos tienen que demostrar que saben "pillar cacho", "tirarse a una tía" y expresiones por el estilo: se trata, en realidad, de tranquilizar el ansia usando un lenguaje típico de una acción bélica más que de una actividad amorosa; se pretende, ni más ni menos, defenderse del miedo a ser débil, defectuoso, transparente. De este modo el disfrute de la belleza del cuerpo, del placer, de la intimidad, del descubrimiento recíproco se confunde con el falso modelo del superdotado o de la golfa.

En el terreno del amor y de la sexualidad se dirimen las demandas más profundas y se hacen patentes las dudas más hirientes, pero al final se puede experimentar asimismo la extraordinaria potencialidad de las caricias, de los besos, de los abrazos, del descubrimiento de los cuerpos, de las miradas, de los sentimientos. Las dudas, las distorsiones, las mentiras, la lucha por el poder se superan por la extraordinaria vitalidad y gratificación que comporta amar y ser amado, incluso por delante de las que proporciona el más ilustrado de los discursos. Estas gratificaciones profundas, extraordinarias, significan un increíble entrenamiento para la empatía, la inteligencia social, el descubrimiento del universo emocional de sí mismo y de los demás. Los miedos, las dificultades, las fragilidades, las heridas, las decepciones y el ansia de rendimiento se superan mediante el placer, la belleza, la vinculación que auxilian y acompañan al encuentro íntimo, sexual y sentimental, que se convierte en un mundo nuevo, secreto, personal, profundo, vital. La realidad de la vida y del amor usualmente suele vencer a las ideologías y los embustes. Está de parte del adolescente que continúa viviendo, y viviendo goza de la belleza de crecer.

EL FUTURO, ENTRE LA IDENTIDAD Y LA ESPERANZA

La adolescencia concluye cuando se adquiere una conciencia clara de la propia identidad y del propio futuro y se empiezan a poner en práctica los proyectos. La identidad y la esperanza, por consiguiente, están estrechamente unidas. El adolescente tiene un pasado relativo y un fortísimo sentimiento de futuro; comienza a vivir en razón de lo que vendrá y no en relación a lo que ha sucedido. Con el crecimiento puede empezar a ser consciente de la propia potencialidad. Sin embargo suele conocer mejor los limites, los defectos y las carencias, a causa de las críticas recibidas (y que los adultos pensaban que no le influían), y de la terrible y silenciosa autocrítica que es capaz de infligirse. Hasta cuando va todo bien y el contexto educativo y emocional es positivo, no suele lograr apropiarse efectivamente de sus potencialidades. Suele necesitar que los demás (padres, enseñantes, amigos) se las reconozcan. Por otra parte, el adolescente busca experimentar y entrenarse de todas las formas posibles para demostrarlo. Se asiste a una gran generalización de las tendencias expresivas, a tentativas individuales y colectivas de comunicación a través de productos culturales y artísticos. Música, pintura, escritura, imágenes, vídeo, danza y otras actividades vehiculan las condiciones afectivas, el deseo de expresarse y de experimentar, la verificación empírica de las potencialidades individuales y la investigación creativa de los resultados posibles. Capacidades y competencias no son ya una certeza por definición, sino que pueden y deben ser desarrolladas y desplegadas plenamente en el futuro mediante aquellos proyectos que constituyen sus premisas. La denominada *individualización de sí mismo* coincide con la conciencia de estas potencialidades, teniendo en cuenta que el "aquí y ahora" es totalmente secundario respecto del "allá y mañana". No es un proceso inmediato y no se debe tener prisa: la tarea de individualización, de realizar las propias potencialidades, es un recorrido evolutivo complejo. Con frecuencia los mismos adultos no logran completarlo. La diferencia con el adulto es que el adolescente lo afronta por primera vez y no tiene aún las herramientas para llevarlo a cabo, ni siquiera las físicas: el sistema nervioso central, por ejemplo, crece y se desarrolla hasta los 25 años y es el órgano primario de proyección. Las potencialidades cognitivas que ofrece permiten al adolescente comenzar la reflexión sobre su pensamiento y diferenciar lo real de lo posible, lo concreto de lo abstracto, lo realizable de lo deseable, lo presente de lo futuro. Es una lucha tremenda que frecuentemente se manifiesta con agresividad, pero no es una agresividad negativa: se requiere energía para luchar contra los propios límites y las restricciones del contexto, para hacerse un hueco y para creer que las promesas del presente podrán concretarse en el futuro.

El proyecto futuro surge de la complejidad de las experiencias adolescentes. Para una chica, por ejemplo, una relación amorosa puede significar la liberación de energías extraordinarias con que definir el rol social que tendrá. Un chico puede inspirarse en el apoyo del padre y la experimentación del propio rendimiento. La vocación, sin embargo, no depende solo de la relación con los padres, y mucho menos con la infancia: depende de los amigos con los que nos encontramos, de las ideas que nos han inspirado, del modo en que vemos la amistad. Depende de los profesores, de lo que nos han enseñado y transmitido, de la pasión con la que nos han hecho partícipes de sus conocimientos. Depende de los entrenadores deportivos, de cómo hayan sabido enseñar la disciplina y de cómo hayan enfocado la autosuperación. Depende también de la cultura puesta de manifiesto en los libros, las películas, la televisión o internet; de las derrotas repentinas y elaboradas, y de las victorias celebradas y reposadas; de las lecturas y de la idea filosófica que el chico se forma espontáneamente en cosas tales como las relaciones humanas, los valores, la visión del mundo y de la vida, y sobre todo de la felicidad. De esta complejidad, ahora apenas bosquejada, brotan y mueren deseos, objetivos, aspiraciones, ambiciones. En una palabra, nace o degenera, se nutre y crece la esperanza.

La esperanza es una facultad psicológica, una potencialidad trascendente y un recurso de vida determinante para la felicidad y la realización. En nuestro contexto sociocultural y político predomina el miedo, la incertidumbre, la inseguridad, la precariedad del futuro. Descubrir la propia vocación es un acto transgresor, de rebelión, de manifestación individual, que requiere valor. Ser optimista es luchar por el futuro, lo que para un adolescente es un acto revolucionario. El optimismo permite enfrentarse a dificultades como la desconfianza, a tomar las derrotas como banco de pruebas, los obstáculos como problemas sobre los que medirse y crecer. El optimismo se deriva de haber comprendido, sentido, vivido, cuál es la vocación profunda. No importa si deriva de la identificación con los propios mitos, si es la emulación de un adulto admirado y maestro, si se trata de pasión artística, deportiva o lúdica: en última instancia se manifiesta como una suerte de llamada, de misión pendiente que puede ser un arte, un oficio, una profesión, un deporte, un proyecto de vida, un anhelo de independencia o la superación de complejos de inferioridad.

Cuando la vocación es clara, las puertas de la vida están abiertas, pero no siempre sucede así. A menudo los jóvenes se meten en laberintos de los que no saben salir, tal vez porque viven una contradicción entre las propias potencialidades y los contextos en los que se aplican. Otras veces están influenciados por adultos que, en nombre del realismo –máscara usurera de la propia frustración–, combaten sus fantasías, sus deseos, sus ambiciones. «Cuando crezcas entenderás...»: he aquí la frase que apuntilla las esperanzas de un adolescente que pretende hacerse un hueco en el mundo y anhela cambiarlo según sus aspiraciones. Los adultos, por lo menos, tendrían que aprender a hacerlo: ayudar a los adolescentes a albergar la esperanza de que existe un porvenir donde podrán realizar los sueños y los deseos. «Con esta condición, los chicos aceptan cualquier sacrificio y cualquier dificultad, pero si no se puede propiciar la esperanza lo mejor es apartarse, porque un adulto desesperado es un asesino de adolescentes»[26].

La negación de la esperanza se debe a menudo a la falta de respeto del mundo adulto por los jóvenes. Si muere la esperanza que acompaña al crecimiento, también el grupo de iguales se resiente. A los ojos de los chicos el crecimiento es un embrollo, un follón. El grupo se hace terrible y decide amedrentar para no sentir a su vez el miedo de haberse quedado sin futuro.

Los chicos airados son aquellos que han visto desvanecerse la esperanza en el futuro, incluso antes de nacer; con frecuencia

[26] Gustavo Pietropolli Charmet: *Fragile e spavaldo,* cit.; p. 163.

es más importante en ellos el deseo de venganza que la necesidad de emanciparse. Se arriesgan a continuar siendo hijos durante toda la vida: se vengan mediante el fracaso, frustran cualquier expectativa, ponen de manifiesto la incapacidad y la incompetencia de los padres, pero al mismo tiempo niegan, ocultan, desvalorizan las propias potencialidades, porque han renunciado a los proyectos de autorrealización de las aspiraciones más profundas.

LOS PADRES HOY: AMOR, PREOCUPACIONES, DESORIENTACIÓN, COMETIDOS

LA PETICIÓN DE LOS ADOLESCENTES A LOS ADULTOS DE ÉXITO

"Frágil" es el término que mejor describe la ambigua situación en la que se encuentra el adolescente[27]. Si bien viven en la clandestinidad, los jóvenes quieren ser reconocidos por los adultos como personas de valor, y cuando lo consiguen les dan la espalda y se vuelven arrogantes. La arrogancia es la máscara tras la cual se esconde la fragilidad. Es como si los chicos no estuvieran convencidos en esta etapa de su propio valor intrínseco y buscaran confirmación en el mundo adulto, reafirmaciones que disiparan las dudas. Por ello el narcisismo –entendido como lección de fondo, casi filosófica y moral, además de estética– no significa que se encierren en sí mismos.

El adolescente anhela un clima relacional basado en el respeto, la confianza, el afecto y la competencia. Es como si dijeran tienes poco que ofrecerme, pero por lo menos demuéstrame que me tienes a mí.

«Lo paradójico es que, aunque parecen pletóricos de recursos, en realidad los jóvenes que se encuentran en el punto medio de la adolescencia necesitan una guía que les permita cultivar su unicidad. ¡Por ello hay que mantener abiertas las líneas de comunicación!»[28].

---

[27] Véase Gustavo Pietropolli Charmet: *Fragile e spavaldo. Ritratto dell'adolescente di oggi.* Laterza, Roma, 2008.

[28] Michael Carr-Gregg: *Cómo sobrevivir a la adolescencia de sus hijos.* Médici, Barcelona 2008.

No obstante, en el último tramo de la adolescencia «necesitan que un adulto les ayude a estabilizar los objetivos de su vida y a elaborar las estrategias para conseguirlos, y, lo que es más importante, aceptan su ayuda con menos recelos»[29]. El adolescente, más que el niño, dirige su mirada hacia los magos: no solo le atrae la gente de su edad; a pesar de las apariencias, está ansioso de relaciones verticales con adultos competentes. Tiene montones de preguntas cruciales para el crecimiento y debe formularlas a fin de obtener respuestas con las que comprenden ciertos secretos de los que se siente excluido.

«Las últimas generaciones de jóvenes parecen más interesadas que las anteriores en forjar un tejido de relaciones con adultos competentes»[30].

Chicos y chicas eligen adultos de referencia a los cuales piden que les acompañen y les miren, y si lo merecen, que admiren sus logros. Buscan una respuesta, una realimentación, una confirmación de que están en el buen camino para desarrollarse. Es la función de algunos enseñantes, de los que se reniega oficialmente, pero a quienes se otorga en la intimidad el papel de ser testigos del propio valor: entrenadores deportivos, sacerdotes, confesores, mandos *scout*, tíos, padrinos, amigos del padre o novios de la madre, *coaches*. También en las preguntas que se plantean al psicólogo: «Se trata de problemáticas que no tienen una estructura psicopatológica, sino que la mayoría de las veces conciernen a los detalles del recorrido evolutivo que el adolescente afronta»[31].

---

[29] Ibíd.

[30] Gustavo Pietropolli Charmet: *I nuovi adolescenti: padri e madri di fronte a una sfida.* Rafaello Cortina Editore, Milán, 2000, p. 45.

[31] Ibíd., p. 53.

Los adultos de referencia gozan de autoridad si los adolescentes se la reconocen. La autoridad, el carisma, la credibilidad son factores fundamentales que los chicos atribuyen a los adultos en base a características personales, sociales y profesionales. Se trata de adultos que los jóvenes perciben como portadores de *generatividad*, según la definición de Erickson, es decir, la competencia/preocupación de crear y guiar a la próxima generación. Crear y guiar implica respeto, escucha, alianza, diálogo, que no es nunca entre "iguales-colegas". Los adultos no deben hacer de amigos. Los adultos forjan y guían a las generaciones sucesivas, ofrecen las condiciones sociales, patrocinan las fuentes de la cultura, mantienen a las familias, proponen las reglas, preparan para el trabajo. Los jóvenes se adhieren, cambian, se rebelan, pero *dependen de los adultos en todo y para todo*. No solo en el plano material, sino también en el plano existencial. La relación adulto-adolescente basada en la capacidad de autoridad y en la confianza no comporta una relación paritaria y simétrica, como no lo es la de padre-hijo, la de enseñante-alumno ni la de entrenador-atleta. Los jóvenes tienen necesidad de adultos que demuestren la autoridad necesaria para realizar las funciones de padres, de guías, de líderes, de mentores, de tutores, de *coaches*, de enseñantes. La búsqueda de autonomía y la arrogancia no deben confundirse con la cerrazón, la distancia y la fractura intergeneracional, por mucho que sean consecuencia del hecho de que el joven no ha encontrado en las figuras de referencia el amor, la competencia, la credibilidad que necesita para vivir y crecer. Los jóvenes aman la independencia, pero no menos aman encontrar personas capaces de prepararlos para la vida adulta. Adoran las historias, los razonamientos, las "pistas" que una persona mayor puede darles, como el joven y el viejo de los que habla Erri de Luca en *El día antes de la felicidad*[32].

---

[32] Erri de Luca: *El día antes de la felicidad*. Siruela, Madrid 2009.

Para ser puntos de referencia reconocidos por los adolescentes, es necesario cumplir algunas características básicas.

1. *Ser persona de éxito*: el concepto de éxito para un adolescente es mucho más profundo de lo que parece a simple vista. No se trata del éxito que otorga la fama o la riqueza desprovista de sentido. Ser persona de éxito significa haber logrado realizar en la vida los propios intereses y los propios objetivos, trabajar con satisfacción, tener un círculo sólido de relaciones afectivas, contar con competencias vitales capaces de servir de orientación en la sociedad y gozar de un enfoque de la existencia optimista y trufado de esperanza.

2. *Tener competencia y pasión por el propio trabajo*: sobre todo en figuras profesionales como los enseñantes, los entrenadores, los *coaches*, los psicólogos; estos profesionales deben demostrar pleno dominio del papel social que desarrollan, y desempeñarlo con pericia y con pasión. La preparación técnica no basta; es imprescindible el amor por el propio trabajo. El adolescente es perfectamente capaz de percibir tanto la competencia como el amor, y de aquí nace su interés por este adulto un tanto extraño: optimista, apasionado, preparado, realizado en su trabajo, pero también desordenado, extravagante, simpático.

3. *Tener una vocación*: si se elige trabajar con adolescentes es porque se experimenta pasión, interés y curiosidad por conocer su mundo. La vocación vehicula la curiosidad, que no tiene nada de entrometimiento, sino que es interés sincero y auténtico, abierto al conocimiento mucho antes que a la colocación de etiquetas o al juicio. Una curiosidad guiada por lo que Andreoli denomina «estrategia del bien»: los adultos de referencia son personas que quieren a los chicos.

No hay nada que hacer: para ser modelo de los jóvenes es necesario serlo en general. ¿Pero qué característica específica se pide sobre todo a los padres?

LA NUEVA RELACIÓN: AMOR, CONFIANZA, MIEDO

Las investigaciones psicológicas indican que la familia está cambiando de naturaleza cultural. Antes se basaba en códigos éticos que suponían una cierta visión de los hijos. El niño era considerado un ser objeto de educación y civilización, con comportamientos espontáneos salvajes. La educación se basaba en los castigos y los sentimientos de culpa: se trataba de poner y de imponer el sentido de los *límites*. Sobre todo las generaciones nacidas en los años sesenta y setenta, fueron llamadas a seguir el ejemplo de quienes salieron de la guerra y hubieron de reconstruir el país mediante el trabajo. Los chicos *debían* continuar el camino paterno y materno, y mejorarlo. El futuro *debía* ser mejor que el pasado y que el presente. En nombre de este mandato, había que estudiar o trabajar. Se partía del supuesto de que el futuro constituiría un escenario positivo donde el chico preparado y voluntarioso podría vivir una vida en la que obtendría mejores resultados que sus padres, pero siguiendo el camino que estos habían iniciado. El futuro del joven se fusionaba con la historia discontinua de la familia, encarnaba las expectativas de crecimiento de los progenitores en cuanto que portadores de progreso y emancipación. El padre que trabajaba quince horas diarias encarnaba al héroe familiar, que había abierto la puerta a la emancipación; la madre, que empezaba a trabajar fuera de casa, representaba la liberación femenina, la independencia, el progreso. La familia se ramificaba con abuelos, tíos y primos que ofrecían modelos alternativos, recursos de formación. Aunque el chico crecía por una parte más libre (en la calle podía estar solo, incluso de niño), por otra le esperaba un futuro predeterminado por los sueños y las expectativas de los progenitores. Quien elegía un camino distinto o no demostraba estar a la altura, se encontraba de frente con un conflicto terrible y violentísimo. El padre y la madre consideraban las opciones que no se ajustaban a la plantilla prevista, como las traiciones; no se trataba de un proceso de individualización, sino de rechazo, de desconocimiento, de despiadado ataque al modelo de los padres.

Acaso por reacción a este modelo y en combinación con los cambios sociales, económicos y culturales que actúan a nivel planetario, los padres ven ahora a los hijos de un modo completamente distinto. Una investigación de 2008[33] ha demostrado que los estudiantes de hoy son pesimistas sobre el futuro y sobre las perspectivas de trabajo debido a la crisis. Casi la mitad de ellos tiene miedo del porvenir, lo ven como una amenaza cada vez más cercana y se sienten impotentes frente a él. La misma investigación revela que para los padres prevalece el "miedo al mañana", y que ello se refleja en la vida diaria: el futuro de los hijos angustia casi a una de cada dos personas. El 64% de los italianos, por ejemplo, teme que los jóvenes tengan «unas condiciones sociales y económicas peor que las de sus padres».

La visión del futuro ha cambiado: ya no es una promesa, un progreso, sino una amenaza. De aquí se derivan preocupaciones y ansiedades que se reflejan a menudo en el tipo de estímulos que forman parte de la vida académica. Los padres intentan explicarles a sus hijos que no estudiar puede representar una catástrofe para ellos, aunque estudiar no les garantiza en absoluto un futuro color de rosa.

No obstante los miedos, que inciden en el clima familiar de modo determinante, la concepción del hijo es muy distinta a la del pasado. El niño es hoy en día para los padres inocente y afectuoso, y sienten que es su obligación hacer emerger su verdadera naturaleza, su proyecto interior de crecimiento y de realización personal.

---

[33] Giuliana Ferraino: *Pessimismo globale*. "Corriere della sera", 23 de enero de 2008.

Querríamos que obedeciesen por amor y no por miedo a los castigos o al dolor. Desearíamos transmitir afecto más que reglas o principios. Precisamente porque el futuro es incierto, porque la hipótesis del inevitable progreso está en decadencia, los padres no se inclinan a proponerse como modelo que imitar, no dejan ningún testimonio, no predisponen a proyectos vitales.

Pretenden comprender la verdadera naturaleza del adolescente, investigan su vocación y su talento, querrían descubrir potencialidades, propensiones, pasiones, intereses y elecciones. A diferencia de lo que ocurría en el pasado, buscan el diálogo, aunque a menudo no logran encontrarlo. Intentan estar cerca de sus hijos con todas sus fuerzas, pero ello incrementa la frustración si el esfuerzo resulta vano. Su postura se vuelve inquieta y defensiva, como si debieran protegerlos de amenazas inminentes más que prepararlos para aprovechar las oportunidades reales. De este modo, mientras prestan atención a las elecciones y las inclinaciones, se preocupan de posibles pasos en falso, del rendimiento académico, del modo en que el chico "pierde el tiempo". Comunican ansiedad y miedo. Es como si conjugaran dos impulsos contrapuestos: confianza en las potencialidades de los hijos y temor de que no consigan afrontar las vicisitudes de la vida. Buscan modelos educativos nuevos y oscilan entre confianza y preocupación: se trata de una búsqueda empírica que carece de tradición y de historia en las que basarse. Un impulso innovador, pionero, extremadamente prometedor pero viciado por la ansiedad, por el miedo a que los hijos no lo consigan.

«Para el varón, aceptar convertirse en padre afectivo y simbólico es una elección acaso más libre que la que lleva a la mujer a asumir el rol materno, y que tal vez permite mayor discrecionalidad y ofrece mayor posibilidad de valorar plenamente el peso de las renuncias que comporta»[34]. El rol paterno experimenta actualmente un gran cambio cultural. El

[34] Gustavo Pietropolli Charmet: *I nouvi adolescenti*, cit.; p. 29.

nuevo padre se ha formado en función de la compañera, pero sobre todo del hijo. Ha intentado aprender su papel esforzándose por entender qué se espera de él, no imitando a su propio progenitor. Es por eso un padre afectivo: de señor de la guerra, gran patriarca y trabajador incansable ha pasado a ser acompañante en el laberinto del crecimiento, una guía y presencia empática, un donador de sentido. Si trabaja demasiado ya no se le admira, sino que se le acusa de estar ausente; también la concepción del trabajo ha cambiado respecto a generaciones anteriores.

Los cometidos afectivos y educativos paternos, vehiculados por el amor más que por el autoritarismo, han significado la crisis para muchos hombres, porque son nuevos, resultan inéditos y requieren competencias relacionales complejas. Frente a esta complejidad inmanente, algunos padres, aterrorizados por su papel, se dan a la fuga. Desertan. Piensan que la adolescencia del hijo no les compete, que debe arreglárselas solo, que ellos ya trabajaban a los dieciséis años. O tal vez, y puede que peor, hacen de padres-amigos-hermanos-colegas, lo que Pietropolli Charmet llama “el padre débil”. Huyen del papel que les corresponde poniéndose a la altura de los hijos. En los casos más graves, el padre busca la amistad del hijo para manipularlo en contra de la madre. El padre débil no solo priva a la madre del apoyo necesario, sino que socava su prestigio, su disponibilidad e incluso su amabilidad. A menudo siente celos del hijo y llega a despreciarlo.

Ser padre no es sencillo. Es una tarea que requiere una combinación de creatividad y afectividad. Entran en juego miedos, defectos, debilidades. Los nuevos padres rompen el vínculo con los viejos, porque no participan de su modelo de vida y de educación, pero carecen de puntos de referencia actuales. Se ven obligados a crearlos ellos mismos, lo que constituye una paradoja, porque la creatividad no puede sufrir restricciones.

Para la madre la situación resulta aún mucho más complicada. A la madre le preocupa que el proceso de transformación del hijo pueda dar origen al nacimiento de alguien incapaz de adaptarse, de alguien inadecuado para surcar las borrascosas aguas de la sociedad actual, y vive esta situación en un barullo de identificaciones empáticas con el adolescente. Si en el momento del parto toda la atención se centra en las características biológicas del hijo, aquí entra en juego también el contexto social, filtrado a menudo por las imágenes que los medios de comunicación ofrecen. Los medios vehiculan las preocupaciones y las sensaciones de impotencia que afligen hoy en día a los padres. La madre, obligada al distanciamiento, puede sentirse amenazada por los deseos, la autonomía, la clandestinidad del adolescente. La adopción del hijo de rol social de estudiante se percibe como predictivo de la relación que este mantendrá con el mundo laboral, con su actitud ante la competición social y la autoafirmación: por esto la madre asume funciones extremadamente diversificadas. Se convierte en profesora, educadora, psicóloga, socióloga. Observadora incansable de los comportamientos y del rendimiento del hijo. Ni el centro de enseñanza ni las instituciones le ofrecen apoyo alguno: al contrario, ella intenta compensar carencias, faltas, incompetencias. Mientras el adolescente se muestra relativamente indiferente a las prestaciones académicas, la madre asume personalmenteí la responsabilidad de educarlo para lograr la mejor integración académica posible, a partir de lo que a veces se convierte en una auténtica pesadilla cotidiana: el despertar del adolescente que no quiere levantarse, que no desea abandonar el "irresistible torpor del lecho", como decía G. La madre intenta que se levante por las buenas, inventa tácticas ad hoc, se enfurece, y así todas las mañanas. Está obligada a sufrir los silencios del chico («¿Qué tal el colegio?». «Bien»). Entrenada desde siempre para salvaguardar y proteger a su hijo, se encuentra ahora con que tiene que protegerlo de sí mismo. El hijo es un potencial tirano de sí mismo, y la madre, que intenta contrarrestar esta tendencia, termina convirtiéndose en su enemiga. A menudo se inicia una guerra que cuestiona todo lo que el chico hace; el amor pasa de este modo a un segundo plano respecto del miedo y la distancia es cada vez más difícil de salvar.

La pareja progenitora de hoy posee, en mi modesta opinión, un gran pilar: el amor por el adolescente y la intención de convertir su cuidado en una razón de vida. La necesidad de crear nuevos recursos educativos en un contexto social y cultural muy articulado y minado de preocupaciones, reviste una importancia trascendente. Justamente por las complejas novedades culturales y sociales que caracterizan a la familia contemporánea, los padres deben apelar a todo el amor y la creatividad que posean para educar mejor a los hijos. «Ser suficientemente buenos», como decía Donald Winnicott, es determinante, pero puede revelarse insuficiente teniendo en cuenta las especiales exigencias de crecimiento y formación que plantean los jóvenes. Mi cometido como *coach* es ofrecer planteamientos de reflexión y herramientas para que el amor permanezca siempre en el primer plano de la educación de los hijos y sea guía del recorrido más apropiado que lleve a los chicos hacia el éxito futuro.

El *coaching* para padres e hijos individualiza y desarrolla los principales requisitos que un adolescente precisa para afrontar mejor la vida:

1. Un mentor o un adulto a quien tener como modelo. Una persona especial, capaz de transmitir pasión y cuya fuerza interior lo haga sentir seguro, apreciado y escuchado.
2. Una actividad satisfactoria –arte, música, deporte, danza, teatro– a la que dedicarse con entusiasmo, diversión

y gratificación, que permita el trato con sus iguales y ponerse en contacto con maestros adultos, además de obligarse a una disciplina de aprendizaje.

3. Inteligencia emocional, es decir, la capacidad de interpretar las situaciones sociales reconociendo los pensamientos y las emociones de los otros, y cómo lo ven los otros.
4. Un significado que dar a la propia vida: es importante que se sienta ligado a algo o alguien que trascienda lo más sobrio, el minimalismo, y que tenga un intenso poder de atracción.
5. Un dialogo interior positivo: si el chico se convence de que no sirve para nada, es posible que termine no sirviendo para nada. Si se convence de que puede tener éxito en la vida, tendrá mayores posibilidades de lograrlo[35].

Ejercicio

Intente reconstruir su visión del futuro cuando era un adolescente; pruebe y después con la de su hijo. Enumere las similitudes y las diferencias.

[35] Michael Carr-Gregg: *Cómo sobrevivir a la adolescencia de sus hijos.* Médici, Barcelona 2008.

EL "COACHING" AL SERVICIO DE LA RELACIÓN PADRES-HIJOS

El *coaching* es una metodología de desarrollo y formación que caracteriza el proceso relacional entre un *coach* y su interlocutor (*coachee*). Tiene una base teórica filosófico-humanística y un trasfondo científico basado en la psicología positiva. El presupuesto del que parte es que la persona está siempre inserta en uno o más contextos. La relación entre persona y contexto y el modo en que el sujeto quiere modificarlo, mejorarlo, cambiarlo, defenderlo o trastocarlo es el foco de toda conversación de *coaching*. En su origen está una cierta visión del ser humano: todo individuo es único, no etiquetable, con una potencial relación proactiva con el ambiente (que lo influye y al que influye), potencialidades y talentos que poner en valor y que entrenar para influir en la realidad, además de la facultad de determinar positivamente la propia existencia, gracias también al apoyo de la red social con la que se interrelaciona. La relación de *coaching* se funda en el diálogo, la escucha activa, el acogimiento y la alianza de trabajo, y tiene por fin explorar e individualizar los objetivos de cambio que el *coachee* plantea en el momento, reforzando su autogobierno por medio del ejercicio de los recursos de los que dispone. Podemos decir, en pocas palabras, que un *coach* es el entrenador de las potencialidades/potencias de la persona. Una potencialidad es una fuerza del carácter que no necesariamente, al menos al principio, se expresa en la correspondiente capacidad (la capacidad es la probabilidad de realizar una tarea con éxito). Sus connotaciones son la gratificación que comporta ponerla en práctica y las emociones positivas que se sienten en esa puesta en práctica. Cuando la potencialidad es individualizada, valorada y entrenada, incide de modo significativo sobre las competencias y se convierte en una potencia capaz de modificar la realidad.

En este diálogo a menudo caótico, una parte fundamental es la prefiguración, visualización y puesta a punto de planes de acción que el *coachee* se propone para alcanzar sus objetivos. El *coaching* no trabaja solo sobre el aquí y ahora, sino también sobre el futuro. Se le pide a la persona que imagine y describa el futuro que desea, y su consecución representa el eje central de un contrato de *coaching*. En otras palabras, este último es un puente tendido entre un presente problemático y un futuro preestablecido. *Coach* y *coachee* lo proyectan, lo construyen y lo recorren juntos. Cuando los resultados finales, mensurables y verificables, se ajustan o superan los objetivos preestablecidos, el *coaching* ha tenido éxito. Su eficacia es siempre comprobable y contrastable al relacionar los propósitos iniciales con los resultados concretos obtenidos.

El *coaching* es por consiguiente una disciplina, una filosofía y una ciencia de la intervención. Actúa sobre el desarrollo porque su finalidad es la consecución de objetivos concretos, pero también tiene un carácter formativo, ya que el cliente toma conciencia de los propios poderes personales y sociales. La identidad del *coaching* es muy precisa[36], y numerosas universidades del mundo están poniendo a prueba su eficacia. El rigor metodológico permite intervenciones de gran plasticidad. En relación con los adolescentes, el *coach* se presenta como figura no directiva: no establece objetivos, no ofrece planes de acción, no enseña, no transmite buenos modales. El *coach* es un adulto que se pone al servicio del proceso de autodeterminación e individualización del chico integrando, nunca sustituyendo, en su vida a otras figuras como los enseñantes o los padres. El *coach* es un descubridor de potencialidades: su acción no es ortopédica (no repara daños ya presentes). Si el adolescente tie-

[36] Véase Luca Stanchieri: *Il meglio di sé: come sviluppare le proprie potencialità con il lifecoaching*. FrancoAngeli, Milán 2004.

ne dificultades, carencias, defectos, el *coach* nunca parte de los puntos débiles. Si saca notables en lengua y le encanta escribir, pero suspende las matemáticas y odia los números, es presumible que la tarea del *coach* no sea centrarse en los suspensos, sino trabajar para que la facilidad y la gratificación del chico respecto de la escritura se transformen en talento. A través de este proceso de desarrollo, el joven encontrará recursos para hacer frente a los suspensos en matemáticas.

A fin de desarrollar las potencialidades de los adolescentes, pueden utilizarse actividades prácticas de carácter deportivo, artístico o lúdico que les resulten útiles para medirse, analizarse o, ponerse a prueba en ambientes desconocidos. De este modo se alcanzan tres objetivos: se identifican los puntos fuertes del carácter del chico, se le hace consciente de ellos y se entrenan con vistas a objetivos futuros.

Por norma, un itinerario de *coaching* para adolescentes se desarrolla durante unos cuantos meses una hora cada diez días. Se habla de amistades, intereses, estudios, padres y se fijan los objetivos. El chico, apoyado por el *coach*, establece planes de acción y de comportamiento que le ayudarán a alcanzar sus objetivos, igual que un atleta trata de ganar la prueba en la pista. El trabajo desarrollado en los capítulos del programa *Adolescentes. Instrucciones de uso*, se aleja parcialmente del modelo habitual. Mi labor ha consistido sobre todo en demostrar al chico y a los padres que las soluciones a los problemas relacionales, académicos, de convivencia, de autonomía y de responsabilidad podían pasar por la valoración de sus cualidades. El programa me ha ofrecido una gran oportunidad: demostrar que los adolescentes no son salvajes que debemos educar imponiendo prohibiciones, sino personas dotadas de múltiples recursos y potencialidades, de talentos que poner en valor suprimiendo los límites de expresión anteriormente impuestos.

La finalidad de este libro es ofrecer a los padres instrumentos, métodos y estímulos surgidos del *coaching* y que sirvan de refuerzo a su valiosa función educativa. Nadie puede sustituir a un padre, que lleva en el corazón el destino de su hijo. Las sugerencias, los ejercicios, los planteamientos ofrecidos son un material en bruto que se refina solamente si el adulto les encuentra utilidad y se apropia de ellos para lograr sus objetivos educativos y afectivos. La fuente es el método del *coaching*, pero también las experiencias habidas con los chicos y sus familias. Todo lo que los adolescentes y los padres me han ido enseñando lo cuento en las páginas que siguen, se lo devuelvo a los lectores con alegría y con profunda gratitud.

El *coaching* puede ayudar en el itinerario educativo, sin sustituirlo pero haciéndolo más satisfactorio. Puede entrenar especialmente el mayor recurso que vincula a padres e hijos: el amor incondicional. Solo partiendo de aquí un padre podrá refinar su capacidad de diálogo para construir y gestionar la relación, por definición en continuo cambio, con el hijo adolescente. La valoración del amor y del diálogo permitirá identificar las potencialidades específicas del chico, sobre las que podremos apoyarnos para entrenar los puntos fuertes de su carácter y dirigirlo hacia gratificantes éxitos. Inspirarán una educación para la felicidad, entrejida de esperanza y de optimismo ante el futuro. Ayudarán al chico a identificar y determinar su propia personalidad original, a conquistar la autonomía, a descubrir su vocación. Lo he constatado trabajando como *coach* al servicio de numerosas familias, y he quedado afectado y conmovido. He aprendido muchísimo escuchando a los chicos: he escuchado reflexiones, sugerencias, consejos que quiero devolver a los padres. Por experiencia sé que los jóvenes de hoy, incluso viviendo en un contexto difícil y a menudo negativo, poseen una fuerza vital, gozosa y creativa capaz de infundir optimismo y confianza.

Son nuestro futuro, y estoy convencido de que lograrán conseguir mejores resultados que los de mi generación. Por ello merecen amor y respeto, confianza y apoyo. Por eso necesitan maestros válidos, competentes y apasionados, a quienes deberán superar después de haber aprendido de ellos, y me refiero sobre todo a los padres. A ellos dirijo todo mi apoyo y toda mi estima, por la valiosa y compleja misión que les ha sido confiada.

TEST SOBRE LA POTENCIALIDAD DE LOS ADOLESCENTES

Este test es una especie de juego, una suerte de *coaching game* adaptado en versión libre de Seligman[37]. Puede hacerlo usted solo y, después, con su hijo.

Dé una nota de 0 a 10 a las potencialidades del chico, y escoja luego las cinco que le parecen dominantes: de estas, verosímilmente, emanará su futuro talento.

A cada potencialidad le corresponde un valor cultural. De este modo, podrá ver cuáles son los puntos fuertes del adolescente y su perfil ético.

1). Cuando debo decidir o juzgar, procuro ser una persona justa e imparcial.
Nota = imparcialidad

2). Es prácticamente imposible agotar mi buen humor; en situaciones difíciles, utilizo la ironía.
Nota = sentido del humor

3). Termino siempre lo que empiezo. Me encanta trabajar en objetivos a largo plazo y no infravaloro nunca el cansancio.
Nota = perseverancia

[37] Martin E. P. Seligman: *La auténtica felicidad.* Zeta Bolsillo, Barcelona 2011.

4). No habría obtenido resultados importantes sin la ayuda decisiva de otros.
Nota = gratitud

5). Incluso cuando estoy enfadado, decepcionado o me provocan, procuro controlar siempre mis emociones.
Nota = autocontrol

6). La vida me gusta siempre y en cualquier circunstancia.
Nota = vitalidad

7). Cuando observo la naturaleza, contemplo una obra de arte; cuando escucho mi música preferida, pierdo el sentido del espacio y del tiempo.
Nota = apreciación de la belleza y la excelencia

8). Es más importante seguir siendo uno mismo que ser popular.
Nota = integridad

9). Sé perdonar a los amigos que se equivocan.
Nota = capacidad de perdonar

10). Tengo muchos intereses y estoy siempre abierto a nuevas experiencias.
Nota = curiosidad

11). Para mí es sencillo entender lo que piensan y sienten mis amigos.
Nota = inteligencia social

12). Siento que mi vida tiene un significado importante.
Nota = espiritualidad

13). Me gusta estudiar y aprender cosas nuevas.
Nota = amor por el aprendizaje

14). Conozco bien mis puntos fuertes y mis límites, y no me gusta hablar demasiado de mí mismo.
Nota = humildad

15). Me gusta ser amable también con quien no conozco.
Nota = amabilidad

16). El esfuerzo, el cansancio, la posibilidad de fracasar no me importan si estoy motivado.
Nota = audacia

17). Me gusta experimentar, inventar y descubrir cosas nuevas.
Nota = creatividad

18). Lo más importante para mí es el amor y la amistad.
Nota = amor

19). Soy optimista y confío siempre en el futuro.
Nota = esperanza

20). Entre mis amigos soy un punto de referencia por muchos motivos.
Nota = liderazgo

21). Intento prever siempre las consecuencias de mis actos.
Nota = prudencia

22). Siento la responsabilidad de mejorar el mundo en el que vivo.
Nota = sentido cívico

23). Mis amigos me piden consejo sobre qué hacer.
Nota = visión de futuro

24). Sé cambiar de idea si me doy cuenta de que estoy equivocado.
Nota = apertura mental

Mis principales potencialidades son:

....

....

Cada potencialidad es indicativa de una de las virtudes sobre las cuales todas las filosofías y las religiones principales están sustancialmente de acuerdo. De las potencialidades y de las virtudes se pueden extraer asimismo los valores fundamentales en los que cree la familia y que pueden, a su vez, convertirse en pilares sobre los que apoyar el modelo educativo específico.

LAS SEIS VIRTUDES FUNDAMENTALES

SABIDURÍA

Definición: la sabiduría es la tensión que genera el anhelo de descubrimiento del verdadero sentido de las cosas; de ella se hace uso para dar el sentido a la vida humana. Potencialidades correspondientes:

Creatividad
Curiosidad
Apertura mental
Amor por el aprendizaje
Visión de futuro

VALOR

Definición: el valor es saber dominar el miedo en la consecución de los objetivos propios. Potencialidades correspondientes:

Audacia
Persistencia (perseverancia, laboriosidad)
Integridad (autenticidad, honradez)
Vitalidad

AMOR

Definición: el amor es la capacidad de conocer, descubrir y perseguir el sumo bien para otra persona o personas. Potencialidades correspondientes:

Amor y amistad
Gentileza
Inteligencia social (emocional, relacional)

JUSTICIA

Definición: la justicia es la actitud de elaborar normas que garanticen el desarrollo de la convivencia en el ámbito de una concepción común del bien colectivo. Potencialidades correspondientes:

Imparcialidad
Liderazgo
Sentido cívico

TEMPLANZA

Definición: la templanza es la facultad humana de gobernar los excesos mediante la asunción de la complejidad. Potencialidades correspondientes:

Prudencia
Humildad
Autocontrol

TRASCENDENCIA

Definición: la trascendencia es el sentido de sintonía con el universo infinito de la especie humana. Potencialidades correspondientes:

Humorismo
Capacidad de perdonar
Esperanza
Espiritualidad
Gratitud

RACHELE: POR UNA EDUCACIÓN PARA LA FELICIDAD

LOS CASOS TRATADOS EN TELEVISIÓN: TRABAJAR BAJO LOS FOCOS

Trabajo con adolescentes desde hace quince años, es decir, desde que comencé, de mala gana a ser adultos. He enseñado en centros privados y concertados de Palermo y Roma, donde acuden los chicos menos motivados y más incomprendidos, me he encontrado con ellos en manifestaciones cuando protestaban y ocupaban los centros, y después he vuelto a encontrármelos como *coach*. Cada vez en entornos diversos: el centro de enseñanza, diversos espacios urbanos, mi despacho, el campus donde entrenamos sus potencialidades y su autogobierno. Han cambiado mucho con el paso del tiempo: los veo más sensibles, más disponibles y quizá más confusos. Los noto susceptibles a las críticas, prestos a defender su integridad, infatigables en el establecimiento de relaciones de amor y de amistad.

Al recapitular he pensado en ellos nuevamente. Mientras hablaba de Rachele me venía a la memoria Roberta, mientras escribía de Gabriele pensaba también en Federico, mientras trazaba el retrato de Patrizio recordaba las correrías de Lorenzo y la moto de Pigi; la peripecia de Luca me hacía reflexionar sobre Giacomo. Al describir los capítulos he intentado hablar de ellos, y de todos los adolescentes que he tenido la fortuna y el privilegio de encontrarme; he generalizado con el corazón y con la mente, apelando a mi memoria e imaginando su posible futuro. He intentado esbozar cómo se vive hoy la adolescencia, en este momento histórico y en este rincón del mundo, siendo consciente de que mi mirada de adulto puede percibir solamente la copa frondosa del árbol, pero no, ciertamente, sus profundas raíces. En cada capítulo he intentado ofrecer generalizaciones y sugerencias que puedan ser útiles para todos. Será el lector quien juzgue si lo he conseguido.

Hasta ahora no había trabajado para un programa de televisión. La redacción, la producción, los guionistas, los cámaras han estado fantásticos. Gracias a ellos he podido relacionarme con las cámaras y transformarlas en amigos con los que hablar (¡Y tengo que decir que hasta una cámara fotográfica me pone nervioso!). Por mi parte me impuse no pensar en ellas y concentrarme únicamente en el adolescente. Temía, sin embargo, que la presencia de un contexto complejo impidiese establecer una relación profunda. Luces, cámaras, cables por todas partes, y luego los cámaras, los ayudantes, los de producción, el director... Un gran caos, en resumen, en torno a un diálogo íntimo, como debía ser el que mantenía con cada chico. Hice entonces una elección: todo el itinerario del *coaching* tendría que quedar documentado por las cámaras, sin hablar en otro lugar con los chicos. Con ello quería evitar una relación doble: la "verdadera" fuera del estudio y la "recitada" en el plató. Para el cámara y el realizador no sería fácil seguirnos, pero contábamos con el hecho de que, después de la primera fase, los chicos se acostumbrarían y la competencia técnica y profesional del equipo haría el resto. Y así fue. Cada diálogo resultó abierto, sincero, improvisado: nunca lo preparamos ni lo ensayamos. Durante una semana pasé decenas de horas con cada chico, rodamos un total de 80-90. ¡Una alegría inmensa para quien tiene que montar un capítulo de 45 minutos!

Cada itinerario estaba pensado en colaboración con los guionistas, la producción y la redacción, que nunca subordinaron el trabajo con el adolescente a las meras exigencias televisivas, demostrando un nivel de profesionalidad que difícilmente se encuentra en otros ámbitos. No obstante esta colaboración, todo lo que he escrito en este libro y las conclusiones que extraigo del material, son imputables exclusivamente a mi persona.

Durante la transmisión, cada actividad, diálogo o paseo con los chicos tenía el fin de sacar a la luz sus recursos internos para vivir mejor las relaciones con la familia y ser más libres y autónomos en la elección de su camino. Encontré siempre disposición al diálogo, vínculos sinceros, óptimos destellos creativos... la manifestación de cuanto anhelan hoy los adolescentes, así como una relación sana y productiva, gratificante y útil con los adultos. Gracias a ellos mi vida y mi profesionalidad se han visto enriquecidas: todo lo que he aprendido está en las páginas que siguen y es la base de un discurso nuevo sobre la adolescencia: hoy en día todo ha cambiado y es tarea nuestra, de los adultos, estar a la altura de los cambios. Estamos obligados a redescubrir al adolescente que llevamos dentro, ese que se pone a prueba en todos los campos. Por primera vez.

EL CASO

LA SITUACIÓN

Rachele es una adolescente que parece vivir en un estado de aburrimiento continuo. Esto se advierte en inmovilismo, aislamiento, falta de iniciativa, apatía, jornadas enteras delante del televisor o del ordenador, comiendo helados y engordando. El aburrimiento casi la embrutece; ella lo achaca al contexto. Ariccia es un pueblo pequeño de los Castelli Romani donde, dice, los jóvenes tienen pocos alicientes.

Se supone que estudia contabilidad, pero los estudios no le interesan. Tiene un novio de 20 años. Su estado la hace sufrir, pero al mismo tiempo la protege, porque Rachele no experimenta, no corre riesgos, tiene miedo de fracasar. Es cierto que no ha fracasado oficialmente en los estudios y que vive una historia de amor, así que no se trata de una condición invalidante. Está aburrida, no deprimida.

En una primera impresión, Rachele prefiere el aburrimiento que el ajetreo y el esfuerzo que cualquier actividad comporta. Dice que cuando intenta "hacer cosas", las deja a la primera dificultad que surge. Se descubre que frente a los cambios experimenta una fuerte ansiedad que la hace llorar, sufrir. Su negativa a esforzarse esconde el miedo a fracasar, a ser derrotada o rechazada. De aquí el llanto, la ansiedad (el miedo al fracaso, a cometer errores, a no alcanzar las metas) y, por consiguiente, el refugio en el aburrimiento. Su única vía de salida es la diversión, genérica, sin esfuerzo, superficial, cada vez más difícil de encontrar y que al fin no le da nada porque no le exige nada. Rachele está aprisionada en el triángulo aburrimiento-ansiedad-diversión.

Por todo ello la chica no logra sustraerse a su pequeño mundo de confort/sufrimiento. Su madre lo nota, ve la inercia, percibe el malestar de su hija y la anima a cambiar, pero las presiones se estrellan contra el muro de miedo que Rachele ha levantado a su alrededor. Su madre, por otra parte, está convencida de hacer lo que hace por el bien de su hija y continúa azuzándola, pero no logra vencer su resistencia y se siente impotente, furiosa. Se establece de este modo un desencuentro insalvable entre ambas: ataques y defensas, tentativas de convencimiento y justificaciones, exhortaciones a salir, a obrar por un lado y radicalizarse en la inactividad por el otro. El problema es que cualquier cambio inducido ha de tener en cuenta la ansiedad de Rachele; de no ser así, la chica se aburre cada vez más.

EL PACTO DE "COACHING"

En el mensaje de permiso (aquel en el que el padre o la madre anuncia que se va mientras desarrollo mi cometido), la madre le dice a Rachele que la quiere mucho. La chica llora y se conmueve. Su reacción me sorprende y plantea muchas cuestiones: su postura apática y aburrida deja paso a una chica sensible, que suscita en mísimpatía de inmediato. En su familia no se acostumbra a decir «te quiero mucho»; la madre piensa que lo demuestra con los hechos. Los hechos, sin embargo, son consecuencia de un sentimiento, no el sentimiento en sí. Cuando riñen se insultan, se dicen frases duras y dan por descontado el afecto. Un sentimiento profundo, sincero, fuerte y, no obstante, relegado a lo más profundo debido a su continuo enfrentamiento. Tampoco Rachele acostumbra a decirle a su madre «te quiero mucho». ¿Es posible que querer mucho sea precisamente una de las claves del cambio? ¿Que se pueda querer mucho para motivar? ¿Que se pueda querer mucho para generar agradecimiento, alegría y fortaleza sin necesidad de conmover? ¿Que se pueda hacerlo sin sufrir?

Rachele toma conciencia de que es arrastrada por un tren emocional que le impide vivir plenamente su juventud. Sabe que puede ser amada, amar y amarse sin sufrir. Acordamos juntos alejarnos de casa y realizar un recorrido que nos permita explorar sus emociones, que podrán ser gratificantes o limitantes, pero que no guardan relación alguna con la diversión.

El discurso de Rachele es fluido si tiene que discutir o polemizar, pero cuando habla de sí misma encuentra más dificultades. Tendremos que experimentar emociones diversas e intentar manifestarlas. Son recursos motivacionales fuertes: tomar conciencia le permitirá saber cómo mejorar su vida, es decir, qué objetivos deberá alcanzar.

LA ACTIVIDAD DE "COACHING"

Dormir fuera de casa es la primera cuestión que se le plantea a Rachele y que ella no acepta. Explorar nuevas emociones significa también salir físicamente de la rutina diaria, pero la ansiedad que le provoca es demasiado fuerte. Es muy importante aclarar de inmediato que las mías son propuestas, no imposiciones, y que intentaremos realizar el recorrido juntos. Por fin Rachele no acepta “convencida”, sino con la condición de hacer elecciones, de automotivarse. Dónde, cómo, con quién dormir es ahora su principal preocupación. Una vez establecido el acuerdo se dispone a partir. Será el primer paso de un largo proceso de renegociación y de cambios graduales, que le indicarán qué métodos podrá usar para crecer y superarse.

La llevo a que conozca a Valentina, una célebre actriz invidente de gran coraje y mérito extraordinario. Su fuerza interior, su perseverancia, su pasión revelan inmediatamente a Rachele una excepcional humanidad. Valentina se presenta y no tarda en hacerle experimentar la recitación. Lo que más importa es que la chica entre en el juego, supere la vergüenza y decida vivir una experiencia para la cual no está preparada. Se arriesgará a fracasar, a aparecer ridícula, fuera de lugar, equivocada. Lo sabe, pero se expone por primera vez. Valentina le da confianza, afecto, le sirve de ejemplo; no la obliga, no la presiona, no es hiriente. La invita y la protege a un tiempo. Rachele percibe su fuerza y, de algún modo, se aprovecha de ella. Experimenta lo que significa arriesgarse y sentir que se tiene la capacidad y la pasión para hacerlo. Experimenta la emoción del juego, del encuentro con lo nuevo, de la energía que proporciona la tenacidad con la que se persigue una meta cuando se está verdaderamente convencido. Empiezo a advertir los recursos que Rachele ha mantenido ocultos a los ojos de todos.

La segunda actividad se desarrolla en la piscina durante una soleada mañana de verano. Le propongo a Rachele que se inicie en los saltos de trampolín; no ha saltado de un trampolín en su vida.

Ser rodada en traje de baño le suscita vergüenza, es una situación embarazosa. Los instructores son amables, cariñosos, la cuidan y la protegen, pero no dejan de ser instructores. El contexto no es un cuarto de estar, sino una piscina, y el objetivo es zambullirse en ella. No hay maniobras ni sobrentendidos; todo es explícito: «Estarás en traje de baño y saltarás; te preparamos para eso». Rachele comienza a alterarse; se niega a subir al trampolín y sin embargo colabora, se somete a los ejercicios. Los instructores no la presionan en ningún momento, sino que se limitan a decirle lo que tiene que hacer. Le infunden seguridad, pero al mismo tiempo le exigen que se entrene. Ella decide quitarse el albornoz pero conserva el *short*, que se quita poco después. Todo es gradual. Cada paso es un pequeño éxito y ella va convenciéndose de que no tiene nada que temer, de que lo único que le espera es la satisfacción de alcanzar una pequeña meta. Lo mismo sucede con los saltos: va de un nivel fácil a otro más complejo. Cada éxito le demuestra que es capaz de conseguirlo. Ella lo nota, y pidiendo apoyo, compañía y cariño va aumentando la dificultad. Experimenta la satisfacción de lograr algo absolutamente insólito para ella. Alcanza todos los objetivos; está contenta de la ayuda y la amabilidad mostrada por los instructores, y orgullosa de sus éxitos. Ha aumentado la confianza en sí misma y personalmente no logro disimular mi entusiasmo.

La fase siguiente permitirá a Rachele poner a prueba su creatividad. Se trata de un recurso constructivo, sobre todo si el entorno no presenta demasiados estímulos. El nuevo reto consiste en realizar una composición floral sirviéndose de la imaginación y de la capacidad manual. Aquí también es clave la presencia de un instructor. Óscar está disponible y es cortés, amable. Para darle sentido a su composición, Rachele se sirve de un recurso interior: el amor por su chico. La creatividad se transforma y genera entonces un regalo que simboliza su afecto por él: un corazón de flores. Si Rachele se siente amada, apoyada, puede experimentar gradualmente, puede expresarse en un entorno de alegría, de amabilidad, de apoyo. Puede poner en práctica potencialidades nuevas y experimentar la emoción que de ello se deriva. Es decir: el cariño se transforma en un recurso para crear un objeto y deviene en un modo de realización.

LAS CONCLUSIONES

Las metas que Rachele se propone alcanzar se adecuan al itinerario realizado. Quiere una madre más tranquila y afirma que para ello tendrá que escucharla más. Quiere más amigos, pero sabe que solo podrá tenerlos si se muestra más serena y receptiva. Quiere un trabajo gratificante, pero sabe que para conseguirlo tendrá que encontrar maestros válidos, ser perseverante y cultivar su fuerza interior. Rachele ha aprendido de esta experiencia que salir del triángulo aburrimiento-ansiedad-diversión no solo es posible, sino que también enriquece y es fuente de grandes satisfacciones. Sabe que puede lograrlo si consigue luchar contra los enemigos interiores. Está satisfecha, contenta consigo misma y con lo que ha hecho. Es también consciente de las potencialidades de que dispone, así como de la necesidad de trabajar con ellas para hacerlas aflorar y ponerlas en práctica. La veo distinta, orgullosa, contenta. Mi tarea ahora es entrenar a su principal aliada.

Lo primero que hago es enseñar a la madre de Rachele lo que esta ha conseguido hacer y lo que ha cambiado en pocos días. Su madre descubre una persona distinta, dinámica, expresiva, alegre y audaz. Se da por satisfecha y se fija tres objetivos para mejorar la relación con su hija: programar juntas actividades agradables que contribuyan a acercarlas, buscar el diálogo con ella y expresarle siempre su afecto sin darlo nunca por descontado.

La madre ha observado el cambio, ha advertido lo importante que es comunicar el cariño, no darlo por supuesto y demostrarlo únicamente con los hechos. Rachele ha planificado nuevos objetivos, y ha comprobado las salidas con las que cuenta y el camino necesario para obtenerlos.

El *coaching* ha conseguido resultados superiores a los objetivos iniciales. Su madre y yo estamos de acuerdo en que para Rachele ha llegado el tiempo de nuevas y maravillosas sonrisas.

LA FELICIDAD COMO HERRAMIENTA DE ANÁLISIS

En tanto que padres, cuando somos presa de angustias, preocupaciones e inseguridades, analizamos la realidad a través de filtros deformantes. Vemos solo peligros y amenazas que pueden comprometer la salud física y psíquica de nuestros hijos. Cuando chicas como Rachele entran en una espiral de aburrimiento, de apatía, nos preocupamos y empezamos a presionarlas, a brindar consejos, a exhortarlas a la acción sin haber entendido del todo lo que verdaderamente les sucede. El miedo domina la conciencia y la comprensión, y fatalmente fallamos. Es un enfoque inadecuado porque busca satisfacer nuestro deseo de seguridad a despecho de la necesidad de educación, formación y realización de nuestros hijos. «¿Qué grupo de amigos le conviene más?», nos preguntamos. La respuesta es aquel que no distraiga su atención del estudio, compuesto por jóvenes que no fuman, no beben, no corren peligros y no cometen acciones ilícitas. Exigencias elementales, pero todas negativas.

Si en lugar de eso nos aferramos un enfoque basado en la confianza, positivo y constructivo, también la demanda se hará más compleja y articulada. ¿Qué grupo o relación de amistad y qué modelo educativo permiten al joven cultivar sus propias potencialidades para encaminarse hacia la vida adulta a través de una formación de autorrealización y felicidad? La investigación psicológica ofrece respuestas definitivas sobre la prevención: evitar peligros y amenazas no es fruto tanto de la conciencia del riesgo (en el caso de Rachele una posible depresión) como de cultivar y expresar las propias habilidades y capacidades. Centrarse en la felicidad y la realización del adolescente es por tanto lo más eficaz no solo en términos de conocimiento y comprensión, sino de prevención y seguridad.

Cuando la psicología positiva analizó las características de las personas felices llegó a la conclusión de que no lo eran por su estatus social, sino por un rico, variado y satisfactorio círculo de relaciones sociales y afectivas. Los amigos y los amores son las principales causas de felicidad. Un chico es feliz si cuenta con un buen número de amigos con los que relacionarse, jugar y explorar el mundo que le rodea. La amistad y el grupo de iguales se constituye en pro de una tarea fundamental: la búsqueda de la felicidad. Pero ¿qué felicidad?

El primer nivel de felicidad que aglutina las actividades del grupo es el que viene definido por "*the pleasant life*", la buena vida[38]. Es la felicidad producto de la "diversión", es decir, de experimentar emociones positivas. Se busca ocupar el tiempo en actividades agradables, alegres, relajantes, que distraigan de las preocupaciones. Pero perseguir y llegar a experimentar estas emociones no es tan sencillo como parece. Se precisa lucidez con respecto a los propios deseos y gustos, inteligencia y creatividad en la elección de actividades (de los debates al baile), habilidad y preparación para vivir las experiencias sin ansiedad, un contexto rico en oportunidades, y la capacidad de apreciar, gestionar y prolongar en el tiempo y el espacio las emociones experimentadas. Son muchos los grupos que escogen como tarea común el "placer divertido". Ir al cine, a la discoteca, a la cafetería, al pub, a pasear por las afueras, de tiendas, o simplemente jugar son actividades inconcebibles sin

[38] Martin E. P. Seligman: *La auténtica felicidad*. Zeta Bolsillo. Barcelona 2011.

un grupo del que formar parte. Solo colectivamente puede experimentarse una sucesión de *primeras veces*, extraordinaria e indeleble en la memoria y que favorece el crecimiento y la configuración de la propia identidad.

No obstante, demasiado a menudo estas situaciones son condenadas como síntomas de superficialidad, de consumismo, de nihilismo, pero son actividades que producen emociones agradables y determinantes también para una vida adulta sana (si bien a veces son indicativas de regresión). Sin embargo, no siempre el objetivo buscado se consolida: la diversión que se experimenta a los 13 años tiende a desaparecer con el transcurso del tiempo; el cuerpo se acostumbra a los estímulos positivos. El sabor del primer helado con los amigos y la alegría frenética de los primeros bailes en la discoteca se apagan con el paso de los años. Por ello se buscan otras vías, se inventan nuevas actividades. Si Rachele viviese en una gran ciudad las cosas cambiarían, pero solo cuantitativamente: antes o después terminaría por aburrirse también; se trataría tan solo de una cuestión de tiempo. *El aburrimiento de tantos adolescentes es, en realidad, la expresión del fracaso de la concepción de la unicidad fundada exclusivamente en el binomio diversión/placer*.

Cuando los chicos juegan con la PlayStation durante horas, parlotean olvidándose de la hora de vuelta a casa o corren detrás de una pelota hasta caer rendidos, están enriqueciendo su concepción de la felicidad. Se aproximan a una idea distinta y superior que no se basa solo en el placer inmediato, sino en estar sobre todo completamente absortos en una actividad que difumina el sentido del tiempo y del espacio y donde únicamente existe una emoción: la concentración en pro del objetivo. Es la *buena vida* fundada en el hacer o en el relacionarse y caracterizada por el *flow* (fluir[39]). Se trata de una felicidad basa-

[39] Mihaly Csikszentmihalyi: *Fluir (*Flow*). Una psicología de la felicidad*, Kairós. Barcelona 1997.

da en una actividad que requiere una dedicación total, un empeño absoluto, la asignación de objetivos progresivamente más complejos. Rachele lo ha experimentado con las zambullidas, la composición artística y la declamación.

«Entrenarse para enfrentarse siempre a lo riguroso, para realizar proezas imposibles, para batir récords en las carreras, los saltos, el trampolín, la velocidad y la resistencia, para tocar un instrumento musical, diseñar la propia firma, bailar de cabeza, deslizarse sobre las olas, sobre el asfalto, sobre ruedas, asestar golpes con la raqueta o con la espada, escribir poesía, crear dibujos animados, jugar a juegos de rol, entrar en la clasificación de un juego de PlayStation, cantar una canción propia, prepararse para la fama y para dar a conocer el propio nombre gracias al propio coraje, entrenarse para las competiciones superiores, para ser un campeón: ¿no es esta una de las metas principales de muchos adolescentes? Estoy seguro de que sí. Al adolescente le interesa poco el niño que ha sido; más bien hace cuanto puede para dejar de serlo y se avergüenza si se percata de que todavía lo es en parte. *Le interesa aquello en lo que se convertirá: quiere saberlo, entenderlo, entrenarse para poder serlo como un campeón. No se trata de batir a los demás adversarios, sino de estar seguro de nacer como sujeto social, visible y precioso, no invisible, superfluo y solo capaz de tareas repetitivas, que no inventa nunca nada original ni asombroso»*[40].

En todas estas actividades los chicos comienzan a expresar las motivaciones fundamentales que forjarán todas las elecciones futuras. Algunos ponen el acento en las relaciones afectivas, otros buscan asumir roles de liderazgo, otros están obsesionados por hacer las cosas "como es debido". Frente a tanto empeño, los adultos pueden darse la vuelta, no prestar atención, tomárselo a broma.

---

[40] Gustavo Pietropolli Charmet: *Fragile e spavaldo: rittrato dell'adolescente di oggi.* Laterza, Roma 2008; pp. 58-59.

Pueden mortificar al joven que pretende dar lo mejor de sí (casi nunca en el centro de enseñanza) e inducirlo a un aislamiento social del que derivará una rabia infinita. En lugar de ello, se puede comprender qué pretensiones, actitudes, potencialidades y motivaciones está manifestando en esos juegos, leer en ellos la búsqueda de la expresión de una identidad que se está forjando. Si los padres logran dialogar sobre los principales intereses y actividades que el joven comparte con sus amigos, descubrirán los puntos fuertes que están comenzando a perfilar su carácter. Los mismos puntos fuertes pueden ser utilizados en el estudio y la orientación hacia el futuro[41]. Son capacidades que, si afloran, proporcionarán una vida llena de satisfacciones.

Hay finalmente un tercer nivel de felicidad, el nivel de la trascendencia, el descubrimiento de los significados existenciales que van más allá de uno mismo hacia algo profundamente significativo. Pero ¿qué puede trascender la vida de un adolescente? ¿Un ideal, una fe religiosa, un amor, él mismo? Lo que ciertamente trasciende y caracteriza la adolescencia como maduración, es el sentido y la visión del propio futuro. Cuando esta visión es nítida, el joven ha descubierto su vocación y afronta el presente como la preparación del porvenir: entonces las posibilidades de crecimiento y realización personal están al máximo. Demasiado a menudo, sin embargo, los chicos se resisten a alcanzar este estadio y siguen siendo prisioneros del momento presente.

El vínculo de la amistad, del grupo, difícilmente logra trascender la complejidad del presente aunque, de algún modo, la organiza. La confrontación entre amigos y estudios, las pasiones

---

[41] Sobre la potencialidad del carácter véase Luca Stanchieri, *Scopri le tue potenzialità: come trasformare le tue capacita nascoste in talenti con il coaching e la psicologia positiva*, FrancoAngeli, Milán 2008.

comunes, las diversiones, se alternan siempre con experimentación, investigación, verificación, descubrimiento de una ética interpersonal. Los chicos no teorizan sobre los valores, los viven directamente. La lealtad, la discreción, la confianza recíproca, los intereses, la integridad, la reciprocidad y la simetría afectiva se practican sobre la marcha. Los adolescentes son severísimos juzgando los comportamientos inadecuados. No admiten mandamases ni estrellas, y son hipersensibles a las críticas de los amigos. Esta fase prepara al joven para vivir la pareja y el amor. En cuanto a los padres, no esperan únicamente monitorizar la seguridad y prevenir riesgos. En primer lugar, la relación con el adolescente debe basarse en el amor y el conocimiento: el "quererse mucho" no debe darse nunca por descontado.

¿CONTROL O CONOCIMIENTO? ¿PRESIONES O SUGERENCIAS?

El progenitor debe ser consciente de que el grupo de amigos representa el ámbito de autonomía del adolescente, el eje del proceso de separación de los padres, el laboratorio independiente de la propia identidad. Por ello no debe hacer otra cosa más que observar, manteniendo la distancia justa.

Cuando en las mañanas de verano la madre se presentaba en la plaza para saludarla, A. se ponía hecha una furia. Se daba perfecta cuenta de la hipocresía de aquel saludo: «Lo hace para controlarme, para que todo el mundo sepa que no me pierde de vista. Me pone rabiosa y me avergüenza. ¿Cómo quedo yo delante de mis amigos? ¿Cómo es posible que no lo entienda?». Dejar espacios adecuados de autonomía y buscar el diálogo sobre las experiencias significa revalorizar el afecto de los progenitores, ya que demuestra confianza y respeto. Estos requisitos deben estar presentes a priori, al menos hasta que no haya motivos válidos para negarlos. Con la entrada en una masa social, se abre una nueva fase en la vida del adolescente y en su búsqueda de la felicidad posible. La tarea de un progenitor, por consiguiente, no es controlar, sino conocer.

¿Qué diferencia hay entre control y conocimiento? ¿Conocer no es una forma de control? Para verificar que todo va bien, ¿no es tal vez necesario saber? El problema es sobre todo emotivo. Si pretendemos controlar transmitimos preocupación y ansiedad, que el adolescente percibe como desconfianza y desconocimiento de su sentido de la responsabilidad. Si frente a la irritación de Rachele asumimos una postura hostil, empezaremos a dar consejos ansiosos que se acabarán convirtiendo en presiones insoportables. El resultado es el alejamiento del diálogo y la imposibilidad de ofrecer apoyo educativo. El joven se cierra en banda y toda tentativa ulterior de control o de consejo alimenta el conflicto y la comunicación telegráfica («Salgo». «¿Dónde vas?». «Con los amigos». «Vuelve pronto». «Vale»). El diálogo sereno y respetuoso permite, sin embargo, un acercamiento gradual. La curiosidad fundamentada en el afecto y no en el miedo debe ser auténtica, y no manipuladora. Solicita amor, inspira inteligencia social y entrena la emocional. Permite un intercambio exploratorio que culmina en el conocimiento y en la comprensión recíproca. El progenitor se convierte entonces en un recurso valioso para el joven que está experimentando, que se muestra, que corre riesgos, que pone en juego recursos y potencialidades. Puede integrar sus experiencias con los amigos, ser elegido como referente. *Del intercambio de opiniones con los progenitores el joven puede inferir cuáles son sus potencialidades, sus intereses, sus pasiones, sus valores, sus vocaciones más auténticas.* La posibilidad de un diálogo con la familia franco, sincero, que no juzgue, es un lujo del que pocos adolescentes pueden disfrutar y, sin embargo, esta es la etapa de mayor formación y realización; su primera vez, el momento en el que afrontan profundos cambios sociales, contextuales, físicos, psicológicos y culturales. Si el joven sale con éxito de ellos, gracias también a este apoyo a distancia, no solo conformará su propia identidad, sino que adquirirá una extraordinaria competencia para hacer frente a los retos que los cambios supongan. Un recurso este del que podrá servirse durante toda la vida.

Las preguntas del "coach"

- ¿Qué experiencias formativas está viviendo el joven?
- ¿Qué le apasiona más?
- ¿Qué le gratifica especialmente?
- ¿Qué potencialidades consigue expresar cuando se encuentra en compañía de amigos?
- ¿Qué concepción de la felicidad caracteriza al grupo de sus amigos?
- ¿La de la diversión? ¿La del fluir? ¿La de la trascendencia?
- ¿Y qué concepción de la felicidad persiguen los progenitores para sí y para su familia?
- ¿Cómo la viven concretamente?
- ¿Cómo pueden desarrollarla mejor?

GABRIELE: LOS QUE "NO" AYUDAN A CRECER

EL CASO

LA SITUACIÓN

Gabriele tiene 13 años y apenas ha entrado en la adolescencia. Le encanta jugar al balón y estar con los amigos. Le gusta la ropa de marca, adora los centros comerciales y detesta el colegio. Según crece va enfrentándose más a sus progenitores, en especial a su madre. Es caprichoso, discute con su hermano pequeño, desobedece y no respeta las normas. A la madre le preocupa el cambio de su hijo. Percibe que ha perdido la autoridad de antaño, le intimida su agresividad y tiene miedo de su autonomía porque lo ve muy inmaduro; prevé que la situación empeorará según crezca, y teme consecuencias negativas para su salud e incluso para su vida. Quiere salir de este estado de impotencia y volver a una relación más serena y consciente.

EL PACTO DE "COACHING"

Cuando Gabriele ve el vídeo donde sus padres le anuncian que lo dejarán solo durante unos días porque les preocupa su permanente oposición a todo, las disputas con su hermano, su comportamiento en el colegio, se echa a reír; pero es una risa nerviosa, como diciendo: «¡Y a mí qué me importa!». Enciende la tele, pone un programa de Sky y juega con una lámpara rodeado de cámaras, realizadores, guionistas, técnicos. No le disgusta el viaje de sus padres durante un par de días y, además, los extraños de la "tropa" televisiva le caen simpáticos. En su mente empieza a compensar su ausencia: se trata de un programa de televisión, puede hacer lo que quiera. Imagina ir de compras a un centro comercial o a jugar al tenis en Capannelle, círculo que frecuenta habitualmente, pero se de inmediato plantea un interrogante: ¿con quién va a dormir?

Cuando aparezco me recibe sin mostrar emociones especiales. Le comunico que nos vamos a la playa, pero se rebela. Se escapa, se encierra en el baño, el único refugio, y se niega a hablarme. El equipo del programa es presa del pánico ante esta reacción: el primer capítulo de la serie parece a punto de saltar por los aires. Gabriele da la impresión de estar descompuesto, desesperado. Los padres me lo han dejado a mí, pero él estaba seguro de poder volver con ellos cuando quisiera. Tal vez haya infravalorado las consecuencias de un *reality*; no pensaba que fueran a dejarlo solo, se imaginaba que todo estaría a su servicio. Intento hablarle, le explico que no se hará nada que él no quiera hacer. Y, sin embargo, el problema es exactamente ese: ¿Qué quiere Gabriele? Salir en televisión, convertirse en *publicitario* (tal vez pretende ser actor de anuncios de televisión), pavonearse ante sus amigos, hacerse famoso, obtener un equipamiento completo de tenis con raqueta incluida. Se muestra irreductible: quiere quedarse en casa, ir de compras, al club a jugar al tenis; yo le propongo una excursión a la playa. Dos posturas irreconciliables. Tenemos la impresión de que tal vez el capítulo no deba hacerse.

Pero después, quién sabe a través de qué vericuetos mentales, Gabriele comienza a ceder. Tal vez se da cuenta de que debe colaborar por lo menos un poco si quiere salir en televisión, y que no alcanzará ningún objetivo si continúa en sus trece. Por mí está muy bien lo de ir de compras, el fútbol sala o cualquier otra actividad que desee hacer, pero tenemos que hablar con la productora, los guionistas, tener en cuenta la lógica del programa y, sobre todo, tener voluntad de seguir el itinerario que, en mi opinión, pueda resultarle útil. Gabriele, pues, empieza a negociar. Iremos unos días a la playa, dormirá conmigo y, si las cosas no van bien, le prometo que lo devolveré a Roma. Gabriele, ya más tranquilo, sella un pacto de confianza conmigo, algo inédito hasta el momento.

LAS ACTIVIDADES

Llegamos a la playa de Pescia Romana. El paisaje es espléndido hacia el norte, con el blanco promontorio del Argentario, pero se hace inquietante hacia el sur, donde se perfila la silueta de la central de Montalto di Castro. En las dunas, frente al mar azul e invitador, le comunico a Gabriele que va hacer un curso de vela. Su primera respuesta, una vez más, es *no*: «Quiero jugar al fútbol». He aquí la reacción típica frente a la novedad: un no. Es un chico conservador que no quiere explorar lo desconocido, o ¿ tal vez se trata de otra cosa? Me doy cuenta de que responder *no* es un modo de ganar tiempo, el necesario para sintonizar y orientarse ante una situación insólita. La realidad de Gabriele es una situación consolidada, repetitiva; la que le presento es ignota, inédita, sorprendente. Su rechazo constituye una primera defensa necesaria para reflexionar, sopesar. Podría hacerlo, naturalmente, sin decir que no: ¿Por qué lo dice entonces? Porque se defiende del "acoso" de los adultos; considera que lo asedian. Cuando entiende que no es necesario defenderse empieza a mostrarse más receptivo, negocia, verifica.

Conoce a Mauro, instructor de vela, y le otorga su confianza. Subimos los tres a una pequeña embarcación: Mauro es escueto, directo, y, tras decir dos frases, permite que Gabriele gobierne la embarcación. El chico parece entusiasmado, aunque siempre de forma contenida. Mauro le propone que tome el timón, pero él se niega, como de costumbre. Después de cinco minutos lo intento yo para comprobar mi teoría de *me niego a fin de ganar tiempo,* y en espera de que se lo piense mejor. Termina por aceptar. Comienza eligiendo un rumbo, se siente a gusto en el timón, comprueba la trayectoria del viento y de la vela y se dirige hacia el horizonte, después vira hacia la playa, dejando dibujadas en el mar sus improvisaciones. En resumidas cuentas, se apasiona y al día siguiente no ve el momento de repetir la experiencia.

Cena con sus futuros compañeros en el campamento de la escuela de vela. Los alumnos son hospitalarios: se trata de un grupo compacto de chicos a quienes une la pasión por el mar, por estar juntos, por las relaciones de amistad y los amores de la semana del curso, que para ellos llega a su fin. Es como la tripulación que convive en un velero y recibe a un invitado: se muestran amables, risueños y también curiosos por la experiencia que está viviendo Gabriele. Cuando volvemos intercambia unas palabras con ellos pero se mantiene en sus trece, apenas come y no ve el momento de volver con el equipo de televisión. Al acercarse la hora de dormir, se opone radicalmente a pasar la noche en una tienda con otros cinco chicos: está enfadado, se siente herido, traicionado, tal vez humillado incluso en su necesidad misma de oponerse. Cuando le digo que dormiremos juntos, se tranquiliza. La presencia de un adulto sacia su necesidad protección y le calma, también la noche, cuando todo peligro parece cesar. Siente que un adulto tiene que velarlo. Nos vamos a la habitación, y una vez acostado me dice que a la caída del sol, cuando la noche lo envuelve todo, se inquieta y tiene miedo del silencio porque se siente privado de su ambiente y de sus cosas. Sigo hablando con él y le cuento la historia de Cristóbal Colón y de cómo el fracaso de su viaje ocasionó el descubrimiento de América. Se adormece escuchando mis palabras.

Al día siguiente Gabriele quiere salir de nuevo al mar y se suma al grupo. Hace amistades y se divierte. Pasa toda la mañana con los compañeros, pero a la hora de la comida vuelve a mostrarse inapetente. Las actividades continúan por la tarde y, cuando el crepúsculo se avecina, me pregunta si a las siete puede jugar un partido; le digo que sí pero solo si pasamos otra jornada en el campamento, es decir, si renegociamos nuestro acuerdo. Rechaza esta posibilidad, quiere volver a Roma y le acompaño a casa a la hora prometida.

A Gabriele le preocupa siempre quedar mal, ser humillado por los otros, ponerse a prueba en situaciones nuevas. Intenta entonces manipular a la gente del programa, al realizador, a los cámaras. Intenta oponerse a las propuestas porque no forman parte de su cotidianeidad, como ir a comer a un McDonald's. No entiende que los demás están trabajando con él y que complicarles la vida contribuirá a que no le resulte simpático a nadie, pero esto no parece preocuparle. Cuando cae la noche la escuela de vela le hace un regalo: el instructor, con los alumnos presentes, le entrega una camiseta. Gabriele ni siquiera se digna a darle las gracias; su expresión es de absoluta indiferencia, quiere acabar cuanto antes con el asunto. Se muestra tan distante que ni siquiera le otorgan el merecimiento de un aplauso. Supone que es una farsa: ¿por qué le entregan ese regalo a él precisamente?, ¿qué tiene él que no tengan los demás?, ¿qué ha hecho él para merecerlo? Ha llevado las cámaras de televisión al centro de enseñanza y el centro se lo agradece. El instructor está decepcionado; concluida la supuesta ceremonia, le dice que esperaba por lo menos que le diera las gracias. Gabriele responde que ha dicho gracias, pero que está exhausto, agotado. Se excusa con el generoso instructor.

LAS CONCLUSIONES

Del coloquio con los padres se desprende que Gabriele utiliza la manipulación como instrumento habitual para relacionarse con ellos. Con su madre se puede permitir insultos, prepotencia, pero con el padre no. Convence a la madre a que no diga nada a su marido pidiéndole perdón, pero repite su comportamiento. Se equivoca, pide excusas y continúa equivocándose.

En su padre, sin embargo, encuentra apoyo ante su rendimiento académico negativo y complicidad frente a los profesores y frente a su madre («Si traigo una nota de queja, se lo digo a papá»), cosa que, obviamente, enfurece a su progenitora. En resumen, Gabriele juega con los diferentes caracteres de sus padres que, a su vez, conmigo se muestran muy orgullosos de ser distintos. No se dan cuenta de que su hijo los manipula para sus propios fines, y que deberían acordar una unidad de decisiones como pareja progenitora.

La madre de Gabriele tiene un intenso vínculo afectivo con su hijo, al que le ha dedicado la vida, pero, al concentrarse exclusivamente en los riesgos, vive presa del miedo. Intenta prever los peligros físicos, ambientales, sociales. Aunque las preocupaciones de la madre son siempre una garantía de supervivencia y de cuidado para el adolescente, a veces se adelantan a los acontecimientos.

En una ocasión, me cuenta, en la que Gabriele había quedado con sus amigos, decidió seguirlo a distancia, en coche. Gabriele, que está en buena forma física y que se entrena en atletismo, comenzó a correr a toda velocidad; cuanto más corría, más miedo sentía su madre, más suspicacia albergaba («¿Por qué corre? ¿Dónde va? Pero ¿no se cansa?»). Al final aceleró, se puso a la altura del chico y lo detuvo: ¡Descubrió entonces que corría porque llegaba tarde!

El miedo por su salud hace que no le dé chocolate y tampoco agua fría en verano. Es desconfiada con sus amigos, con el colegio (Gabriele ya ha cambiado de centro), con el entorno social. Está atenta a los peligros y a las debilidades de su hijo, pero nunca a sus potencialidades. Su estrategia de vigilancia comprende preguntas a los amigos de Gabriele (que se convierten en espías eventuales), control del móvil, seguimientos y otras cosas. De este modo ha forjado con Gabriele un vínculo que por un lado infunde miedo y por otra parte ofrece protección, impidiendo a su hijo que consolide su autonomía de adolescente y uniéndolo a ella. Gabriele duerme con su madre, aunque es sobre todo ella la que necesita de Gabriele por las noches; es solo otra forma de desconfiar de su hijo, ciertamente no de protegerlo. ¿Qué sucedería si ella no pensase siempre en todos los peligros eventuales? ¿Qué consecuencias habría? El padre se encoge de hombros y me dice que duerme en la habitación de Gabriele. «¡Fíjese lo que tengo que hacer!», exclama buscando mi complicidad. Es como decir: «En estos casos yo no me meto».

El padre de Gabriele parece un tipo cuadriculado, de los que creen en valores sólidos basados en el respeto y la autoridad. Pero es sustancialmente un compañero de juegos, un punto de referencia para la afición futbolística, como jugador o como espectador, poco preocupado por el rendimiento escolar de su hijo. En cuanto tiene un poco de tiempo lo pasa con los hijos, a los que quiere y con quienes parece divertirse. Su fachada autoritaria se derrite como nieve al sol cuando son ellos los que quieren jugar con él. Precisa que Gabriele no tiene las cualidades para el fútbol de su hermano, y esto provoca en el chico una cierta envidia. Gabriele comparte con su padre la afición por el Lazio, pero juega al fútbol sala con el Roma.

El padre se lamenta de las peticiones, cada vez más onerosas, del hijo. A Gabriele le gustaría cambiar de barrio, trasladarse a uno de más categoría. No le basta ir vestido con las mejores marcas: quiere lo mejor dentro de los muros protectores de su vida cotidiana, estructurada y organizada según parámetros dados, aunque esté sometida al control totalitario y de intromisión de su madre (¿pero qué puede esconder un chico de 13 años?). Estos aspectos hacen que tanto él como la madre se sientan seguros.

Intento entonces vincular sus peticiones al rendimiento escolar: visto que no tiene ninguna motivación intrínseca para el estudio, propongo una extrínseca. ¿Si quieres lo mejor, estás dispuesto a dar lo mejor? Sobre este punto busco la complicidad del padre, que esboza una sonrisa complacida, pero de Gabriele solo obtengo un modesto «bueno» un poco superior a la nota suficiente.

Por fin descubro que cuando a Gabriele le propuse el curso de vela, su respuesta fue negativa porque recordaba que su madre había volcado en una embarcación de esas características. Al final de nuestros dos días, Gabriele le dice a su madre que también él tiene derecho a vivir experiencias: querría «tener miedos propios», y no sufrir con los de ella. Le anuncia que de ahora en adelante quiere dormir solo.

POSIBILIDAD DE DIÁLOGO

Tenemos que darnos cuenta de que el desafío principal de un adolescente no es evitar peligros y amenazas, sino individualizar y desarrollar potencialidades, vivir serenamente, afianzarse en el deporte, aprender de los amigos, jugar, divertirse o experimentar con el arte y llegar al umbral de la edad adulta con entusiasmo, energía, afán de superación y voluntad de vencer. Un joven es optimista si está convencido de que logrará realizar sus proyectos y sus talentos. Entonces cree en sí mismo y en sus ideas, y se esfuerza por hacerlas realidad aceptando el sufrimiento como un atleta acepta el agotamiento si el fin es ganar una carrera. Sabe que los recursos psicológicos con los que cuenta no son solo interiores, sino que incluyen también los amigos, los amores, los afectos familiares. Saca lo mejor de sí para lograr una vida feliz, cambiando el mundo con y para los otros, no solo para sí mismo. Y desde esta óptica se pueden prevenir y afrontar peligros y amenazas. El amor fortalece, el miedo debilita; el autoritarismo doblega la creatividad y genera destrucción. Las normas deben fundarse en el amor y el afecto, en la coherencia y el conocimiento. Deberían vehicular una educación hacia una vida feliz. Un adolescente seguirá las normas si está convencido de que son útiles, lógicas, justas. Las normas positivas son recursos para mejorar la vida, no para limitarla. Nos preocupa más "decir los noes útiles para el crecimiento" que afrontar los "síes útiles para la felicidad común" (véase a este respecto la divertidísima *Di que sí* (*Yes man*) de Peyton Reed, con Jim Carrey). Es cierto que "la vida no es un camino de rosas", pero las estrategias educativas deben preservar siempre el derecho del adolescente a estar satisfecho. Aunque la vida lleva hacia la felicidad, esta es una búsqueda, un movimiento, una meta, una obra que se realiza en común, no un dato factual. Una persona feliz puede afrontar peligros, incertidumbres, dificultades y sufrimientos con más fuerza, energía, vigor y recursos que quien, dominado por el pesimismo, ha perdido la esperanza de futuro. Las normas deben ser arquetipos cuyo sentido es lograr esta meta, no poner límites fundados en el miedo. En el modelo educativo de Gabriele predominan preocupaciones y ansiedades en lugar de optimismo y esperanza.

La expresión de las propias potencialidades no basta para vivir una vida satisfactoria. Es la condición sine qua non, pero además el amor y la clarividencia son esenciales para individualizar los proyectos, los ámbitos, los contextos en los cuales hallar la realización personal. El amor permite cimentar relaciones positivas y gratificantes, y la clarividencia sirve de guía para mejorar nuestras elecciones. Estos elementos están en la base de la elaboración de una educación para el optimismo, que permita explorar las propuestas en lugar de rechazarlas a priori. Partamos del amor.

El amor es el sentimiento básico para elaborar, negociar y compartir las normas. Amar significa dialogar. Cuanto más crece el adolescente, más importancia cobra la comunicación. Toda regla debe estar sometida a discusión; el progenitor consciente alentará el intercambio de opiniones. La conciencia implica carisma, respecto, seriedad, coherencia, amabilidad. Es el indicio de un liderazgo positivo[42]. El adulto dirige el conjunto del núcleo familiar, y por tanto posee, por naturaleza y convenciones sociales, culturales y económicas, el poder del líder. Este hecho, sin embargo, no es un nunca autorreferido, no se basa en la acumulación de dinero y nunca se da por descontado. Los adolescentes dependen de los progenitores, pero la dinámica poder-dependencia resulta a veces una fuente de opresión. El liderazgo en lugar de ello se funda en la conciencia, en el diálogo, en las ideas compartidas y en la colaboración recíproca, en el optimismo y la esperanza.

La autoridad es tal porque se reconoce, se siente y se vive como justa y como fuente de bienestar común. Es positiva si es vehículo de amor, de atención, de respeto, de estima, de optimismo con relación al futuro y de confianza por parte del adolescente, que se prepara a vivir la vida en plenitud. Los padres elaboran y proponen las normas, los proyectos, las actividades, los deportes, el colegio o el instituto, pero serán los adolescentes quienes, al comprender su significado, compartiéndolos y haciéndolos propios, pongan en práctica las sugerencias y las indicaciones convirtiéndolas en realidades concretas. Una buena elección se origina en una propuesta de los progenitores enriquecida con la contribución filial. Entre que nace y se afirma hay un proceso de reelaboración donde abundan los diálogos, las explicaciones, la comprensión, la negociación. La idea inicial no será nunca la aplicada, sino que deberá pasar por el filtro crítico y enriquecedor del joven. Cada propuesta que se hacía a Gabriele recibía un no inmediato, casi como si el cambio y la

---

[42] Luca Stanchieri: *Essere leader non basta... Come costruire una leadership per il benessere e l'efficienza.* FrancoAngeli, Milán 2006.

novedad representaran una amenaza. Solo hablando con él y ganándome su confianza he podido abrir una brecha en ese muro de noes. Gabriele ha sentido que yo no era su enemigo.

En general, si el diálogo es positivo y se funda en el amor y la clarividencia, las elecciones del adolescente serán las mejores. Gabriele se ha hecho con el timón, ha navegado con autoridad, ha decidido que su experiencia debía ser distinta a la de su madre. Ha demostrado disponer de una extraordinaria potencialidad: la apertura mental, es decir, la capacidad de cambiar de idea cuando se ve frente a una persona digna de confianza y a una propuesta interesante.

SECRETOS PARA UNA COMUNICACIÓN A MEDIDA DEL ADOLESCENTE

Las mejores relaciones se basan en la confianza, el optimismo y el respeto, se desarrollan gradualmente y se alimentan de propuestas, normas y comportamientos específicos. El joven acaba por asociar el acuerdo y su observancia con la posibilidad de renegociarlo a su favor, porque ha demostrado ser digno de confianza.

A fin de aproximarnos a un entendimiento, sugiero unas cuantas normas metodológicas que pueden ser útiles para el diálogo sobre un tema tan delicado.

HABLAR MENOS Y ESCUCHAR MÁS

Los adolescentes lamentan especialmente que sus progenitores no les escuchen. Cuando el hijo habla, sus padres deben demostrar que lo escuchan de verdad.

Deben dejar lo que están haciendo, mirarlo, reformular las frases que dice, comprobar si le han entendido. Escuchar no significa juzgar de inmediato, sino ver las cosas desde el punto de vista del hijo. Además, no se debe escuchar para sacar a relucir los defectos, sino para intentar comprender:

- qué concepción de felicidad vive;
- qué potencialidades demuestra;
- qué actitudes aprende;
- qué competencias sociales desarrolla.

No se pueden "corregir los defectos" sin valorar los recursos. Si yo no hubiese escuchado los noes de Gabriele, si me hubiera negado a comprender su sentido, no habríamos hecho nada juntos. Escuchar significaba comprender el sentido profundo de ese no: «Espera, quiero pensarlo, quiero decidir solo». Si lo hubiese presionado, Gabriele lo habría percibido como una amenaza para su autonomía.

SINTETICE, POR FAVOR

Cuando hable, no divague demasiado, evite la trampa del sermón. Se trata de un diálogo, no de una conferencia. «Ciertas investigaciones mantienen que el adolescente medio mantiene un período de atención de aproximadamente 13,6 segundos respecto a lo que dicen sus padres». Evite la repetición del mismo concepto: no sería un diálogo sino un machaqueo. A Gabriele siempre le di tiempo para reflexionar.

SENTIDO DEL HUMOR ANTE TODO

El sentido del humor permite reírse ante las adversidades, abre espacios de discusión y de pensamiento desdramatizados. Bromear sobre usted mismo, sobre sus miedos, reírse con su hijo de la verdad de las cosas... supone una potencialidad trascendental. Es justo lo opuesto del enfurecimiento: reír juntos permite pensar juntos desde perspectivas distintas.

COMUNIQUE LO QUE USTED SIENTE

Fue fundamental expresarle a Gabriele mis sentimientos cuando él decía que no y cuando, por el contrario, se esforzaba en alguna actividad. Eso provocó que él, a su vez, me confiase sus impresiones antes de acostarse, demostración de confianza que valoro muchísimo. Sea usted consciente del tono de voz, de la expresión facial y del lenguaje del cuerpo. Procure resultar siempre auténtico y no manipulador: los chicos se dan cuenta.

PIDA PERDÓN SI PIERDE LOS ESTRIBOS

Gritando no se consigue nada, sobre todo con un adolescente; no recurra a ello de ningún modo. Si los padres se comportan como fieras rabiosas, darán a los hijos un pésimo ejemplo de cara al el futuro. Los jóvenes imitan los comportamientos de los adultos. Los progenitores que gritan tendrán hijos que griten, sordos a cualquier razonamiento.

Si está a punto de explotar, cuente hasta mil o refúgiese en el baño, en el despacho, en una habitación, salga de casa a dar un paseo o vaya al dormitorio a sofocar los gritos contra la almohada. La violencia nunca es aceptable; cuando pierda los estribos, pida excusas. Reconocer los errores constituye un buen ejemplo de humildad.

NO DENIGRE NUNCA A SUS HIJOS

El sarcasmo no es ironía ni tiene que ver con el sentido del humor: no le hace gracia más que a usted.

DISCUTA ÚNICAMENTE SOBRE LAS COSAS QUE CUENTAN

Demasiado a menudo se derrochan horas discutiendo minucias, como quejarse por el desorden de una habitación. El secreto de una buena relación con los hijos es reservar el aliento para los asuntos verdaderamente importantes.

La pregunta que debe formularse es: ¿Ese comportamiento amenaza la salud, el crecimiento o el desarrollo del chico? No se ha muerto nadie porque su cuarto esté desordenado, así que déjelo estar. Luche por los asuntos que realmente cuentan: los valores, el sentido de la vida, el respeto hacia el ser humano.

ELIJA UN BUEN MOMENTO PARA AMBOS

No discuta ni decida nada sin tener la mente lúcida y fría, y no lo haga tampoco cuando su hijo esté a punto de salir de casa. Busque el lugar y el momento idóneos, las condiciones y el estado de ánimo que mejor convengan a los dos.
Y recuerde siempre la siguiente regla: sea breve.

NO JUZGUE SU COMPORTAMIENTO COMO SI FUESE UN ADULTO

Si yo hubiese juzgado los noes de Gabriele como si fuesen los de un adulto que ha tenido experiencias y ha sacado conclusiones, no hubiese obtenido nada. Respeté sus negativas e intenté comprender el significado de profundidad.

A menudo se critica a los jóvenes porque comienzan cosas que luego no terminan, o porque cometen muchos errores. Experimentar, emprender actividades, abandonarlas o cambiarlas por otras forma parte de la exploración y del aprendizaje de quien quiere comprender el mundo por sí mismo. Equivocarse es necesario para crecer, no para ser condenado de por vida. Es justo, como dice Gabriele, que cada chico cometa sus propios errores y descubra por sí mismo de qué tener miedo y por aquello que se siente atraído.

ISABELLA: LA AMISTAD COMO ESCUELA DE VIDA

EL CASO

LA SITUACIÓN

A Isabella le apasiona el deporte: es una joven atleta que pasa horas en la pista de tenis entrenándose, sean cuales sean las condiciones meteorológicas. No va mal en los estudios y su familia goza de una posición socioeconómica que el padre define como «privilegiada». Sin embargo, en su preciosa casa livornesa de dos plantas, de jardín cuidado, con palmeras, una pequeña piscina y una sala con un equipo de cine doméstico, los gritos entre madre e hija están a la orden del día. Isabella y sus padres parecen incluso haberse atascado en la fase del conflicto, que es en cualquier caso un diálogo, un proceso de comunicación, un intercambio de opiniones organizado sobre argumentos sólidos. Cuando este intercambio falla, aparece una atapa de enfrentamientos que excluye toda posibilidad de actuar de forma constructiva, de aclararse. En las disputas, Isabella se refugia en su habitación o en el baño, pone una puerta entre su madre y ella. Se niega a colaborar en casa y su madre no se siente reconocida ni gratificada. Estamos, en suma, en el apogeo de una crisis de convivencia familiar.

EL PACTO DE "COACHING"

No obstante, cuando me reúno con ella, Isabella me recibe con una sonrisa. Es amable, aunque desconfiada. Vemos juntos las escenas familiares y, milagro, conversamos. Siente que hay un adulto que, en vez de juzgarla o condenarla, desea entender lo que le sucede. Isabella no está orgullosa de su comportamiento.

No reivindica las mentiras, las evasivas, las disputas. Ella también sufre con el clima que se vive en casa: su tono revela una nota de amargura. Es como si hubiese perdido la confianza en sí misma por la acusación, continuamente repetida, de que es una egoísta. Le hago algunas preguntas: ¿Es posible ser responsable, colaboradora y al mismo tiempo no perder la capacidad de expresarse? ¿Es posible prestar atención a las razones y a las exigencias de los demás y al mismo tiempo elegir el propio camino? ¿Es posible pensar en el bien común de la familia sin renunciar a las exigencias personales? No me dice que no, pero tampoco que sí. «Es difícil que yo me convierta en una persona responsable», afirma. Su sonrisa hace que me sienta a gusto y la pone al resguardo de expresar emociones que no quiere manifestar. Le propongo un recorrido en el que podrá verificar si la libertad y la responsabilidad, las exigencias propias y de los otros, son conciliables. Acepta el reto.

LAS ACTIVIDADES

Sé que a Isabella le gustaría tener un perro; se lo ha pedido muchas veces a sus padres. ¿Pero es efectivamente una exigencia suya? La llevo a una perrera de Livorno donde unos cuantos voluntarios cuidan perros abandonados, un lugar en que el amor por los animales se combina con la generosidad y la profesionalidad. La confío a la gente de allí y me retiro mientras los voluntarios le explican lo que tiene que hacer y le confían tareas sencillas sobre el cuidado de los animales. Isabella reacciona muy mal: los perros, que la acogen entre gruñidos, le dan miedo. Mi primer impulso es llevármela de allí, pero resisto y me doy otros cinco minutos. Aunque al principio se niega a colaborar, después decide intentarlo. La veo superar miedos, tensiones, desorientaciones. Llora y reacciona. Descubrimos así ciertos aspectos fundamentales: la fuerza de voluntad, que la ayuda a afrontar los retos cuando desea algo intensamente; la admiración que le suscitan los voluntarios, verdaderos héroes de nuestro tiempo; la dulzura de los perros, que no altera ni la presencia de un extraño. Isabella entiende que si hubiera tenido perro, no se habría ocupado personalmente de él: habría delegado en los padres. Por lo tanto, se trataba de un deseo infundado que la habría hecho aparecer una vez más como egoísta e irresponsable.

El sentido de la responsabilidad se estimula con actividades gratificantes; por lo que le propongo organizar un evento para sus amigos. Una cena que tendrá que planear, organizar y realizar. Isabella acepta perpleja pero contenta. Quiere a sus amigos y afronta el reto con gran determinación. Se pone inmediatamente a trabajar: piensa el menú, hace la compra, establece, –muy metida en su papel de ama de casa–, las normas de la cena, llama a Serena –su mejor amiga–, para que le eche una mano. Se esfuerza, se concentra y busca aliados (yo, el negociador, la amiga) para conseguir el objetivo propuesto. Su capacidad de relación y el círculo social del que disfruta le permiten superar las dificultades y hacerla más eficaz en la plena realidad. La cena resulta un éxito hasta cierto punto: sus amigos no quedan muy satisfechos con la pasta (en realidad, con bastante razón), pero todos están estupefactos ante la nueva Isabella que dispone, organiza, sirve las mesas y comprueba que todo va bien. Nadie la había visto nunca fuera del grupo donde se divierten, se ríen, bromean, hablan de chicos y chicas, pero difícilmente, –también a causa de la edad–, organizan eventos en los que no se prevea la intervención directa de los adultos. Isabella ha asumido la responsabilidad de que la velada resulte agradable y, más allá de sus intereses inmediatos, se ha centrado en que los amigos estén a gusto y lo pasen bien. Les ha brindado un regalo de amistad y amor. La he visto concentrada, preocupada, estimulada y, por último, gratificada y un poco irritada: «Desde luego, en vez de criticar tanto la pasta podrían apreciar el trabajo que me he tomado». Y tiene razón. Tal vez, generalizando estas consideraciones, comenzará a intuir que también su madre quiere ser gratificada por los esfuerzos que realiza a fin de asegurar el bienestar común de la familia: Isabella puede empezar a verla con otros ojos y a comprender más profundamente cuánto la quieren y cuántos recursos tiene a su disposición para hacer más feliz su vida y la vida de los demás.

LAS CONCLUSIONES

A los padres les hago ver las grandes potencialidades de Isabella y su capacidad de socialización, el amor desinteresado por los demás, que expresa a través de sus relaciones de amistad. Los padres, perdidos en el enfrentamiento por el presunto egoísmo de su hija, corren el riesgo de infravalorar sus activos principales: Isabella es capaz de "tejer" redes sociales ricas que constituyan sus espacios identitarios, de crecimiento y de comparación. En las tareas que le he confiado ha puesto de manifiesto su capacidad para salvar obstáculos inéditos y aprovechar las competencias de la gente que la rodea: el *coach*, los voluntarios, la amiga, el equipo de televisión. No manipula: pide ayuda, pero sin delegar.

No quiere ser sustituida, quiere ponerse a prueba, también en tareas que le desagradan, como en la perrera. Ser protagonista significa, entre otras cosas, elegir bien los aliados; y los padres, en este momento, no lo son. De aquí la ausencia de comunicación. En la reunión final, les sugiero que entablen el diálogo, es una modificación necesaria. Diálogo quiere decir intercambio, porque el diálogo implica escucha, atención. Al lamentarse de que su hija no los escucha, los progenitores de Isabella tienen oportunidad de comenzar por primera vez a escuchar y entender los cambios que su hija experimenta. En primer lugar, respetando sus espacios y otorgándole confianza; es fácil prever que Isabella pasará momentos difíciles. Los padres deben representar un refugio de seguridad para ella. Deben observar, escuchar, aprender a estar en silencio y, sobre todo, entender los que quiere. Si consiguen comprender que Isabella ha crecido, que está declarando su vitalidad, que explora las complejas relaciones con la vida, ella empezará a verlos como aliados, hablará, se confiará, pedirá ayuda y sostén, exactamente como ha hecho durante los días que ha pasado conmigo. Deberá enfrentarse de nuevo el centro de enseñanza, los conflictos con las amigas, las decepciones amorosas, los desafíos deportivos. Podrá fracasar en la asunción de las "tareas domésticas", pero será capaz de conquistar un terreno de interacción con respecto al amor, la amistad, la sexualidad, el futuro. Y podrá consolidar sobre nuevas bases el valor profundo de la convivencia en el ámbito de una comunidad de afectos.

EL GRUPO DE AMIGOS: UNA ESCUELA DE VIDA

El enfoque que pretende defender las normas básicas de convivencia y dejar en segundo plano el diálogo sobre las necesidades de realización de una chica como Isabella, tiene como destino al conflicto. Es como si la hija sintiese que sus progenitores no han comprendido sus prioridades: «Frente a la complejidad de la vida que me espera, ¿cómo pretendéis que me importe tener mi cuarto ordenado?», parece gritarles. Si no hablamos de las cosas más importantes, de las relativas a la autonomía, la realización y la felicidad, no podremos conquistar su confianza para hablar de habitaciones, armarios y ropa que hay que poner en orden.

La crisis que el centro de enseñanza ha sufrido en credibilidad y autoridad como institución educativa y lugar de socialización, ha creado un vacío en el conjunto del desarrollo formativo de los jóvenes: los chicos han llenado este vacío con sus grupos de iguales, ámbito de elección donde se expresa, se crea, se inventa, se manifiesta individual y colectivamente la cultura de la pertenencia. La importancia de los amigos para un joven es indudable, de ninguna manera resulta una novedad. La diferencia es que ahora estos grupos, formados por amistad, proximidad, afinidades o recíprocas pasiones compartidas, hacen cultura. El fenómeno del grupo, como todos los demás fenómenos nuevos, emergentes del caos de los cambios sociales, culturales y económicos de los últimos decenios, necesita ser comprendido más que controlado por los adultos. La carencia de conocimiento se transforma a menudo en terreno abonado para los medios de comunicación, que transmiten una imagen "escandalosa" del mundo de los adolescentes en lugar de retratarlos tal cual son en su realidad. Nacen entonces preocupaciones y angustias que impiden un diálogo sereno y dejan sin respuesta determinadas preguntas legítimas: ¿Qué representa para nuestros hijos el grupo de amigos? ¿Cómo pasan el tiempo? ¿Son buenos chicos? ¿Son prudentes? ¿Qué riesgos corren? Habitualmente, cuando un adolescente anuncia que sale esa noche con los amigos, el corazón de sus progenitores se sume en una ola de ansiedad.

Hasta el siglo XIX el paso de la infancia a la edad adulta estaba jalonado por una serie de ritos que definían la cultura, la pertenencia y las competencias. En el medio rural era determinante la pertenencia al territorio, mientras que en la ciudad prevalecía el distanciamiento establecido por profesiones y condiciones socioeconómicas. Fiestas, ceremonias religiosas, bailes, ritos de iniciación formal e informal salpicaban las fases cruciales de la existencia de las nuevas generaciones y las preparaba para un futuro preestablecido. Los ritos confirmaban identidades preconfiguradas, cuya característica era la continuidad social y cultural respecto a la familia, la clase social y el territorio. El joven crecía asumiendo para sí el porvenir que había sido pensado y preparado para él. Pero después de la Segunda Guerra Mundial tuvo lugar un primer cambio: las nuevas generaciones, nacidas a la sombra de una tragedia de proporciones inmensas, anhelaban la redención. La reconstrucción iniciada a partir de 1945, con sus correspondientes oportunidades, animó a los jóvenes y les impulso a investigar, a crear y a desarrollar un crecimiento económico y social que antes del conflicto había sido impensable. Desde entonces quedó definitivamente obsoleta la sociedad basada en la aceptación y la reiteración de la pertenencia social y cultural. La identidad ya no es un dato, sino una busqueda. Los padres ya no piensan en el futuro de los hijos como la continuación de sus vidas, sino que los chicos están llamados a realizar un complejo recorrido creativo para elegir su propio destino y cómo se ganarán la vida de mayores. Una misión tan difícil que a veces prefieren no pensar en ella.

El grupo de iguales representa una escuela extraordinaria tanto de formación personal, cultural y social para el desarrollo, como de establecimiento y enriquecimiento de la identidad. En la primera adolescencia, el grupo se busca sobre todo para *hacer* cosas. *Hacer* es la principal expresión del ser. El chico muy joven empieza a reunirse con sus amigos y a explorar por sí mismo el pueblo o el barrio con las primeras salidas a discotecas, heladerías, hamburgueserías, espacios urbanos comunes, campos de deportes, tiendas. Son los primeros momentos de libertad y resultan embriagadores, porque todavía son infrecuentes, preciosos: es la época de las "primeras veces". El helado o la hamburguesa tienen un sabor distinto a cuando los consumían con sus padres. Como promedio, sin embargo, prevalecen aún los grupos organizados por asociaciones culturales, deportivas o religiosas. Se frecuentan parroquias, centros de scouts, polideportivos, se asiste a cursos de música, de dibujo, se va a piscinas o academias de baile: todas son ocasiones de encuentro gestionadas y a menudo elegidas por los adultos. Después de los 13 años el peso del grupo informal tiende a hacerse preponderante –si no exclusivo–, y los grupos formales se frecuentan solo si se conserva una afición auténtica; los recordatorios de los padres sirven para muy poco: A., por ejemplo, ha dejado la parroquia a los 14 años y su familia lleva muy mal esa decisión. Han insistido, han presionado, se han enfurecido y han manifestado su disgusto. Han intentado persuadirlo por las buenas y por las malas, pero el chico se ha mantenido firme. Ya no necesita ir a la parroquia para reunirse y ver a los amigos. Ahora han elegido la plaza o el parque como lugar de encuentro; allí se sienten más libres para decidir juntos el modo de pasar el rato.

Las nuevas "comunidades informales" (sobre todo la denominada *pandilla*) nacen de ocasiones formales o de encuentros en el territorio. En general se piensa que los grupos formales son más seguros y protectores, pero la investigación sociológica desmiente categóricamente esta tesis: «Las asociaciones espontáneas que funcionan sin el control de los adultos, no son más peligrosas que los grupos formales ni tienen menos importancia que estos»[43].

Hay grupos de muy diferentes clases, y un joven puede frecuentar más de uno. Están los transgresores, que mantienen posturas de enfrentamiento con los adultos; los deportivos, cuyo factor de agregación es la pasión común por un juego o deporte los formativos, cuyos miembros comparten un esfuerzo social y cultural; los "descomprometidos", en busca siempre de estímulos y diversiones; aquellos cuyo aglutinante son pasiones tales como las motos, la PlayStation, los juegos de rol... En algunos casos tienden a integrarse en agregaciones más amplias, como los alternativos, los emo[44], los ciberadictos… que ofrecen una identidad social reconocida pero al mismo tiempo suficien-

[43] Alfio Maggiolini, Gustavo Pietropolli Charmet (al cuidado de): *Manuale di psicologia dell'adolescenza: compiti e conflitti*. FrancoAngeli, Milán 2004, p. 117.

[44] Véase nota de la p. 82

temente vaga en los contenidos y en las prescripciones, para que los jóvenes la vivan como mejor les parezca. La informalidad triunfa también en los subgrupos que se forman en los colegios o institutos. Una clase debería ser un grupo de trabajo con fines comunes, que van del aprendizaje a la creatividad, pero rara vez sucede esto a causa de la visión predominantemente individualista de nuestra cultura académica. Los adultos de hoy no recuerdan sus clases como ámbitos estructurados de aprendizaje. Más que los programas rememoran las amistades, los amores, los conflictos, las exclusiones, los juegos y las bromas.

Gracias a la conformación móvil y cambiante de los subgrupos informales, la clase se convierte en un lugar formativo en el plano de la socialización que escapa al control de las instituciones. Al no haber sido elegida, permite al adolescente encontrarse con personas muy distantes de su lugar de procedencia.

Los grupos informales suponen al mismo tiempo un terreno de encuentro y un laboratorio para definir el sentido de identidad, donde los jóvenes pueden descubrir, junto con los otros, cómo puede ser su propia imagen a causa del continuo cambio. Aquí los chicos hallan y verifican lo que les interesa, con quiénes están de acuerdo, y experimentan con su sexualidad. Justamente a causa de esta investigación, descubrimiento e invención, el adolescente llega a pertenecer a muchos grupos distintos; los cambios están a la orden del día. Lo peor que puede ocurrir es que la familia declare la guerra al grupo al que el chico pertenece, o incluso que lo considere un pasatiempo efímero. Especialmente si el chico no va bien desde el punto de vista académico, no colabora en casa o está perdido en su mundo, los padres pueden reconocer a sus amigos como elemento de distracción en los estudios, causa de desinterés o fuente de peligros. Se trata de un error grueso de interpretación. Cuando un adulto desencadena una guerra contra el grupo, provoca la reacción contraria a la pretendida. El chico, en lugar de alejarse de lo que su familia considera perjudicial y ponerse estudiar, se identifica por completo con sus colegas y relega a la familia al papel de enemigo. Los padres deben ser conscientes de esta dinámica y considerar el grupo, cuanto menos, como una realidad en la que el chico está inmerso y con la cual es preferible no entablar hostilidades. Cuando le propuse a Isa que fuese responsable con sus amigos, sintió que daba importancia a su grupo y acogió mi propuesta como un reto fascinante.

La preocupación, sin embargo, tiene fundamento y es preciso recurrir a un psicólogo experto o a un psicoterapeuta si hay...

- faltas numerosas y repetidas a clase;
- abandono escolar;
- indisciplina grave en el centro de enseñanza;
- actos ilegales;
- comportamiento violento;
- participación en dos o más riñas en poco tiempo;
- transgresión de los horarios de vuelta a casa;
- falta absoluta de diálogo.

AMISTAD Y SEXUALIDAD

Gracias a Isabella hemos hablado de amistad, lo que nos facilita abordar el asunto de la sexualidad juvenil. Aquí entran en juego distintos componentes: la propia identidad, los deseos, el cuerpo, las emociones, las relaciones. Exige elección e implica conciencia, diálogo y experiencia. Durante la adolescencia nos preparamos para abandonar los impulsos infantiles y adentrarnos en la sexualidad adulta. Si damos sobre todo importancia a que el cuarto del chico esté ordenado, nos perdemos un mundo de experimentaciones que, por el contrario, ocupa el centro de atención de nuestro hijo.

La sexualidad está estrechamente ligada a las etapas fundamentales del desarrollo. Del primer vello a la aparición de menstruaciones y poluciones nocturnas, el cuerpo experimenta una serie de cambios que duran hasta los 16-17 años. La definición de la identidad sexual, las elecciones sexuales, la experiencia de la atracción física y de la implicación emocional son determinantes en la formación de la personalidad. La relación que se tenga con los padres influirá en el desarrollo de las futuras relaciones de pareja. Quien haya sufrido una relación angustiosa tendrá miedo del rechazo y del abandono, quien en lugar de ello tendía a evitar a sus padres temerá que se forjen vínculos. No hablamos, sin embargo, de determinismos: las relaciones entre iguales en la adolescencia se convierten en matriz de emociones y creencias nuevas.

La sexualidad está marcadamente influida por los contextos culturales en los que el adolescente crece. En los últimos veinte años, los países mediterráneos han experimentado cambios radicales a este respecto. La virginidad femenina se consideraba antaño una dote matrimonial, un valor que preservar, un símbolo de pureza. Hoy, sin embargo, se piensa que la primera relación sexual es una puesta en valor de la persona, un índice de maduración. En 1995 las relaciones sexuales completas a los 14-15 años era del 2,4%; hoy la edad promedio es de 16 años, la mínima de 12 y la máxima de 19. Cada vez es más infrecuente que esta primera experiencia coincida con la primera relación amorosa. En la actualidad tener sexo en la adolescencia se considera normal, incluso cuando la "primera vez" sea a menudo insatisfactoria o directamente problemática.

Se acusa a menudo a los adolescentes de ser exhibicionistas, de filmar su actividad sexual, pero esto sucede en un porcentaje mínimo de casos; no obstante, la utilización pornográfica y mercantil de la sexualidad y del cuerpo femenino operada por los adultos es una realidad que se ha masificado.

Estamos ante una práctica despersonalizada que con frecuencia acompleja a las chicas, porque nunca tendrán un físico de azafatas televisivas, con pechos enormes y cinturitas de avispa; y a los chicos, por lo que respecta a las dimensiones de su pene. La consecuencia es que solo el 52% de las chicas están satisfechas con su cuerpo, porcentaje que se eleva hasta el 72% en el caso de los chicos. Estos, quizá por haber sido educados en un contexto favorable a las posibilidades "penetrativas", tienen dificultades (a menudo también de adultos) para conciliar deseo sexual y vínculos sentimentales.

El cambio de las costumbres y la exposición mediática no deben, sin embargo, llamar a engaño, ya que no comportan una mayor conciencia emotiva y física, y mucho menos una mayor información o preparación respecto de la sexualidad. Por otra parte, centrar la cuestión exclusiva y estrictamente en el plano médico-científico, tampoco ha facilitado el diálogo entre jóvenes y adultos.

A menudo la primera vez es decepcionante: para L. y M. ha sido casi traumática. Lo han intentado una y otra vez sin conseguirlo. Estaban tensos, avergonzados. Ella rígida, él totalmente inexperto. L. pensaba que no volvería a hacerlo en toda su vida. Los chicos viven su primera relación sexual por espíritu de imitación, para experimentar cómo funcionan, por complacer al compañero, para hacerse aceptar y amar más que por atracción, deseo, intercambio íntimo de placer recíproco. Puede que precisamente por la decepción de esas primeras experiencias que han vivido, la mayor parte de los adolescentes considere que las relaciones sexuales más satisfactorias se dan en el ámbito de las relaciones sentimentales.

Aunque el contexto cultural no facilita la sana maduración de la sexualidad y de las elecciones, a menudo protege la creatividad de los chicos. La primera tarea evolutiva de los adolescentes es sopesar las posibilidades del propio cuerpo, que tiene significado identitario, relacional, ético y afectivo. Lo que los psicoanalistas llaman la "mentalización del cuerpo", no es otra cosa que la conciencia de los cambios que experimenta y de las extraordinarias oportunidades de placer y de gratificación que ofrece. Amarlo, apreciarlo, cuidarlo es, para un adolescente, fundamental. Con frecuencia los padres se enfurecen ante los *piercings* o los tatuajes[45], pero he de subrayar que no hay razones para ello: estos ornamentos no tienen intención agresiva, de protesta, ni de ensañamiento contra sí mismos, sino que por el contrario simbolizan la necesidad de exaltar y perfeccionar la propia belleza. Son a menudo actos de amor hacia el propio cuerpo, que se expone como instrumento de relación, e indican conciencia de sí y de la historia personal. F., por ejemplo, ha tenido que luchar durante dos años contra el padre y la madre para hacerse un tatuaje que estos aborrecían. A los 18 años ha ganado la batalla. Pretendía hacerse escribir sobre un brazo el nombre de un abuelo muerto con el que estaba profundamente vinculado, y no se lo permitieron. Ahora se ha tatuado su propio nombre con las iniciales del familiar más querido como ornamento.

Una vez más, el grupo de amigos se muestra como un recurso extraordinario. Mediante el intercambio de puntos de vista, el diálogo con los otros, se analizan las propias creencias y se es testigo de otras. Se discute y se reta, se comparten los miedos, la confianza y la lealtad, si las hay, y se narran historias inventadas para estar a la altura de las circunstancias. El grupo es también primer trasfondo y laboratorio de la sexualidad.

Hasta los 14 años predominan los grupos unisexuales, pero tras esta edad las interacciones entre chicos y chicas se van incrementando progresivamente y empiezan a unirse; después, forman subgrupos. El grupo de amigos hace de mensajero del

---

[45] Para esta problemática recomiendo el estudio de Alessandra Marcazzan, Gustavo Pietropolli Charmet: *Piercing e tatuaggio, manipolazioni del corpo in adolescenza.* FrancoAngeli, Milán 2000.

amor, da apoyo, facilita el encuentro sexual. Es en este ámbito donde brota una cultura de la sexualidad y, como en otros campos de la vida, donde se busca una concepción de la felicidad. Una sexualidad hecha solo de emociones positivas, de placer en sentido estricto (*pleasant life*), quedará superada enseguida por una idea de la felicidad basada en el amor y en el intercambio íntimo (*flow*, o *meaningful life*). Al comienzo la atracción se vive en el seno de mas relaciones de carácter exploratorio, como divertimento o placer, pero también como experimentación de uno mismo.

Algunos varones, como G., alardean de una sexualidad de "usar y tirar" y se sienten invencibles. En el extremo opuesto, chicas como M. afirman que tienen miedo a ser heridas y abandonadas y que, por ello no, se permiten expresar lo que sienten. Pero ya a los 16 años la relación tiende a ser sentimental y compleja: las parejas comienzan a pasar más tiempo juntas, se dedican caricias, pensamientos, ideas, emociones y rápidamente la relación se convierte en lo más importante de sus vidas. Con frecuencia sucede en el mismo momento en el que se prepara el examen de selectividad: ¡Un argumento más para estar a favor de su abolición!

Si bien las relaciones sexuales se ven hoy con normalidad en la adolescencia, no se registra una mayor cultura sexual respecto a unos cuantos años atrás: como prueba, véanse algunos consejos que se encuentran en internet:

1. Haciendo el amor de día no te quedas embarazada.
2. La primera vez es imposible quedarse embarazada.
3. Para no quedarse embarazada basta lavarse las partes íntimas, después de cada relación, con refresco de cola o zumo de limón.
4. Si antes de hacer el amor te bebes tres whiskis, no puedes dejar encinta a tu chica.

5. A veces, basta con un beso para quedarse embarazada.
6. Si la relación dura menos de un minuto, los espermatozoides nunca alcanzan el óvulo para fecundarlo.
7. Cuando se hace el amor de pie, no te quedas embarazada.
8. En caso de hacerlo en el agua, tampoco te quedas embarazada.
9. Si se hace el amor con un chico que se ha masturbado mucho, no te quedas embarazada, porque ha consumido todos sus espermatozoides.
10. De no llegar la chica al orgasmo durante la relación, se evita el embarazo.[46]

Como la falta de información es la nota predominante entre los más jóvenes, la prevención de enfermedades de transmisión sexual y de embarazos no deseados es fundamental para llegar a una sexualidad libre y consciente al mismo tiempo. Los adolescentes son los usuarios más frecuentes de métodos anticonceptivos de emergencia, como la píldora del día después; casi la mitad no usa preservativo. En Reino Unido, por ejemplo, el 50 % de los embarazos se produce dentro de los primeros seis meses de la actividad sexual entre chicos.

En cualquier caso, la prevención misma no puede desvincularse del resto del desarrollo, y hay que ponerla en práctica *antes* de que los jóvenes se vuelvan sexualmente activos. Si es verdad que el grupo de amigos y amigas es la más importante escuela de vida, mantengo que los padres, en cuestiones de sexualidad, desempeñan un papel fundamental en la educación sentimental que no pueden delegar en ningún otro adulto.

Esta tarea es particularmente complicada, porque los adolescentes tienen la necesidad absoluta e inviolable de conocerse lejos del escrutinio de mamá y papá. Los progenitores pueden

[46] Massimo Barberi: *Sesso, tra miti e scienza*, en «Mente & Cervello», LIV; junio de 2009, año VII.

dialogar con sus hijos solo si respetan su autonomía de modo sagrado. Especialmente en este terreno, cualesquiera preocupaciones, miedos o intentos de control serán percibidos como amenazadores y ofensivos. Las consecuencias llegarán pronto: distanciamiento y conflicto.

El secreto está en lograr un clima que favorezca la escucha, el diálogo. Los jóvenes tienen muchísimas preguntas a las que no encuentran respuesta, y a menudo se avergüenzan de no saber muchas cosas. Cualquier ocasión es buena para hablar, pues los adolescentes pueden aprender mucho de nosotros. Es necesario darles toda la información sobre sexo seguro, pero este no puede ser el único objetivo de una educación sexual/sentimental. El principal reto del padre o de la madre es crear un ambiente en el que el adolescente se sienta libre para hablar de sexo, sentimientos y sexualidad. El diálogo debe dar la misma importancia a tres niveles diferentes:

- Comprensión de la anatomía y la fisiología.
- Información exhaustiva sobre métodos anticonceptivos y prevención de ETS.
- Discusión de las emociones y los sentimientos implicados en las relaciones sexuales.

En el caso de hablar serenamente de estos asuntos, las enfermedades de transmisión sexual y los embarazos se dan muy raramente. Se puede indagar también por qué se quieren mantener relaciones sexuales completas. Ciertos adolescentes dirán que los amigos les animan, otros que lo hacen porque es guay, otros para obtener amor o convencidos por su propia pareja, y unos cuantos más para demostrar que son adultos. Estas actitudes no deben ser objetadas ni despreciadas; hemos de ser conscientes de que muchas relaciones sexuales son aceptadas, pero no deseadas.

El objetivo del diálogo es sobre todo la educación sentimental. Hacer partícipes a los padres de sentimientos y sensaciones es fundamental para crecer en el plano afectivo. Esto ayuda al adolescente a armonizar su mundo sexual y su esfera emotiva en unas relaciones gratificantes donde el placer y el sentimiento, el amor por uno mismo y por el otro, el análisis físico personal y el conocimiento de la pareja están en constante diálogo y equilibrio. Hay que tener confianza: en el ámbito de la pareja el adolescente experimenta por primera vez el cambio físico y afectivo, lo que concretará y disipará las últimas dudas. El amor, también desde este punto de vista, hará milagros.

MARA Y MATILDE: EL FUNDAMENTO AFECTIVO DE LAS NORMAS

EL CASO

LA SITUACIÓN

Mara y Matilde son gemelas y viven en un lugar fantástico, un sitio erigido sobre una roca frente al mar: Cefalù. Son una pareja bulliciosa y, aunque ocasionalmente se atacan, delante de los demás manifiestan una unión y una complicidad que causa estupefacción, sobre todo cuando se trata de quebrantar las indicaciones de la madre.

Respetan las normas si son justas y provienen de alguien con autoridad. Descubro de inmediato que la madre es la primera que no cree en su propia autoridad, ya que ha perdido el control de las gemelas. Piensa que les falta la figura paterna. La interpretación del comportamiento irreverente de sus hijas parece a un tiempo expresión y causa de su impotencia y de su escasa eficacia. Las gemelas exigen, ordenan, disponen. Se han rebelado y han vencido; son la verdadera autoridad de la casa. La madre ha renunciado a su papel y desarrolla una paciente labor de servicio.

EL PACTO DE "COACHING"

Frente a ellas estoy en minoría. En cuanto me presento, Mara me rechaza y Matilde me estudia. La madre les envía un mensaje en el que declara que "dimite" por cierto tiempo. Matilde reconoce que le dan órdenes con frecuencia, pero que ¡no siempre las escucha! En suma que, incluso en calidad de súbdito, les crea problemas. Mara pregunta por la madre, pues la echa de menos casi de inmediato. Las hermanas son conscientes que le han dado disgustos. El pacto que forjamos es entrenarse para "darle" algo que la alegre. Aceptan. Matilde me pregunta si sé distinguirlas: ¿Quién es Mara? Me sorprendo y pienso durante un pequeño instante, pero me he preparado. Respondo sin dudar y exhalo un suspiro de alivio. Ahora somos aliadas.

LAS ACTIVIDADES

En la primera conversación compruebo que en realidad no faltan las figuras masculinas: Mara y Matilde tienen sus respectivos "chicos", amigos, tíos o amigos de la madre, con los cuales hablan y se relacionan amistosamente de manera habitual. El hecho es que las gemelas son muy diferentes entre sí: solo se unen a propósito contra la madre. Entonces se convierten en una fuerza única, con personalidad y sensibilidad distinta pero con un fin común. Mara vive una gran confusión afectiva. Para ella: 1. La madre es una hermana mayor. 2. La hermana es su mejor amiga. 3. El tío es como su padre. 4. Sobre el padre *no comment*. Matilde parece más responsable, tiene un claro sentido del futuro, da la impresión de ser más prudente y razonable, pero se pliega de buen grado a la intolerancia de Mara, cubriéndola y cubriéndose. La madre tiene para ambas muchas cualidades, pero se aprovechan de ella. La infravaloran, dicen que es exagerada, nerviosa e insegura, y esta se culpa de ello. En resumen, no parece haber salida.

Acordamos hacer un recorrido por Palermo. Comenzamos pintando cuadros, para afirmar la individualidad de cada una y exaltar los diferentes recursos. Mara expresa a través de colores y líneas su idea de libertad, Matilde elige sin embargo representar la felicidad; al redescubrirse, el aprecio recíproco de las hermanas aumenta.

En el parque de la Favorita seguimos un recorrido orientativo: las chicas deben encontrar un camino para alcanzar la meta, colaborando, utilizando la brújula, consultando el mapa, encarando el miedo a perderse. Me divierto estimulándolas, presionándolas: reaccionan bien, comentan, discuten, establecen nuevos acuerdos, actúan y cada etapa es un paso más hacia la meta. En el puerto jugamos con las ideas y las emociones experimentadas: el coraje, la determinación, la alegría, la unión, la comparación. Mara y Matilde se divierten y razonan.

Somos conscientes de que están creciendo: tienen personalidades definidas, fuertes, no les basta respetar las normas, deben ir más allá. Es hora de que comiencen a dar algo a la madre, no solo a recibir de ella. Únicamente de este modo pueden demostrarle que reconocen plenamente su autoridad. Veo lo distintas que son y me pregunto: ¿Dónde encuentran su unidad? En la contraposición a su madre, es la respuesta unánime. Están unidas "en contra de", no unidas "por". Juntas descubrimos que, colaborando en su diversidad, forman una fuerza extraordinaria, creativa y constructiva, que pueden poner al servicio de la madre. Pero, para eso, deben repasar el concepto de "respeto".

Pese a los errores que la madre pueda haber cometido, las chicas reconocen que sola, sin ayuda, les ha dedicado la vida a ellas, dándoles afecto y protección, amor y educación, posibilidad y perspectivas de crecimiento, formación y desarrollo. Merece respeto, pero no lo obtiene. Las gemelas pueden y deben hacer mucho más que observar las reglas. Ya no son niñas a las que hay que proteger, sino jóvenes que pueden contribuir activamente a la felicidad común.

LAS CONCLUSIONES

Mara y Matilde comprenden que pueden poner su unidad al servicio de la madre, y piensan juntas en organizarle una excursión por Palermo. Del recibir al dar. Empezamos a concretar el itinerario, el coche, la pastelería, las tiendas. Los lugares que ver y los sitios donde comer, teniendo en cuenta las preferencias y los gustos maternos. Objetivo: ¡Hacerle pasar un día magnífico! Lo conseguimos, no sin esfuerzo y con gran vergüenza, pero damos ese primer paso. Por primera vez la madre recibe un regalo de sus hijas, un testimonio de amor y reconocimiento. Respetar y seguir las normas de la casa será ahora más fácil y gratificante. La madre comprende que puede y debe recuperar el control de la familia, que tiene derecho a su autoridad y a recibir afecto sin condiciones. Puede estar orgullosa del óptimo trabajo que ha hecho con sus hijas.

LO INEVITABLE DE LAS NORMAS

Partamos de la base de que es imposible vivir sin normas. Aunque no sean especializadas, declaradas o divulgadas, estructuran la convivencia, las relaciones y la comunidad. Sin embargo, se llega a afirmar que "no tener normas es una norma".

Las normas pueden ser *implícitas o explícitas*, y son expresión de la cultura y del contexto en que vivimos. La cultura, es decir, el conjunto de valores, creencias, criterios de una familia o una comunidad se expresa a través de las normas, que la configuran y la resumen. Una vez proclamadas, cuando ya han establecido la modalidad de conducta personal y social, las normas tienden a su vez a modelar el contexto que las ha creado.

Las normas no son siempre explícitas, y a menudo giran alrededor de leyes formales. Los conductores, por ejemplo, no suelen atenerse a la norma que les obliga a pararse en los pasos de cebra. El peatón lo sabe y, antes de cruzar, comprueba si el coche se para o no. Cuando se detiene, el peatón le da las gracias. Cruzar la calle por el paso de cebra ya no es un derecho, sino un acto de generosidad y gentileza por parte de quien conduce. El peatón lo reconoce y trata de pasar lo más rápidamente posible (si anduviese demasiado despacio, significaría que está retando al automovilista). De este modo, en la práctica cotidiana se establece una norma fundamental que debe enseñarse a los niños para cruzar la calle: 1. Se cruza por los pasos de peatones o de cebra. 2. Sobre todo en los de cebra, hay que comprobar que el coche se detiene antes de bajar de la acera. 3. Si se detiene, se cruza. 4. Si no se detiene se espera a que la calle esté vacía.

Las normas son el fundamento de la convivencia o de su irreversible crisis. Considerando que son imprescindibles, podemos deducir que las hay positivas y negativas. En el ámbito de la educación, diremos que las *positivas* son aquellas que determinan modalidades comportamentales y originan contextos diseñados para defender y favorecer la integridad y la seguridad de las personas, desarrollar las potencialidades individuales, estructurar relaciones de convivencia y de conocimiento y generar productos comunes a través de la colaboración. Las *normas negativas*, por el contrario, ponen en riesgo la seguridad de la persona, generan conflictos que impiden el desarrollo de las potencialidades y dificultan la convivencia.

Existen también las *normas formales*, declaradas y explícitas, y las *normas efectivas*, que son las que realmente se aplican. En cualquier familia pueden convivir todas estas tipologías, que reflejarán la cultura y la modalidad de convivencia.

Por ejemplo, si se establece que el sábado se vuelve a casa a las 23 horas y el chico vuelve siempre a las 23:30 o a las 24 horas, se está instaurando la siguiente norma: dada una hora de regreso, es posible volver a casa hasta una hora más tarde. El resultado de ello son los gritos de la madre, que se prolongarán entre 5 y 10 minutos, seguidos por la charla paterna, de unos 2 minutos de duración. El mismo esquema puede repetirse hasta el infinito cada sábado por la noche sin mayores consecuencias. De aquí se deduce que la norma es infringir, en cierta medida, la regla impuesta por los padres.

En síntesis, podemos tener:
-normas implícitas y normas explícitas;
-normas positivas y normas negativas;
-normas formales y normas efectivas.

Tomadas en conjunto, son una indicación clara de la cultura familiar. Mara y Matilde viven según sus normas, mediante un mecanismo de autosuficiencia. La madre lo permitía debido a su sentimiento de culpa. Aunque había demostrado una fuerza extraordinaria, no se sentía con derecho a exigir nada. Las gemelas, por su parte, se comportaban al mismo tiempo como adultas y niñas. Puede que su petición soterrada fuera exactamente está: ¡Mamá, continúa dirigiendo nuestro crecimiento!

Antes de continuar, sería oportuno prestar atención a las normas que estructuran la vida y la convivencia en familia. Convertirlas en actos, hacerlas explícitas, es el primer paso para dirigir, reelaborar y modificar en positivo.

- ¿Cuáles son las normas explícitas y formales en su familia?
- ¿Cuáles son las normas implícitas y efectivas?
- ¿Cuáles son las normas positivas?
- ¿Y las negativas?

Atención: Al responder, hay que tener presente que las normas son siempre fruto de una negociación o de actos unilaterales por parte de cada miembro de la familia. También un adolescente dicta las suyas propias. Tomar conciencia de todas las normas vigentes en la cotidianidad de una familia es el primer paso para reformarlas.

LAS NORMAS ATRIBULADAS

Las normas positivas nacen del amor y de la afectividad; las negativas, de la ansiedad y del miedo. El paso de la familia autoritaria y patriarcal a la familia afectiva debe suponer el paso de las normas fundadas en la violencia, el castigo, la amenaza, a las basadas en el diálogo, la negociación, el conocimiento, el desarrollo de la convivencia.

Por desgracia no es siempre así. Todo padre o madre sabe lo difícil que es establecer y hacer respetar a un adolescente las normas formales, explícitas y positivas. El contexto general no ayuda. Los chicos tienen delante un mundo adulto donde, a menudo, prevalecen las prácticas negativas: la corrupción, la transgresión como fin en sí misma, el nepotismo, el enchufismo, las recomendaciones, las afiliaciones acríticas e incompetentes a determinados grupos de poder... Todo esto produce en ellos un cierto desencanto frente a las normas formales y dificulta la educación en normas positivas por parte de los padres. Las normas con gritos, impuestas, con amenazas, que no dimanan del afecto, del amor, del cuidado y del desarrollo, sino del miedo, de la angustia, de la preocupación o de la rabia llevan en sí un principio *emocional*: enfrentarse al adolescente para que dé seguridad a los progenitores atribulados. Prevalecen, por consiguiente, la reglas del "no": no vengas tarde, no fumes, no bebas, no te drogues, no pierdas el tiempo, no seas desordenado, no frecuentes determinados ambientes, no seas maleducado, no hagas que te expulsen, no critiques a los profesores, no pases demasiado rato con el ordenador, la Play o el televisor, no juegues, no grites, no te vistas así, no tardes tanto en el baño, no discutas con tu hermano, no contestes a tu madre, no pidas demasiado dinero, no corras con la moto o ciclomotor, no practiques el sexo, no inicies broncas.

Ciertamente algunas de estas normas son fundamentales, pero el sustrato cultural y emotivo que las genera y las estructura es más fuerte que su contenido formal, y lo trasciende. Las prohibiciones son el reflejo del miedo a perder el control, del temor a que el chico no sea responsable y de que un ambiente negativo pueda influir en el niño antaño perfecto. No nos damos cuenta, pero esta preocupación se transmite y pone de manifiesto una profunda desconfianza hacia el adolescente. Es síntoma de una estrategia educativa fundada en la ansiedad, la rabia, y a veces, la impotencia. El chico en plena transformación se percibe como un niño con cuerpo de adulto: tiene tintes de la inmadurez y la irresponsabilidad de los niños, pero con la libertad y el aspecto de un hombre o de una mujer.

El adolescente percibe la ansiedad de los progenitores. Ve su miedo como algo carente de fundamento, porque se siente capaz de afrontar los peligros de la vida y de gestionar las consecuencias de sus actos. Intenta tolerar su angustia, pero la considera desproporcionada, como si fuese fruto de un defecto del carácter. Los tranquiliza sin convicción, para evitar castigos. Aunque intenta conciliar sus intereses con los puntos de vista paternos, a menudo no lo consigue, se distrae y se muestra incapaz de afrontar el enésimo berrinche.

Sus deseos terminan por prevalecer sobre las preocupaciones de los progenitores, y hace lo que le parece. De aquí nacen, pues, los ciclomotores trucados, capaces de alcanzar grandes velocidades, las horas de llegada intempestivas, los deberes sin hacer, los cigarrillos fumados a escondidas, las cervezas de más. Los padres sienten que pierden el control: la ansiedad se transforma en este punto en rabia y se inicia una guerra infinita donde ya no hay principios, ni prioridades, ni valores fundacionales. Todo lo que hace el adolescente está mal, y el desorden de su cuarto o sus pantalones de cintura baja adquieren la misma consideración que los retrasos nocturnos o los deberes sin tocar. Las normas negativas son síntoma de una guerra que ensombrece las relaciones, profundiza el distanciamiento, hace imposible el diálogo y la discusión. Se puede llegar incluso a la violencia.

Todas las normas nacen de la cultura, fruto a su vez de diferentes visiones de la sociedad y de la vida. Los padres deben tener clara su concepción del mundo y comprender de qué modo pueden mejorar y hacer más feliz su vida y la de los hijos.

- ¿Cuáles son los valores fundamentales de su concepción de la felicidad?
- ¿Cuál es su concepción del ser humano?
- ¿Y de su idea de justicia?
- ¿Cómo deberían ser las relaciones humanas?
- ¿Cuál es el sentido del esfuerzo, del estudio, de la proyección creativa?
- ¿Qué importancia tienen el amor y la amistad?
- ¿Cómo vive y manifiesta concretamente la cultura descrita?

La cultura es una visión filosófica de la que nace la autoridad; del ejemplo práctico derivan el respeto y la credibilidad. Los progenitores están llamados a idear una filosofía de vida propia y a ser consecuentes con ella si quieren convencer al adolescente de las posturas que adoptan. No pueden limitarse a declarar e imponer: deben explicar, explicar y explicar constantemente un poco más aún. Con el corazón y la mente abiertos a la contribución de los otros.

LA SABIDURÍA: EXPLICAR, DIALOGAR, DECIDIR

Ser consciente de la cultura y la filosofía de vida propias, es la base de la confección y establecimiento de las normas; es la sabiduría que sigue al amor. Solo así el adolescente puede comprenderlas, hacerlas propias y respetarlas.

Por eso se precisa un diálogo creativo y constructivo. A la propuesta debe seguir la escucha, que es tal si se está abierto a las posturas ajenas, aunque sean muy distintas de las propias. Los padres logran tener empatía solo si se meten en la piel del joven, si ven las cosas desde su punto de vista, si comprenden sus exigencias y sus intereses. Lo justo y lo prudente es buscar reglas de juego que satisfagan a todos, no únicamente a una parte. Al hacerlo, aparece obviamente el egocentrismo adolescente. Los chicos están desarrollando un pensamiento ético, planteándose por primera vez el problema de la relación entre el bien individual y el bien común. La perseverancia de un progenitor es tan valiosa como el agua para la vida. Perseverancia en explicar, en entender y en explicar nuevamente, teniendo presentes todas las dificultades de diálogo que plantea un joven, teniendo en cuenta que su atención dura unos pocos minutos y que no siempre está disponible a hablar. Encontrar momentos y lugares en los que hacerlo es un arte. No se debe renunciar nunca; no imponerse significa hacer un buen uso de la autoridad, de la razón afectuosa, de la empatía que no niega los propios principios, del reconocimiento que no renuncia al desarrollo y a la educación para alcanzar la felicidad. El sentido de culpa es mejor dejarlo aparte.

Explicar y argumentar las normas significa indirectamente educar y entrenar al joven para la sabiduría, la justicia, la imparcialidad que gobiernan una microsociedad tal como la familia, justa porque está fundada sobre la expresión de las potencialidades individuales, relacionales y colectivas orientadas al bien común. Es una extraordinaria obra de formación y de compromiso cultural. Si abandonamos el estadio del miedo y de la angustia y en lugar de ello ocupamos el ámbito del desarrollo, de la construcción y del bien, nos topamos de frente con una empresa tan compleja como fascinante: el trabajo de los padres se convierte en el trabajo más reconfortante del mundo. Dialogar, explorar las diversas opciones, explicar los principios propios significa crear juntos normas que valgan para todos, porque conciernen al bien común de una pequeña colectividad de la que el adolescente forma parte. Nace y se desarrolla entonces el sentido de pertenencia a la propia familia, a la propia cultura, a la propia historia.

Un diálogo es democrático, equitativo y fructífero si se basa en una negociación clara. Termina bien si lleva a un acuerdo sobre las normas que se quieren aplicar. Se habrá hablado bien si se ha llegado a decidir bien (esta es una norma en sí misma), o si la confrontación concluye porque es el momento de dejar paso a los hechos. Si, después de haber hablado y reflexionado juntos, se acuerda la medianoche como la hora de volver a casa, esa norma debe aplicarse y respetarse: no puede renegociarse infringiéndola. No debemos confundir la posibilidad mental que permite revisar las propias convicciones con la violación en la práctica de lo que se ha establecido en común. Las infracciones no son revisiones, sino la pérdida de respeto a una decisión adoptada en conjunto. Toda decisión común puede ser modificada, pero solo si primero se ha aplicado con rigor.

Las normas principales son las relativas al horario de vuelta a casa y a los comportamientos que garantizan la seguridad (no conducir si se ha bebido, decir dónde se va, llevar el móvil siempre encendido, evitar las peleas). Resumiendo: las normas, como hemos visto, son fruto de un sistema en el que prevalecen *la comprensión recíproca, el diálogo, la autonomía y la responsabilidad*. Hay que explicarlas y deben ser pocas, claras y definidas, además, los padres deben comprobar que han sido entendidas. Según el adolescente crece irán renegociándose, pero una vez establecidas han de respetarse. Si tras una guerra de desgaste de dos a tres semanas de duración no se observa una mejoría clara en el comportamiento del joven, es posible que haya algún otro sustrato, y tal vez fuera prudente recurrir a un profesional.

En este capítulo he pedido:

- Individualizar cuáles son las normas formales y sustanciales actualmente vigentes en la familia.
- Establecer cuáles son los valores y principios culturales del progenitor o progenitores.

Antes de dar el siguiente paso, es necesario plantearse algunas preguntas más:

- ¿Las actuales normas efectivas corresponden a sus valores y principios culturales?
- ¿Cuáles, entre ellas, querría mejorar?
- ¿Qué ha hecho, hasta el momento, a tal fin?
- ¿Cuáles son las principales normas que, según usted, encarnan mejor sus principios?

LEDA Y ARIANNA: DEL CONFLICTO A LA COMUNIDAD DE AFECTOS

EL CASO

LA SITUACIÓN

Me encuentro con esta familia en Castellammare di Stabia. Los padres atraviesan una situación difícil: las dos hijas mayores, Leda y Arianna, chocan continuamente entre ellas, con la madre, Ginevra, y con las normas de la casa. No parece, sin embargo, que este conflicto tenga un propósito: su eje gira en torno a una convivencia fundada sobre un desconocimiento recíproco continuo. Cada pequeña divergencia se convierte en una ocasión para gritar, para imponerse violentamente sobre las demás, para difamar u ofender. Una situación en la que todos pierden: la madre, autoridad; la chicas, su valiosa calidad personal. Leda y Arianna se comportan como si fuesen mujeres adultas y maduras, y se ponen al mismo nivel que la madre. Cuando Ginevra dicta una norma, las chicas esquivan cumplirla con un mal disimulado desprecio. En este punto, los padres adoptan una solución drástica: me confían a sus hijas y se toman unos días de merecido descanso.

EL PACTO DE "COACHING"

Leda y Arianna visionan el vídeo de sus padres y la primera reacción es: «¡No cambia nada, que estén o que no estén es lo mismo!». Leda, sin embargo, parece desplazada, casi triste, en cualquier caso, desorientada. Arianna, opta sencillamente, por el silencio. No obstante, al conocerme se muestran solícitas, amables, acogedoras.

Charlando con ellas de esto y de lo otro me siento escuchada y respetada, porque soy una extraña y no formo parte del conflicto familiar. Este síntoma indica que tienen buena disposición para las relaciones sociales. Me siento a mis anchas, contenta y curiosa por empezar esta aventura. Advierto la fuerza vital que emanan y quiero contagiarme. Cuando les pregunto qué esperan de su trabajo conmigo, Arianna me dice que querría mayor serenidad; y Leda, más respeto. Me pregunto si los dos objetivos no están de algún modo relacionados.

LAS ACTIVIDADES

El primer recurso al que acudo es utilizar la gentileza, la atención, la comunicación que han demostrado conmigo para reestructurar el diálogo entre ellas. Empiezo por las cuestiones más espinosas: le pido a cada una que escriba los principales defectos de la hermana. La escritura exige un momento de concentración y meditación personal. Arianna querría ser más escuchada; Leda, más respetada. Desarrollo una función mediadora, de modo que la reflexión y el diálogo se encaminen hacia las cuestiones que han desencadenado el conflicto.

Por primera vez, quizá en meses, hablan, discuten, consideran por separado las razones de la otra. Leda quiere vivir sus experiencias, Arianna se percata de su impulso por protegerla. De aquí surge un proceso de desconocimiento recíproco. Ahora, sin embargo, se dicen verdades incómodas, pero en un contexto de confrontación constructiva. Se prometen confianza y voluntad de escucharse. Están unidas por un gran afecto, por una propensión fuerte y positiva hacia las relaciones humanas. Una vez neutralizada la agresividad, les permito que hablen. Y las veo contentas.

En segundo lugar nos dedicamos al *writing*, una actividad artística en la que pueden colaborar divirtiéndose. Del diálogo pasan a desarrollar una ocupación conjunta, lo que les permite entablar una relación fundada en la creatividad, la cooperación, el compartir. Al escribir sus nombres, experimentan que crear a dúo facilita la expresión de las respectivas individualidades. Afecto, empeño, diversión y novedad las une y, al mismo tiempo, hace aflorar el modo de ser de cada una.

La última actividad motiva una profunda desorientación. Sé que no usan casco cuando circulan en moto porque "estropea el peinado". Las llevo a que conozcan a Enza, una policía municipal, para que hagan una ronda con ella. Al conocer la minuciosidad de las ordenanzas, ven por primera vez el mundo desde otra perspectiva. Enza es extraordinaria: asume un enfoque pedagógico, pero sin arrogancia. Las chicas son leales, sinceras, abiertas, y Enza intenta con ellas la vía de la convicción. «No sabía que los maderos fuesen tan buenos», dirá Leda.

Las chicas viven un gran problema en casa: no respetan determinadas normas elementales de seguridad personal. He empezado a conocerlas: veo la intensidad de sus relaciones cuando dan protagonismo al afecto y al diálogo; veo la cortesía, la vitalidad y la apertura mental que demuestran fuera de casa. Advierto que las imposiciones no son suficientes en su caso: gracias a las potencialidades que atesoran, puede incluírselas directamente en la creación de las normas. Las acompañó a conocer a un voluntario de la Cruz Roja que imparte un breve curso de primeros auxilios. Con Stefano adquieren unas habilidades que les serán muy útiles en caso de emergencia. Podrán protegerse personalmente, pero también ayudar a otras personas que se encuentren en dificultades. Las chicas advierten que no es una autoridad que se impone, sino que pueden participar en la definición de las normas, hacer una elección libre y responsable. Leda me dice: «He aprendido, he bromeado y sé que podré ayudar a otros». Poniéndose a prueba, quizá hayan comprendido el valor de la vida y la necesidad de protegerla.

LAS CONCLUSIONES

Los padres me reciben efusivamente, como si se encontraran con un viejo amigo. Les muestro el trabajo realizado con sus hijas, su potencialidad, su fuerza, el afecto que las une, la claridad mental, la espléndida humanidad que me han contagiado. «Esperemos que dure», me dice la madre.

Cuando la familia se reúne, hay un aluvión de besos, de abrazos, emoción, felicidad. Arianna es sensata, pero no debe criticar cuando aconseja a Leda. Esta tiene necesidad de expresarse y de cometer errores; eso sí, respetando siempre a su hermana. El afecto, la serenidad, el respeto, el amor característicos del alma de esta familia son sus verdaderos recursos.

CONVIVENCIA, DESARROLLO, PROTECCIÓN

Para simplificar el complejo trabajo de elaboración de normas que garanticen el buen crecimiento y desarrollo de los hijos y la pacífica convivencia familiar, podemos dividir las normas en tres grandes grupos:

- **Normas de convivencia:** son aquellas que garantizan la vida en común y su desarrollo; conciernen a los derechos y los deberes de cada uno de los componentes de la familia respecto de la casa, las comidas, el cuidado de las habitaciones, la gestión de los espacios personales y comunes. Deben garantizar la armonía y, al mismo tiempo, la autonomía de cada uno de los miembros.

- **Normas de desarrollo:** sirven para garantizar el sano desarrollo del adolescente, el cultivo de sus potencialidades e intereses, la formación académica. Algunas de ellas son hacer los deberes antes de jugar, participar en las reuniones escolares, elegir los deportes (qué puede hacer, cómo y en qué condiciones) y las actividades extracurriculares.

- **Normas de protección:** protegen al adolescente ante riesgos y amenazas, pero sobre todo garantizan su seguridad. Entre ellas se cuentan las normas de higiene, las normas que regulan los horarios de vuelta a casa por las noches, la utilización del ciclomotor o de la moto, la información sobre el alcohol y las drogas.

Es muy importante establecer también una jerarquía entre las normas: cuáles son susceptibles de negociar, cuáles son secundarias y cuáles fundamentales. Veamos algunos ejemplos:

NORMAS DE CONVIVENCIA		
PRINCIPIOS CULTURALES	NORMAS	CONSECUENCIAS
NUESTRA CASA ES UN LUGAR SAGRADO, UN PATRIMONIO EDIFICADO CON ESFUERZO Y SATISFACCIÓN, Y POR ELLO DEBE SER RESPETADO POR TODOS. ES UN LUGAR DE AMOR Y DE CUIDADOS RECÍPROCOS.	- TIRAR LA BASURA CUANDO CORRESPONDA. - MANTENER ORDENADO EL PROPIO CUARTO. - AYUDAR A RECOGER DESPUÉS DE LAS COMIDAS. - NO FUMAR EN CASA. - LLAMAR A LA PUERTA ANTES DE ENTRAR EN LA HABITACIÓN DE OTROS.	LA CASA ESTÁ LIMPIA Y ORDENADA Y ES AGRADABLE VIVIR EN ELLA GRACIAS A LA CONTRIBUCIÓN DE TODOS. SE GARANTIZA EL CONFORT DE LOS ESPACIOS COMUNES Y LA PRIVACIDAD DE LOS ESPACIOS PERSONALES.

NORMAS DE DESARROLLO

PRINCIPIOS CULTURALES	NORMAS	CONSECUENCIAS
EL COLEGIO O EL INSTITUTO ES LA PRINCIPAL INSTITUCIÓN FORMATIVA: ENSEÑA COMPETENCIAS FUNDAMENTALES, DESARROLLA EL CONOCIMIENTO Y LA CULTURA, PREPARA PARA LA VIDA ADULTA E INCREMENTAN LAS CAPACIDADES PERSONALES.	- DEDICAR AL MENOS DOS HORAS DE LAS TARDES DE LUNES A VIERNES, A LAS TAREAS ESCOLARES. - ESTUDIAR CON COMPLETA AUTONOMÍA. - LOS PADRES ESTARÁN DISPONIBLES PARA AYUDAR, PERO SOLO SI SE LES PIDE.	EL ESTUDIO NO ENTRA EN CONFLICTO CON LA DIVERSIÓN, SINO QUE LA HACE MÁS AGRADABLE. ES FUENTE DE SATISFACCIÓN, DE AUTOESTIMA Y DE APRENDIZAJE.
ES FUNDAMENTAL PARA EL ADOLESCENTE EXPLORAR, PONERSE A PRUEBA EN LOS DEPORTES PARA CONOCER SUS POTENCIALIDADES Y CRECER CON PRINCIPIOS SANOS.	- EL DEPORTE ES ELEGIDO POR EL ADOLESCENTE. LOS PADRES, SI PUEDEN, PERMITIRÁN QUE LO PRACTIQUE, LO CAMBIE Y LO ABANDONE CUANDO QUIERA.	PERMITE AL ADOLESCENTE EXPERIMENTAR, Y A LOS PADRES CONOCER LOS GUSTOS DE SU HIJO. LAS AFICIONES RESPECTIVAS TAMBIÉN SON FUENTE DE CONVERSACIÓN.

NORMAS DE PROTECCIÓN

PRINCIPIOS CULTURALES	NORMAS	CONSECUENCIAS
EL DESARROLLO DE LA AUTONOMÍA Y LA LIBERTAD VAN DE LA MANO CON EL PROGRESIVO INCREMENTO DE LA RESPONSABILIDAD Y LA PRUDENCIA.	- EL HORARIO DE VUELTA NOCTURNO SE ESTABLECERÁ SIN EXCEPCIONES. - LOS PADRES DEBEN SABER SIEMPRE DÓNDE SE ENCUENTRA SU HIJO. - ESTE DEBE COMUNICARLES SI EL MÓVIL TIENE COBERTURA O NO. - ES ACONSEJABLE QUE DÉ TAMBIÉN EL NÚMERO DE MÓVIL DE ALGÚN AMIGO.	LOS RETRASOS SUELEN INDICAR A VECES QUE EL ADOLESCENTE TIENE PROBLEMAS Y HACEN NECESARIA UNA MOVILIZACIÓN INMEDIATA DE LOS PADRES.
RESPONSABILIDAD SIGNIFICA CUIDAR DE UNO MISMO Y DE LA PROPIA SALUD, EXPERIMENTAR CON SERENIDAD LOS PLACERES DE LA VIDA.	- EVITAR EL CONSUMO DE TODO TIPO DE DROGAS. - BEBER CON MODERACIÓN; - NO CONDUCIR SI SE HA BEBIDO.	PERMITE EXPERIMENTAR LOS PLACERES QUE PROCURAN LA DIVERSIÓN, LOS AMIGOS Y LOS AMORES SIN CORRER RIESGOS. EL PLACER LLEVA HACIA LA FELICIDAD.

Le invito ahora a poner por escrito cuáles son para usted las normas fundamentales que constituyen su concepción básica de educación y visión cultural. Podría preparar un cartel con los principios culturales, las normas y las consecuencias, negociarlo todo con sus hijos y colgarlo en algún rincón de la casa, como si fuera una constitución. De este modo, tendría un cuadro claro de las normas negociadas mediante el diálogo con sus hijos y decidir sobre ellas y su cumplimiento.

CASTIGOS Y CONSECUENCIAS NEGATIVAS

No se puede exigir al adolescente rígidos esquemas morales o de conducta: siempre debe tener libertad de elección. Los padres gozan del poder económico, social y afectivo para determinar el grado de libertad o influir sobre su persona. Y si bien el chico puede desobedecer, el adulto puede complicarle la vida. En lugar de ello, el adolescente debe tener el derecho a equivocarse o a fracasar, a recibir lecciones de las propias experiencias dentro de ciertos límites. Quienquiera que viva presa del miedo al castigo, a las limitaciones y represalias paternas, corre el riesgo de ver el mundo como un lugar repleto de peligros y amenazas. Tendrá una visión del futuro sesgada hacia lo negativo.

En este marco se plantea el problema de las normas, de las diferencias de valores, gustos e ideas, y aquí hay un cambio fundamental respecto al pasado: la autoridad del adulto ya no deriva de los vínculos de sangre o de la incapacidad del niño. El adolescente plantea sus exigencias y quiere entender, polemiza, busca explicaciones lógicas, sostiene racionalmente ideas y deseos, verifica la congruencia entre los principios que los padres proclaman y su forma de ponerlos en práctica. Quiere salir de noche, frecuentar las discotecas, conducir el ciclomotor, vestirse de forma extravagante y conocer ideas políticas diferentes a las familiares.

Cuando los adultos se enfurecen y se enfrentan a toda esta batería de exigencias con preocupación, frustración y ansiedad, el joven lo percibe como un ataque a su modo de vivir, de comportarse, de crear y de identificarse con determinados valores. Sin embargo, de esta forma realiza su labor: está discutiendo normas y principios provenientes del exterior e intentando conformar los propios[47].

Los padres deben adaptarse a las potencialidades y nuevas necesidades del adolescente, sin olvidar que aún precisa de límites y apoyo externo. Para las cuestiones concernientes a la seguridad, las normas se proponen, se establecen y no son negociables. Para el resto, se pueden expresar las propias ideas sin imponerlas y con la máxima apertura mental posible.

A menudo los padres me cuentan que lo han probado todo, que le han retirado todos los privilegios, de la televisión a la Play-Station pasando por la paga semanal, pero que el chico continúa sin respetar las normas. Cuando surge esta situación, este conflicto permanente que puede durar semanas, meses o años, es necesario ¡declarar una tregua!

Los enfrentamientos no solo son indicio de diferentes posiciones en torno a las normas. Si fuese así, bastaría seguir dialogando hasta llegar a un nuevo acuerdo. Hay algo aparte que habitualmente no se afronta. Estamos en presencia de transgresiones y de objeciones que pueden ser consideradas como señales de alarma, peticiones de auxilio: la tregua permite afinar el diálogo. Los padres deben preguntarse cómo ven a su hijo adolescente. A menudo nuestra imagen ideal no se corresponde con la realidad; si es así, todo lo que el chico hace tiende a interpretarse como una traición, una discordancia, una desviación: cuando no responde a las expectativas puestas en él, se transforma en una persona “desconocida”. La primera cuestión que se plantea es aban-

---

[47] Eugenia Pelanda: *Non lo riconosco più. Genitori e figli: per affrontare insieme i problemi dell'adolescenza.* Franco Angeli, Milán 1995.

donar radicalmente esta imagen ideal y falsa y aceptar al adolescente tal como es. Puede que su oposición sea un claro mensaje de rechazo a las expectativas infundadas. Será un primer paso para entablar un nuevo diálogo y ayudarle a mejorar.

No obstante, las protestas pueden deberse a cuestiones relacionales: la ausencia de comunicación, la ambigüedad de unos padres que distan mucho de ser modelos sobre el terreno, la falta de escucha. Hay entonces que traducir constructivamente estas señales: el adolescente está mandando un mensaje, cuyo núcleo de verdad constructiva hay que considerar. Puede ser la ocasión de hacer un cambio relacional en el que el diálogo y el respeto sustituyan al conflicto destructivo, a una mano de hierro que solo conduce a una crisis de convivencia.

Hablar permite analizar juntos las consecuencias positivas de las normas y las negativas que se derivan de su infracción. Es necesario aclarar que si no se respeta una norma, habrá que afrontar consecuencias negativas.

Dialogar significa entonces educar en la toma de decisiones y el análisis del resultado de las elecciones y los actos. ¿Qué comporta llegar a casa más tarde de la hora acordada? ¿Y no estudiar? ¿Que sucederá si no colaboro en casa? ¿Qué pasará si infrinjo las normas? Educar en las consecuencias es muy distinto de amenazar con castigos irreversibles. Significa permitir la comisión de errores e infracciones, siempre que vayan acompañados de la reflexión sobre los efectos de un determinado comportamiento.

Antes de tomar una decisión hay que sopesar todos los aspectos, analizar las ventajas y las desventajas de una elección frente a otra y pasar revista a las consecuencias que se deriván de cada una. Si el adolescente aprende cómo se toma una decisión, podrá también infringir una norma, pero habrá adquirido una habilidad de la que se aprovechará toda la vida.

Enseñe al adolescente a aprender de las consecuencias que se derivan de respetar las normas o de infringirlas. El método tradicional de premios y castigos no siempre resulta útil, porque impide tomar una decisión y asumir la responsabilidad. Es importante que aprendamos las ventajas de un comportamiento apropiado y las desventajas de una transgresión, sobre todo si lo que está en juego es la seguridad. Algunas consecuencias eficaces pueden ser:

- Restricción de las relaciones sociales, es decir, nada de salir con los amigos durante un breve periodo.
- Suspensión de privilegios (tele, videojuegos, móvil).
- Reducción de la paga semanal (como multas).

Las consecuencias, tanto negativas como positivas, deben anunciarse en el momento mismo de establecer la norma.

Los padres pueden ser:

1. Comprensivos, si promueven la individualidad, la autodisciplina, la autoafirmación de los hijos; si buscan entrar en sintonía con sus necesidades, sus exigencias, sus objetivos.
2. Exigentes, si prefieren el control sobre el comportamiento, si esperan que los hijos sean maduros, que desempeñen un papel constructivo en el ámbito de la vida familiar, y si castigan la desobediencia.
3. Favorables o contrarios a las normas: para verificar la existencia de una actitud en un sentido u otro, hay que comprobar si las normas son claras o sobreentendidas, si se ponen en práctica, se negocian o se declaran.

Hemos querido hacer un gráfico con las cuatro posibilidades y hemos obtenido el siguiente modelo, que combina la comprensión con la imposición de las normas.

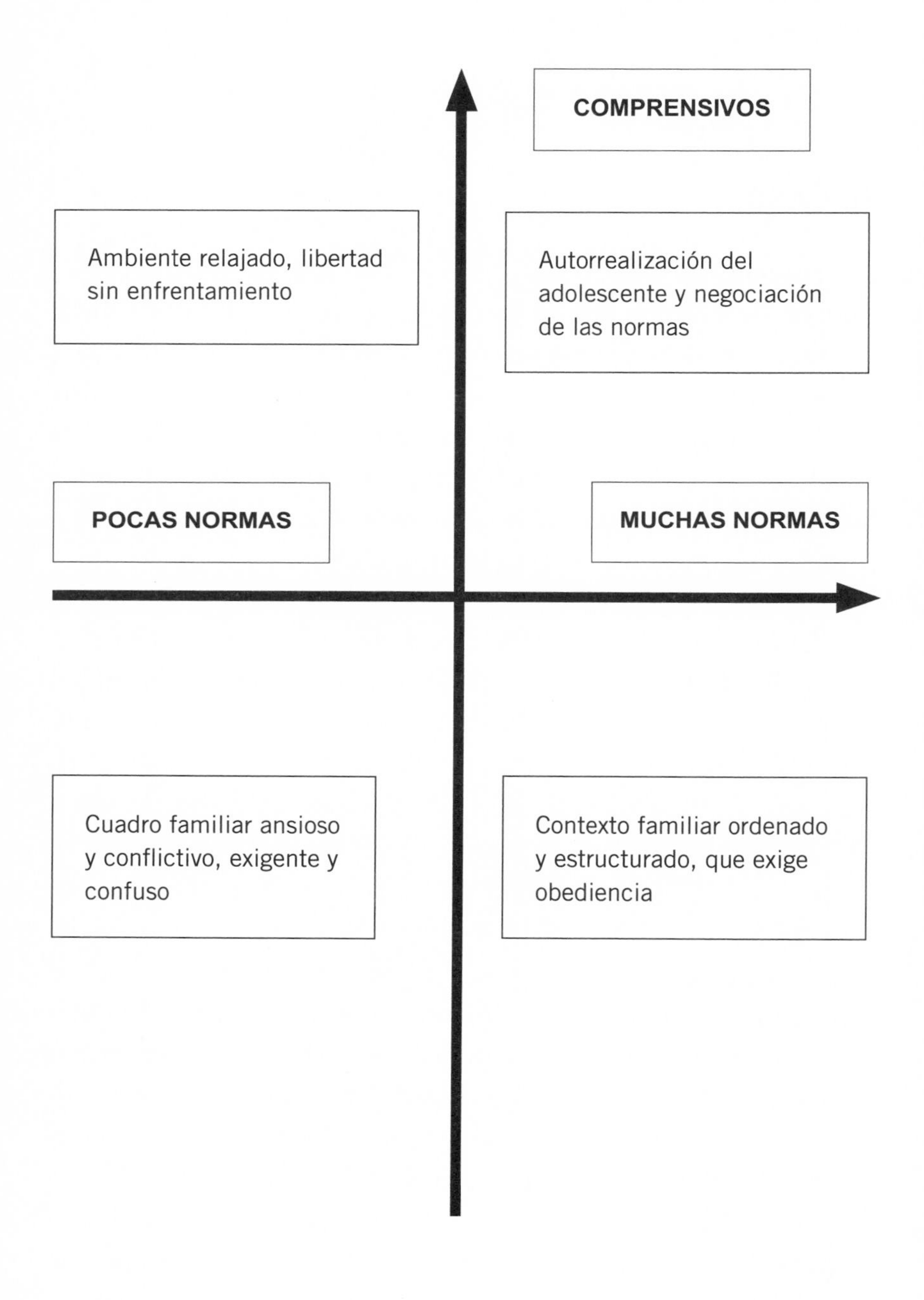
COMPRENSIVOS
Ambiente relajado, libertad sin enfrentamiento
Autorrealización del adolescente y negociación de las normas
POCAS NORMAS
MUCHAS NORMAS
Cuadro familiar ansioso y conflictivo, exigente y confuso
Contexto familiar ordenado y estructurado, que exige obediencia

ANDREA: LA ELECCIÓN DEL CENTRO DE ENSEÑANZA

EL CASO

LA SITUACIÓN

Andrea, de 14 años, me ha ganado el corazón. Por su vitalidad, su gracia, su alegría, su desenvoltura, su pasión por la vida y su capacidad de entablar relaciones afectivas, amistades, vínculos que le protegen y le dan bienestar. Andrea tiene una gran necesidad de amor, de dedicación, de acogida. Mientras hablamos busca siempre la proximidad, la alianza, el abrazo afectuoso. Es como si me dijese: si me quieres, estaré bien.

Su casa es el reino de los juegos, donde se desenvuelve con una agilidad impresionante, simulando los partidos del mundial de fútbol o de tenis de Wimbledon. Pero Andrea ya no es un niño y, por consiguiente, siente el estímulo de forzar las fronteras domésticas, a plegarlos a sus propios intereses, a invadir los espacios de la hermana y de la madre, sin darse cuenta de que así se encierra en sí mismo y se vuelve agresivo. Querría expresar en casa toda su vitalidad, pero es una prisión demasiado estrecha para su alegría de vivir. Debe salir al exterior, expresarse en otros territorios: solo de este modo podrá entender quién es, qué quiere, con quién prefiere jugar; entonces podrá explorar los espacios ajenos. Andrea ha sido expulsado a menudo, desconoce el sentido de los límites: pero ¿cómo puede tenerlos alguien de casi dos metros de estatura y que pesa unos cien kilos con 14 años?

La madre está al borde de la desesperación: Andrea no respeta las normas y comete una estupidez tras otra. Decepciona con frecuencia hasta al padre, que lo quiere con locura y siempre ha estado muy unido a él. Andrea le ha cogido miedo, pero el problema no es solo este: el padre tiene dificultades. No sabe cómo conciliar el afecto hacia su hijo y su papel educativo, porque pasa del autoritarismo a la amistad en un tristrás. Cuando es afectuoso, se comporta como un amigo y compañero de juegos; cuando quiere que se respeten las normas, se convierte en la viva imagen de la severidad.

EL PACTO DE "COACHING"

Visiono con Andrea unas cuantas escenas de la vida familiar: fundamentalmente broncas con la hermana y la madre. Está de acuerdo conmigo en que su casa se le ha quedado pequeña. Se siente como un animal herido que da zarpazos al azar. Quienes salen a comprar son también la madre y la hermana.

Establecemos juntos tres objetivos de trabajo: 1. Salir de casa. 2. Demostrarse a sí mismo que tiene capacidades. 3. Asegurarse de que puede alcanzar sus objetivos. Creyendo en sí mismo, en sus proyectos, queriéndose como persona, podrá reconocer también el valor de los demás y de sus espacios.

LAS ACTIVIDADES

Andrea tiene una personalidad compleja y muchas aficiones e intereses, como el tenis o la gastronomía, pero son pasiones sin esfuerzo, sin disciplina, como si para realizar un sueño bastase con desearlo intensamente.

La primera actividad a la que lo llevo es a la vendimia. Quiero que experimente lo que significa, el cansancio que acarrea, que conozca una explotación vitivinícola. Trabajo duro y esfuerzo combinados con conocimiento, con aprendizaje, con competencia. Andrea se afana y suda; querría descansar, pues no sabe cuánto aguantará. Es evidente que no está acostumbrado al trabajo duro: ¿Entenderá al menos que el estudio es menos agotador que las labores del campo? Establecemos una duración para esta actividad, y entonces se integra con los demás braceros y termina magníficamente lo que había empezado. Afirma que el cansancio no le da miedo, pero que preferiría cansarse para ser feliz, para alcanzar una meta propia. Siento que dice la verdad.

Descubro que Andrea, a diferencia de tantos otros chicos que he conocido, tiene sueños, ambiciones, objetivos, deseos, así como un agudo sentido del futuro. Pero es como si su misma alegría de vivir, positivamente contagiosa, lo llevara a vagar entre lo que le apasiona sin seguir un camino y un proyecto. Andrea, con relación a su edad, es grande, no solo físicamente, sino por las metas que se propone. Sin embargo, tal vez sea demasiado pequeño para tomarse algo en serio.

De todas las actividades, la del chef Alessandro Borghese es quizá la que más le atrae: en un restaurante se le comunica que tiene que preparar un plato. El chef es un adulto al que admira y que ahora lo pone a prueba. A diferencia del *coach*, que lo reafirma, el chef le da instrucciones, es severo, le da más de un consejo. Andrea confiesa haber sido expulsado de la escuela de hostelería durante el primer año. «No te favorece precisamente», comenta Alessandro. El chico encaja el comentario igual que cuando el padre lo regaña. Pero se queda mal: tras la prepotencia habitual acechan, en los asuntos más importantes, el miedo y la inseguridad. Teme equivocarse o decepcionar, ser rechazado, fracasar. Querría recibir estimulado, más que ser abroncado. Al final me confiesa que toda su vida ha sentido una gran pasión por la cocina, pero que también tiene miedo de no conseguirlo. Aunque desearía seguir el ejemplo de Alessandro, sabe que en la prueba ha estado torpe, superficial, tímido. Razonamos entonces juntos sobre su sueño. ¿Cómo puede un sueño convertirse en una meta? Andrea comprende que lo que necesita, antes de nada, es competencia, y que para obtenerla es preciso encontrar a un maestro y seguirle como discípulo. Debe transformar su vitalidad, su creatividad, su desbordante energía en puntos fuertes del aprendizaje si quiere que sus deseos se conviertan en objetivos, y estos en resultados palpables. Y aprender a afrontar sus errores sin que ello suponga la renuncia.

Al miedo de equivocarse puede encontrar remedio el padre: el afecto que los une, la autoridad del progenitor, puede servir de lanzadera a Andrea. Propongo ahora que practiquen juntos canoa. Tras las primeras dificultades, ambos encuentran un ritmo común. Cuando el padre asume la dirección de las paladas, de la intensidad, del rumbo, Andrea sabe confiar en él y hace un óptimo trabajo. Me pregunto si esto sucede también en la vida diaria.

Al concluir nuestra experiencia, Andrea me dice que cree en su uniforme de chef, que sabe que lo conseguirá. Ha tomado conciencia de que los medios indispensables son el estudio, el esfuerzo, la competencia, la convicción, el respeto. Le repito, no obstante, que todo eso solo es posible siguiendo a los maestros, a los que quiere más y a los que no quiere tanto, es decir, a los profesores del colegio o del instituto.

LAS CONCLUSIONES

Sé que para Andrea será complicado canalizar su extraordinaria vitalidad en un proyecto preciso; será presa fácil de las distracciones. Pero al mismo tiempo estoy convencida de que acabará por lograrlo. La vida arrastra hacia la felicidad, y a él le resultará perfectamente posible alcanzarla con el crecimiento. Podrá afrontar nuevos retos y sufrir nuevas derrotas, pero confío en que el paso de los años lo volverá más decidido. Espero sobre todo que continúe recibiendo, a lo largo de su itinerario el amor incondicional y la confianza que tanta falta le hacen. Sé que ayudarlo no será fácil, porque solicita afecto pero no sabe pedir ayuda.

LA ELECCIÓN DEL CENTRO DE SECUNDARIA

La elección del centro de secundaria es, tras la orientación dada por los profesores de ESO, el primer reto auténtico de los padres. El adolescente no es todavía lo bastante autónomo como para decantarse con claridad por una de las distintas posibilidades, ni está en posición de valorar aún las propias potencialidades y aspiraciones (¿Pero cuántos de nosotros somos capaces de ello?). Sería, por consiguiente, injusto dejarle toda la responsabilidad de la elección; es oportuno, además, que sean los padres quienes propongan una opción. No tiene sentido dar al chico completa libertad para elegir si aún no está en situación de hacerlo, ni, por el contrario, dejar caer desde lo alto una imposición sin explicaciones ni justificaciones de los motivos que la fundamentan. Proponer significa ofrecer una oportunidad adecuadamente argumentada y abrirse a la discusión. El diálogo es fundamental. Siempre que su elección se revele distinta a la de los padres, estos deben posibilitar un segundo debate con el adolescente, caracterizado por la reflexión en común. Pero la responsabilidad continúa siendo siempre de los progenitores.

Para los padres esta cuestión se suscita cuando comienza el último año de la enseñanza obligatoria. Dudas, replanteamientos, indecisiones generan a menudo cheques en blanco entregados a los maestros o a profesionales competentes. Pero en última instancia, padre y madre se quedan solos ante una decisión que tomar. He aquí unos cuantos criterios para orientarla.

La primera alternativa se plantea entre un enfoque *objetivo* y otro *subjetivo*.

El enfoque *objetivo* privilegia la "oportunidad de mercado", es decir, intenta entender qué centro garantizará en el futuro un puesto de trabajo. En los padres prevalece la preocupación por el porvenir del hijo, el deseo de verlo "colocado", el terror al desempleo. Sin embargo, hay aquí ciertas incongruencias esenciales que minan la posible eficacia de este enfoque. El mercado laboral es en la actualidad tan mutable, que resulta imposible prever quiénes serán los excluidos profesionalmente dentro de unos pocos años. El riesgo reside precisamente en basarse en las tendencias actuales.

El segundo enfoque es el *subjetivo*: se basa en una valoración del adolescente. ¿Pero cuál? Demasiado a menudo está vinculada al concepto de rendimiento escolar, en pocas palabras, a la "competencia" demostrada en los estudios: que es bueno en lengua, filología; que se le dan bien las matemáticas, ciencias; si va mal en los estudios, formación profesional. Más allá de estas reducciones simplistas (puestas en práctica mucho más de lo que pudiera creerse), el problema de ser bueno en esto o lo otro no asegura necesariamente el rendimiento futuro. En positivo y en negativo, depende de una serie de variables: los enseñantes, la relación con el entorno, el grupo de clase, la preparación recibida en la enseñanza obligatoria, la confusión de la primera adolescencia (véase el capítulo *Un universo que conocer y amar,* p. 170), pero sobre todo de cómo se desarrolla la evolución cognitiva y emotiva del chico. Aunque los éxitos académicos nos aportan cierta información, no nos dicen lo esencial y pueden ser muy engañosos. Debemos al menos situarlos con otro criterio: la gratificación, es decir, el placer que se obtiene al realizar una actividad y la capacidad de concentrarse en ella hasta perder el sentido del espacio y del tiempo. De las actividades gratificantes se obtiene otro parámetro esencial para la elección del centro de enseñanza: la valoración del potencial. Es necesario, pues, analizar:

- Deseos, sueños, pasiones del adolescente (de "lo que voy a ser de mayor" a los mitos, a las modas que sigue);
- Potencialidades, es decir, los campos en los que manifiesta sus principales virtudes: valor, conciencia, humanidad, justicia, templanza, trascendencia, coraje.

- Aptitudes, es decir, los sectores del saber que más le apasionan: cine, literatura, técnica, creatividad, teatro, música.

La eventual excelencia académica adquiere un sentido nuevo cuando se combina con el potencial, es decir, con la gratificación que el chico experimenta al dedicarse a cierto campo del saber.

Ejercicio para analizar el potencial del adolescente
- ¿Qué le gustaba hacer de pequeño?
- ¿Cuál es su pasión principal?
- ¿En qué campo de la cultura está inserta?
- ¿Qué virtud principal manifiesta?
- ¿A qué sueña dedicarse cuando sea mayor?

Parece complejo, pero también puede resultar muy sencillo. ¿Recuerdan aquel dragoncito que echaba fuego por la boca, pero que de mayor quería ser bombero? Pese a la oposición del padre y a los límites impuestos por su naturaleza de dragón aspiraba decididamente a ser algo bien distinto. Apagar los incendios echándoles agua y salvar a la gente era su sueño; un deseo preciso y unas potencialidades adaptadas al trabajo social: amor por la humanidad y valor. En todos nosotros hay uno de estos dragoncitos esperando la oportunidad de demostrar lo que es capaz de hacer. La elección del centro de enseñanza, si se hace de esta forma, puede ir acompañada de un proyecto educativo y formativo *integrador*; es decir, mientras se elige matricular al chico en un sitio u otro, se consideran asimismo las aficiones como la danza, el diseño o los deportes que ofrecen asociaciones y centros privados.

Del análisis del rendimiento académico y del potencial (no centrado únicamente en los resultados, en las notas) se puede obtener ya una idea del centro adecuado. En este momento conviene tener en consideración otros elementos del enfoque objetivo, es decir, verificar los centros de enseñanza que ofrece la zona. Como la enseñanza ha sido transferida a las comunidades autónomas, habrá que buscar en internet cada uno de los gobiernos regionales y allí la correspondiente consejería de educación.

ELECCIÓN DEL CENTRO DE ENSEÑANZA SEGÚN UN ENFOQUE INTEGRADOR

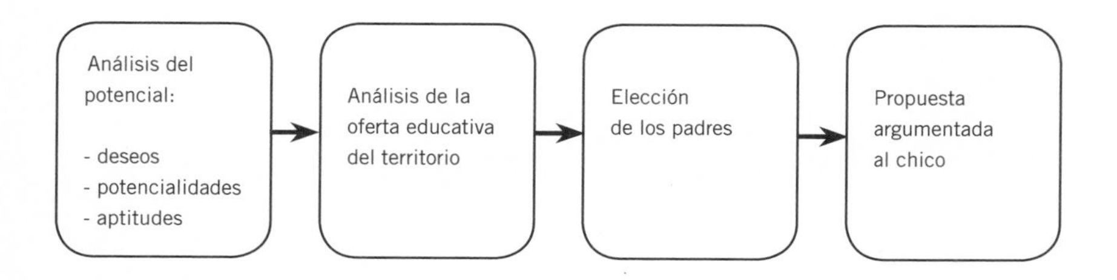

En fases sucesivas puede ponerse de manifiesto que la elección ha sido un error, es decir, que hay una incompatibilidad evidente entre el centro de enseñanza y el chico, o que este último deja ver intereses distintos. Pero para cambiar de colegio o de instituto no basta con que el adolescente saque malas notas o que, genéricamente, se encuentre a disgusto. He visto demasiados alumnos cambiarse de centro en vano, aprendiendo *de facto* una metodología de fuga ante las dificultades. Chicos que iban mal en un determinado centro, han ido peor en otro.

Hay, en mi opinión, dos únicos indicadores verdaderamente válidos a la hora de optar por un cambio de centro de enseñanza. En primer lugar, las faltas. Si son muchas (hablamos de un mínimo de treinta días lectivos de ausencia injustificada), indican que el chico ha desarrollado una incompatibilidad manifiesta con la vida académica de ese instituto. En cualquier caso, debe terminar el curso. El segundo indicador es en realidad un deseo de cambio enraizado, fundado y argumentado que el adolescente madura desde hace años. Esta circunstancia no suele acompañarse necesariamente de malas notas; hay chicos que han decidido dejar el bachillerato de ciencias por una academia de vuelo, porque están convencidos de que quieren dedicarse a volar profesionalmente; otros han hecho lo contrario. Algunos se han transformado de geómetras en hosteleros, porque estaban seguros de que podían convertirse en excelentes cocineros; otros más, por fin, han pasado de la contabilidad a los clásicos para profundizar en temas literarios, y hay quien ha elegido dejar su pueblo para asistir a un centro de enseñanza en la ciudad.

LA RELACIÓN CON LOS PROFESORES

Si queremos seguir a nuestro hijo en su carrera académica, no podemos abandonar las buenas relaciones con sus enseñantes.

El mundo de la docencia es extremadamente variado. Podemos asimilarlo a un universo que se aglutina en torno a dos polos opuestos: por una parte, el profesor preparado, autoritario, carismático, competente, que concibe su tarea como una vocación y se dedica constantemente a ponerse al día desde el punto de vista profesional (siempre a sus expensas), y que alimenta un interés sincero y auténtico por los estudiantes; por otra parte el profesor incompetente, carente de preparación, que casi ha olvidado las nociones básicas de su materia, que se muestra despectivo y fastidiado ante las expectativas de sus alumnos, que sufre a diario en clase y se queja del centro de enseñanza, de los padres, del estado y del sueldo, está frustrado y ve en la pensión el objetivo y la meta principal de su existencia.

Entre estos dos polos hay infinitos matices, grados de competencia y formación, pasiones e interpretaciones de una profesión difícil. El enseñante es un profesional de la educación y como tal se le considera, se le respeta y se le trata.

De la visión simbólica y emotiva que los padres tienen del profesor, emana el tipo de relación que establecen con él. Aquí hay también dos polos opuestos: una relación de subordinación frente a una de prepotencia. La relación de subordinación es emotiva y se basa en la convicción de que el enseñante goza de un poder jerárquico/burocrático y de que se le seduce con un pasivo asentimiento. Por norma, quien asume esta condición llega ante el profesor con la misma ansiedad que el estudiante cuando le preguntan: con una sonrisa tontorrona estampada en el rostro absorbe como una esponja todo lo que el enseñante le dice y, sobre todo, no plantea exigencias, no es proactivo. Después se desfoga con el adolescente o pretende sustituir al enseñante, hace las tareas del hijo y recrea en casa una clase paralela a base de repeticiones. En el polo opuesto está el progenitor que asume el rol de cliente, *pago-luego exijo*: no establece ninguna relación de intercambio ni de diálogo con el enseñante, lo considera básicamente un fracasado y, dispuesto siempre a acudir al director para protestar, es una suerte de cómplice del hijo, que posiblemente se carcajea mientras juega con la PlayStation. Si llega a casa una nota sobre el comportamiento inadecuado del estudiante, este es capaz de responder: «¡Es vuestro problema, no el mío!». Tras el despotismo se oculta un cheque en blanco que puede marcar el total desinterés, una completa ausencia respecto al desarrollo cultural del adolescente.

El progenitor súbdito y el *pago-luego exijo* encarnan emociones propias de todos los padres pero, al cobrar carácter absoluto, llevan a una condición de ausencia de diálogo. La devoción hacia la autoridad del enseñante no debe convertirse en sumisión acrítica, así como la rabia frente a profesores que no han logrado despertado lo mejor de nuestros hijos no debe transformarse en un cúmulo de sospechas. En mi opinión, la relación justa es la que se apoya en una demanda competente dirigida al centro y a los enseñantes, un compromiso cuya mira es el desarrollo cultural e individual del adolescente. Un diálogo abierto y constructivo, hecho de escucha y de colaboración. El progenitor asume una función integradora, ni sustitutiva ni delegada, respecto del centro de enseñanza. Participa de la vida académica procurando tener al menos cada dos meses una conversación con los enseñantes, transformando los encuentros en momentos de conocimiento o de intercambio. Puede resultar de ayuda esta relación de preguntas utilizada orientativamente:

En cada reunión hay que preguntar y preguntarse:

- ¿Qué competencias transmite el enseñante (es decir, qué programa, sobre qué temas, con qué objetivos)?
- ¿Cómo estimula la motivación del adolescente?
- ¿Qué tipo de valores inculca?
- ¿Qué potencialidades ha encontrado en el estudiante?
- ¿Qué obstáculos predice en su proceso de aprendizaje?
- ¿Qué consejos puede dar al progenitor para motivar aun más al chico en los estudios?

Un enseñante debe contestar a estas preguntas basándose en su autoridad, que no es la burocrática, sino la que reside en la competencia de ayudar al progenitor a crecer en su propio papel formativo y de apoyo al adolescente.

Es también importante pormenorizar los contenidos de la conversación al chico, y resulta fundamental no limitarse a los resultados negativos, sino intentar transmitir una visión totalizadora, salpicada de luces y sombras. Celebrar las cosas que van bien es más importante que resaltar las dificultades. Se trata de un momento de intercambio y de diálogo íntimo: son necesarios, por consiguiente, un tiempo y un espacio elegidos con cuidado. Restituir la potencialidad, los puntos fuertes, el embrión del talento, las pasiones que los enseñantes perciban es más importante que poner de manifiesto las carencias del chico, porque es exactamente haciendo hincapié en las cualidades del muchacho como este podrá afrontar también sus limitaciones.

Este momento de puesta en común no significa reemplazar el proceso de conquista de autonomía y responsabilidad del adolescente respecto al centro de enseñanza. Más que dictar órdenes o amenazar con castigos, es oportuno preguntar al joven qué objetivos se ha fijado de cara al futuro próximo y cómo piensa alcanzarlos, y establecer igualmente un momento de supervisión conjunta para discutir cómo van las cosas, analizar las dificultades y, sobre todo, celebrar los éxitos.

PATRIZIO: EL ADOLESCENTE INCOMPRENDIDO

EL CASO

LA SITUACIÓN

Veo a Patrizio por primera vez en un vídeo donde es entrevistado por gente de la redacción, según la práctica del programa. Responde con serenidad, mirada sesgada de pensador, perillita que acaricia mientras habla, locución refinada. Parece inteligente, antipático, presuntuoso, engreído y autorreferencial. Se define como «un chico italiano de la generación del 92 que habla con vocabulario adulto y cuyo bagaje de cultura general es netamente superior al resto de toda la clase». En el centro de enseñanza, sin embargo, suspende en dos materias. La superioridad intelectual de Patrizio constituye una continua provocación: es un genio en crearse enemigos. Corrige a los profesores si se les escapa alguna inexactitud, y denigra a los compañeros tachándolos de incultos y superficiales. La consecuencia de esta actitud es que en el centro de enseñanza no lo quiere nadie y siempre está solo. Se refugia en el mundo de la fantasía y de los juegos de rol. Su sueño secreto sería «tener una meritoria carrera de dominador del universo». Muestra una absoluta falta de respeto por los adultos que tienen relación con él, padres incluidos. En casa se opone y se rebela a los modelos educativos en los que se le intenta encuadrar. Por la mañana no se levanta de la cama si no es después de una durísima discusión con la madre, porque no logra abandonar «la irresistible pereza». La madre vive angustiada, desde todo punto de vista, por el futuro del hijo. ¿Es un genio rebelde e incomprendido que huye de la realidad, o tal vez un megalómano que se finge culto y que en realidad padece una ignorancia estratosférica? No sé, pero a mí me cae simpático.

EL PACTO DE "COACHING"

Patrizio me recibe con gentileza y sin provocaciones (¿Por qué las usa solo con otros adolescentes?). Parece que me considera a su altura. «¡Una solemne bobada!», es su comentario al mensaje de los padres. Es evidente que Patrizio lleva la máscara de la permisividad de la mañana a la noche, pero la lleva desde hace años y se arriesga a que se funda con su propio rostro. Infravalora el peligro, juega al límite: como lo mío es ficción, puedo recitarlo cuando quiera (lo que sucede es que si continúa así, se arriesga a perder el control). En este juego de rol, Patrizio se muestra inteligente, brillante, carismático incluso.

Al informarme de su pasión por el género *fantasy*, descubro que ha escrito el primer capítulo de una saga y que le apasionan los jugos de rol. Parece el chico de los mil recursos y, entonces, ¿cómo es posible que vaya tan mal en los estudios?

El pacto que le propongo es entrenar al Patrizio simpático y de grandes potencialidades. Aunque tiene dudas, está de acuerdo con observarse en los cambios y conducirlos con creatividad.

LAS ACTIVIDADES

Lo llevo a que conozca a un editor que ha leído el manuscrito de su novela y quiere comentarlo con él. Su opinión es lisonjera, positiva, pero le recomienda que se base en su experiencia vital. En resumen, que no exagere. Patrizio escucha en silencio. Cuando salimos, estoy casi furioso con él. ¿Cómo es posible que se haya mantenido en silencio? ¿Por qué no ha hecho preguntas? ¿Por qué no ha sacado a relucir su curiosidad? Estaba frente a un experto del sector editorial y literario, que pocos chicos tienen la posibilidad de conocer: ¿Por qué no ha aprovechado la ocasión para aclarar sus ideas, analizar otras perspectivas y objetivos? Mis palabras le sientan como un tiro: la máscara de la permisividad se revela inadecuada en la confrontación con un adulto competente y realmente interesado por sus ideas. Patrizio deja de lado la farsa y parece verdaderamente interesado en saber cómo proseguirá nuestro recorrido. Hemos tirado la máscara a la basura. Al menos de momento.

Patrizio me cuenta que tiene un gato en casa, pero especifica que «no lo poseo, es él quien nos ha elegido a mi familia y a mí». Decido llevarlo a un centro de adiestramiento para perros, a fin de ponerlo en una situación donde deba relacionarse y *hacerse valer* ante ellos. En cuanto los ve me dice: «Odio a los perros, me dan asco; si por mí fuese, los mataría a todos». A mí, sin embargo, me producen confianza, y él decide probar. Se divierte un montón. Comprende que un can no se vincula afectivamente por instinto ni por cobardía, sino porque la persona merece su afecto. Comprende que debe existir una relación de intercambio, que es también una relación afectiva. Juega toda la mañana con un grupo de perros que hasta ese mismo momento lo habían aterrorizado.

Patrizio está acostumbrado a ponerse la máscara de la permisividad, pero puede ponerse también la de la sonrisa. Teniendo en cuenta que no acepta las normas, la nueva actividad está ideada para hacerle comprender la importancia de la vida en sociedad. Señala que las relaciones con los compañeros de clase han mejorado desde que utiliza la ironía y, sobre todo, la autoironía. Tiene que ejercitarse en sonreír ante el espejo y dedicarse a dar vueltas intentando hacer sonreír a las personas con las que se cruza. El quiosquero de debajo de casa, el jardinero, el barbero, el del bar. «Tú suscitas la sonrisa en otra persona –le digo– si sientes dentro de ti la satisfacción de encontrarla». Patrizio se pone nuevamente a prueba, pero esta vez fracasa: no consigue sonreír al extraño, al nuevo, al adulto que no conoce. Resulta obvio que es un adolescente que no ha entablado una relación gratificante con el mundo de los adultos. ¿O tal vez es al contrario? ¿Quizá no se ha encontrado nunca con personas que lograran despertar su sonrisa y esperanza a la vida? Las personas mayores no merecen una sonrisa suya de primeras, se la tienen que ganar. No creo que todos los errores los haya cometido Patrizio.

Al final de nuestro recorrido Patrizio imparte a otros chicos una lección totalmente improvisada de *fantasy*; está avergonzado, aterrorizado, desorientado, pero es él mismo y realiza su tarea discutiendo y jugando con los nuevos amigos.

LAS CONCLUSIONES

Los padres me reciben con curiosidad impaciente. Les preocupa Patrizio, anhelan su felicidad y su éxito. Sienten y sufren las contradicciones entre las potencialidades de su hijo y la realidad. Se percatan de que atesora enormes recursos, capacidades, habilidades, pero que no los usa o los usa mal. Saben que es una persona genuina, buena, íntegra, pero no ven que logre afirmarse en su autenticidad.

Sucede a menudo que un hijo se idealiza a tal extremo que su verdadera naturaleza se convierte en fuente de decepciones y conflictos. Después de los días pasados con Patrizio comprendo sin embargo que las críticas están en parte fundadas, que el chico podría vivir los estudios, los amigos, los amores, la familia, el futuro con optimismo y serenidad teniendo en cuenta los recursos interiores de los que dispone. Les enseño el vídeo a los padres: ven jugar a Patrizio con los perros (él, que los detesta), dar una clase de *fantasy* (cuando por lo general se pone la máscara de sectario) y, sobre todo, observan su modo de razonar y de relacionarse conmigo, de chico sereno que encuentra en el adulto un aliado sincero. Descubren dos aspectos fundamentales: primero, que sus pasiones, como la *fantasy* y los juegos, son auténticas y no constituyen escapes de la realidad; y, segundo, que Patrizio es dinámico, que está siempre en movimiento, que no se enroca en defensa de su máscara, que quiere vivir mejor, quiere cambiar, quiere ser más feliz, realizarse.

Los padres comprenden su petición de ayuda y de cambio, de sostén y de diálogo para ser todos mejores, que su afecto está extraordinariamente correspondido, que el chico tiene voluntad de superarse y de crecer. Ahora saben que la educación, el diálogo, la comunicación, deben partir de los recursos, pasiones y potencialidades del hijo si quieren que se conviertan en talentos y no en defectos, carencias o resistencias. Se trata solo de encontrar los puntos exactos sobre los que apoyarse, porque Patrizio tiene ya la voluntad de mejorar. Es una tarea muy difícil y compleja que exige optimismo y esperanza, comunicación y cambios. Les esperan grandes fatigas intelectuales y emocionales pero, estoy convencida, Patrizio corresponderá a ellas con resultados extraordinarios.

EL CENTRO DE ENSEÑANZA COMO VALOR

El centro de enseñanza es un valor antes que una institución. Representa la formación, la cultura, la instrucción, el saber, el aprendizaje, la preparación para el futuro. Vistos los cambios que están teniendo lugar en nuestra sociedad, tal vez conviniera hacerlo obligatorio hasta la universidad. A pesar de las inadecuaciones e ineficiencias, el centro escolar es el ámbito formativo y de socialización más importante para los adolescentes. Ya me he expresado detalladamente sobre el riesgo de que el centro de enseñanza pueda vivirse como una obligación desencadenante de emociones negativas y deseos de fuga. En mi opinión, la máscara de Patrizio desempeña una doble función defensiva: de sus compañeros, a los que ve como un peligro, y de los adultos, que no saben valorarlo. En la ficción se siente fuerte y genial.

Con todos sus posibles defectos, el centro de enseñanza es fundamental para el crecimiento sano de un adolescente. Son principalmente los centros de enseñanza secundaria los que forjan y preparan su competencia, es decir, su capacidad de adaptarse, integrarse y modificar un determinado contexto mediante la acción.

Pero el colegio o instituto puede convertirse fatalmente en "secundario", si se queda en segundo plano respecto a las inquietudes personales y las redes afectivas del grupo. Los padres hacen bien en preocuparse por las malas notas: Patrizio, pese a su brillantez y a su pasión por los juegos intelectuales, se ha arriesgado más de una vez a la expulsión. Aunque él se consuela detrás de una máscara, el éxito o el fracaso académico tiene profundas consecuencias sobre el modo en el que se concibe a sí mismo, sobre sus convicciones de tener éxito en la vida, sobre la validez, la profundidad y la ambición de los proyectos venideros. El centro de enseñanza condiciona la percepción personal en el trabajo futuro. Las buenas notas, si bien no garantizan un porvenir, por lo menos no dañan la visión que los chicos tienen de sí mismos. Las expulsiones representan una mancha en el propio pasado, aun cuando justifiquen la injusticia, la incompetencia, la inadecuación del centro de enseñanza en cuanto tal.

Muchísimos padres tienen dificultades en este terreno. Imputan los fracasos académicos de sus hijos a la "falta de voluntad" y se consuelan con estereotipos tales como: «Es un chico inteligente, pero no se esfuerza», aunque a menudo sienten que no disponen de los medios adecuados para echarle una mano. He aquí, por consiguiente, unos cuantos apuntes que ayudarán a reflexionar sobre cómo puede la familia aumentar el grado de incidencia y de apoyo en el éxito académico de los hijos.

Cuenta Daniel Pennac: «Los profesores que me salvaron –y que hicieron de mí un profesor–, no estaban formados para esto. No se preocupaban de los orígenes de mi trastorno académico, no perdieron el tiempo en buscar sus causas, ni mucho menos en echarme sermones. Eran adultos frente a adolescentes en peligro, y entendieron que era necesario actuar imperiosamente. Se lanzaron a ello; si no lo conseguían, lo intentaban de nuevo, día tras día, una y otra vez Al final me sacaron de donde estaba. Y a muchos otros conmigo. Nos repescaron, literalmente. Les debemos la vida. (...)

También colaboró aquel viejo amigo, Jean Rolin, padre de Nicolás, de Jeanne y de Jean Paul, mis amigos de la adolescencia. Cada vez que me expulsaban, me invitaba a un excelente restaurante para convencerme "una vez más" de que cada uno tiene su ritmo, y de que el mío era sencillamente un caso de florecimiento tardío. Jean, queridísimo, Jean, que estas páginas –también tardías– te hagan sonreír en el paraíso de los filósofos»[48]. Por desgracia no siempre hay enseñantes ni amigos así; en tal caso, no queda más ayuda que la de los padres.

Los estudiantes que van mal se dividen en dos grandes categorías: los incomprendidos y los desinteresados. Los incomprendidos tienen intereses intelectuales, pero no logran expresarlos en clase. Los desinteresados preferirían hacer cualquier otra cosa, como trabajar antes que estudiar. Empecemos por los primeros.

P. es un gran apasionado de la informática: su cuarto está repleto de libros sobre sistemas operativos y pasa horas y horas desarrollando códigos, proyectando sitios de internet, probando los juegos más innovadores y entrenándose con la PlayStation. Tiene 16 años y ha sido alumno de ocho colegios distintos, pero ha ideado un portal de internet dedicado a los juegos que visitan miles de personas. Ha sido expulsado una vez y, actualmente, suspende la informática.

[48] Daniel Pennac: *Mal de escuela*. Mondadori, Barcelona 2008.

E. tiene 12 años. Hemos leído juntos el principio del libro *La soledad de los números primos*. Me ha impactado la fluidez de su lectura y la empatía que muestra frente a la protagonista. La han expulsado hace poco.

Los incomprendidos tienen una fuerte vitalidad intelectual, pero acumulan fracasos académicos y terminan por renunciar. No lloran ni se desesperan por ello, sencillamente se refugian en sus intereses y los hacen competir con los estudios. En apariencia se atrincheran detrás de tres principios fundamentales:

1. El estudio es una obligación, porque tengo que sacar el título.
2. El esfuerzo debe ser mínimo.
3. Mi vida intelectual y mis satisfacciones están en otra parte.

Los padres, ante esto, oscilan entre la rabia y la impotencia, la rendición y la desesperación, los sermones y los castigos, pero todo es en vano. Están desesperados porque han visto en los hijos, desde muy pequeños, enormes potencialidades intelectivas, pero no han sabido ni saben cómo estimularlas. En última instancia, son presa de una duda atroz: ¿En qué nos hemos equivocado?, ¿Y si esas presuntas dotes solo han sido una ilusión? Estos chicos terminan por dedicar a la vida académica un tiempo residual, que simplemente resulta insuficiente. Tal vez sea así porque las dotes con las que cuentan les permiten sacar notas presentables estudiando poco, o no estudiando nada, pero cuando llegan a los últimos cursos comienzan a recibir suspensos. Entonces se ponen arrogantes, se consideran superiores a los compañeros y a los profesores y llaman a estos incompetentes. Se muestran presuntuosos, condescendientes, distraídos y no se dan cuenta de que su actitud suscita en los docentes una estricta severidad. Así se establece un círculo vicioso que los lleva a detestar el centro de enseñanza, porque saben que son infravalorados, es decir, valorados según parámetros erróneos. Sufren porque nadie los valora desde el amor por aprender, la creatividad, la curiosidad innata.

Un chico inglés del que fui *coach* me contó que en su colegio había un profesor obsesionado por los zapatos de los alumnos. Los quería relucientes, bien atados. Él estudiaba muchísimo pero odiaba los zapatos brillantes, con lo que nunca superaba la calificación de suficiente. Un día decidió hacer un experimento: dedicó al estudio la mitad del tiempo y se presentó con los zapatos impecables. El profesor le dio la nota máxima.

Estos adolescentes deben encontrar el modo de adaptar su creatividad al centro de enseñanza, sin renunciar a las propias inclinaciones culturales. Con ellos no funciona la lógica premio/castigo. Los padres deben recurrir a todos sus recursos creativos y a la autoridad que posean para ayudarles a obtener el título, y después, escoger la carrera universitaria que los prepare para el mundo laboral.

Sugiero una estrategia de diálogo fundada en estos elementos:

1. Nada de broncas, nada de sermones, nada de infravaloraciones, nada de consejos: no funcionan.
2. Escuche, en silencio, las críticas del chico a los enseñantes.
3. Adopte su punto de vista y póngase en su lugar sin participar necesariamente de lo que dice.
4. Alíese con el chico mediante el aprecio sincero de sus aficiones y sus intereses extraescolares. Solo será posible una alianza si él percibe la sinceridad de su aprecio; si en realidad usted piensa que está perdiendo el tiempo y que el chico huye de la realidad, cualquier esfuerzo resultará inútil.
5. Examinen juntos los resultados académicos obtenidos en cada una de las materias. No basta un conocimiento genérico, y muchísimo menos las invitaciones a "estudiar más".

6. Averigüe qué objetivos se plantea en cada asignatura y en cuánto tiempo; luego, estimúlelo para que prepare bien los temas y salga voluntario. Explíquele que así tendrá mucho más tiempo para sus propios intereses.
7. Pregúntele que trato piensa dispensar al profesor más antipático, con qué estrategia y con qué objetivo. Dígale que, si quiere, puede exponer sus puntos de vista ante cualquiera.
8. Verifique todos los meses los progresos que haga, siempre con respeto a su autonomía y su responsabilidad.

Ser tratado de joven adulto con un objetivo, hará que el adolescente se sienta querido por los padres e intente no decepcionarlos. Lo hará por ellos, ciertamente, no por el colegio o el instituto.

AMERIGO: EL ADOLESCENTE DESINTERESADO

EL CASO

LA SITUACIÓN

La familia de Amerigo es difícil de entender. Parece existir un fuerte vínculo de afecto, pero también una acentuada tendencia a los encontronazos contraproducentes. Las ramificaciones del conflicto son múltiples: entre los padres, entre los padres y los hijos, entre los hijos. Sin embargo, para Amerigo la familia ocupa el primer puesto de la escala afectiva. Los padres se sacrifican, sobre todo la madre, con una vida muy ajetreada y salpicada a menudo por sentimientos de culpa. El marido parece no apoyarla lo suficiente, y a veces da la impresión de que compite con ella. Amerigo, que este año ha sido expulsado, afirma que con su madre tiene una relación inmejorable (¿Pero lo sabe ella?). Por su parte, ella parece regañarlo continuamente, y por multitud de motivos: el desorden de su habitación, llegar tarde a las comidas (si bien el chico respeta un horario mucho más importante, el de la vuelta a casa por las noches), la expulsión, fumar, perder el tiempo con los amigos en la calle, la ropa, el cabello, las duchas infinitas. Le recuerda cada fallo con insistencia, con presión, con obstinación de tábano. Amerigo, entonces, se cierra en sí mismo; me confiesa que no se confía. La última vez que lloró fue por una chica, pero nunca ha hablado con sus padres de sus amores, que siempre acaban mal.

Sin embargo, por mucho que comprenda perfectamente a Amerigo, advierto la situación exasperante que viven los padres, sobre todo la madre. En el fondo ella ve a su hijo como lo que es: un chico lleno de cualidades, de potencialidad, de valores; siente su calidad humana, sabe que es autónomo, leal y capaz de disfrutar de intereses y relaciones sólidos, pero al mismo tiempo no ve que estas dotes cobren valor y se conviertan en proyectos, ambiciones y comportamientos productivos. Los padres sufren porque piensan que el chico desperdicia su potencial talento por pereza, apatía y falta de voluntad. Al comienzo hablan, intentan convencerlo, le proponen ideas, pero todo en vano: el chico no parece escuchar. ¿Cómo pueden quedarse quietos contemplando la vida del hijo, que pasa entre inútiles conversaciones? Críticas y estímulos se confunden con la rabia y la sensación de impotencia.

Amerigo termina siendo presa de la confusión: no entiende dónde termina la regañina y dónde comienza la propuesta. La comunicación es tan caótica, que ya solo se manifiesta mediante broncas. Las consecuencias en el plano afectivo son dramáticas: se ha abierto una brecha que puede transformarse en un abismo. Amerigo ya no se siente ni querido ni entendido, y comienza a separarse de la familia en la que fue tan feliz de niño.

Presumo que la situación está agravada además por un factor social típico de las comunidades pequeñas, donde las apariencias cuentan a menudo más que la sustancia, y la competición, el chismorreo y el enfrentamiento con los demás miembros impide seguir un camino personal con serenidad. La madre, probablemente, ha empezado a sufrir críticas: las directas, de parientes más o menos cercanos, y las indirectas, de vecinos más o menos entrometidos. Se encuentra viviendo una sensación de inadecuación; atacando al chico, se ataca también a sí misma. Se pregunta dónde, cómo y cuándo ha cometido errores, y concluye que se está equivocando en todo. Pero no sabe cómo librarse de este bozal competitivo y dañino, no sabe en qué ni cómo cambiar.

EL PACTO DE "COACHING"

Amerigo se queda estupefacto al verme, entre desconfiado y curioso. Escucha el mensaje de los padres, incómodos y malhumorados, de pocas palabras. No lo entiende, dice que hay cosas peores que las que él hace. Tiene razón.

La situación es complicada de comprender y de gestionar, pero nuestra alianza se consolida fácilmente. Amerigo defiende sus salidas con los amigos, y en esto le apoyo. Le digo que el principal problema es que sus padres no entienden la vida que lleva, y por ello lo juzgan mal. ¿Pero cómo pueden entenderla si uno se niega a explicarla, si se cierra a cal y canto? La madre, durísima, dice que no encuentra nada de lo que sentirse orgullosa. Le pregunto a Amerigo si él sí tiene algo de lo que enorgullecerse, y me contesta que está convencido de que sí. El pacto que establecemos es este: trabajar para comunicar con más eficacia sus habilidades y sus aspectos positivos, realizar un itinerario que potencie la comunicación positiva. Está contento, pero al mismo tiempo herido por las palabras de la madre.

LAS ACTIVIDADES

El primer reto para Amerigo es convertirse en periodista, a fin de hacer frente al tema de la comunicación. Un periodista, en realidad, es un profesional de este asunto: debe relacionarse con las personas, entrevistarlas y explicar los resultados de su análisis e investigación. Nos encaminamos hacia la sede de una cadena de televisión donde conoce a la redactora jefa, y se le encarga realizar un reportaje sobre el acoso escolar. Su tarea es presentarse en su centro de enseñanza e intentar entender qué piensan los chicos de este fenómeno y del suspenso en conducta. Amerigo desarrolla el trabajo con seriedad, y por fin decidimos entrevistar también al director del centro. El chico es curioso, respetuoso, está atento a las diferentes posiciones de opinión. No intentar manipular sino que, adoptando una postura objetiva en su papel de periodista, se muestra cada vez más decidido, más asertivo y más amable al mismo tiempo.

La segunda actividad parece todavía más difícil. Amerigo juega al fútbol apasionadamente, y forma parte del equipo de su ciudad. Le propongo que entrene a sus colegas. Amerigo tiene un fortísimo vínculo de amistad con ellos y no va a serle fácil pasar de una relación paritaria a otra de líder. Sin embargo se arriesga no solo porque sus orientaciones son oportunas, competentes, sino porque en este papel Amerigo anima a los otros, los valora, los reafirma, los estimula, los dirige hacia una potencial victoria. ¿Es acaso también un mensaje para los padres? Si Amerigo sale con bien del intento es porque sus compañeros de equipo, sus amigos, se prestan al juego, se dejan guiar, están disponibles. Como conclusión, jugaron un partido memorable.

Por último, implico directamente a la madre en un intercambio de roles. Amerigo la imitará, y ella imitará a Amerigo. El chico, que hasta ahora he visto amable, tranquilo y disponible, se convierte en una furia, grita, amenaza, brama. La madre parece un ratoncito en una jaula, víctima de las descargas eléctricas de un científico demente. Es una prueba muy dura para ambos y me bastan pocos minutos para ver sus efectos, por lo que decido interrumpirla antes de lo previsto. Estoy descompuesta pero satisfecha, porque sus interpretaciones han sido perfectas.

LAS CONCLUSIONES

Cuando todo termina, me siento contenta del trabajo que hemos realizado juntos. Amerigo ha demostrado contar con un rico repertorio de recursos y capacidades. Ha experimentado con otros instrumentos de comunicación. No obstante, la realidad es que todavía no tiene un proyecto, una vocación para el futuro. Cuanto más ricas son las potencialidades de un adolescente, tanto más complicada es la forma de valorarlas; requiere tiempo y tenacidad, apoyo y paciencia, individualización y aliados. Los padres, conscientes ahora de que nada se ha perdido de su trabajo, pueden ayudar a su hijo no dando nunca por descontado el afecto incondicional, el presupuesto mismo de su misión educativa. Pueden revitalizar la estima recíproca poniendo de manifiesto los comportamientos erróneos, pero solo si ponderan al mismo tiempo los que son adecuados. Del mismo modo que un líder que critica sin alabar jamás genera resistencia y rebelión, así los padres que no reconocen las cualidades y los valores de los hijos provocan distanciamiento e indiferencia. Recuperar lo esencial, el amor y la estima entre las partes, es el primer paso para lograr una comunicación que se convierta en ideas compartidas, en hacer frente común a los problemas, en buscar soluciones, en mantener un intercambio efectivo. Hemos abierto un camino, reactivado una relación deteriorada, reconquistado el respeto y la confianza recíprocos. Ahora corresponde a Amerigo y a sus padres comenzar nuevamente a construir juntos el futuro.

EL “SÍNDROME DE PINOCHO”

La aproximación afectiva al rendimiento académico de los adolescentes es fundamental. Para ser de ayuda y de apoyo, no debemos nunca dejar de demostrar confianza, consideración, cariño y respeto por ellos. No debemos transformar la preocupación sana, el interés y el deseo de ayudarlos en una angustia desesperante.

En primer lugar, debemos evitar o abandonar lo que llamaré el “síndrome de Pinocho”. El síndrome de Pinocho no es una enfermedad, sino una trampa mental y relacional que aflige a padres para los que el centro de enseñanza es un valor que debe defenderse y transmitirse. Es una trampa mental porque el rendimiento académico se convierte en obsesión, y una trampa relacional porque sobre esta obsesión se basa todo la relación con el hijo.

He aquí los síntomas:

- Los padres perciben al chico sobre todo como estudiante, y si va mal en alguna o en todas las asignaturas le acusan de no cumplir con su deber.
- Los padres pretenden sustituir al centro de enseñanza y a la autonomía del hijo haciendo sus deberes con él o para él, o derrochando recursos en repeticiones forzadas.
- Cualquier otra actividad del adolescente se considera una pérdida de tiempo.
- Las reuniones con los profesores siempre terminan en broncas: falta una colaboración e intercambio fructíferos. Los enseñantes son considerados incompetentes y culpables;
- A pesar de esta guerra continua, no se detectan cambios.

Cuando todos estos elementos están presentes, nos encontramos ante el síndrome. Para quienes caen en esta trampa, se inicia una etapa de guerra abierta en la cual uno ya no es de ayuda, y padres e hijos se convierten en enemigos. El amor, el interés, el apoyo se dejan de lado. Las únicas formas de diálogo son la culpabilización, el castigo, el menosprecio recíproco. Los padres afectados por este síndrome experimentan angustia ante la sola mención de las palabras "colegio" o "instituto", sufren náuseas ante la perspectiva del fin de semana que deberán dedicar a la atención del hijo y explotan en ataques incontrolables de ira contra este, vacilando entre un discurso agresivo y tendente a doblegar su voluntad y el total desconocimiento y rechazo de cualquier otro aspecto de su vida. A menudo se dividen: el padre delega en la madre la tarea de controlar al hijo, mientras él intenta marcarle goles emocionales o le propone partidas de PlayStation; ella preocupada, angustiada, impotente, comienza a nutrir fantasías homicidas en las confrontaciones.

Test sobre el "síndrome de Pinocho"

- ¿El chico va mal en los estudios?
- ¿Siente usted muy preocupado por su fracaso académico?
- ¿Le pregunta todos los días si ha hecho los deberes?
- ¿Piensa que está perdiendo el tiempo cuando no lo ve con los libros de texto?
- ¿Considera que sus profesores son unos incompetentes?
- A pesar de sus esfuerzos, ¿no aprecia cambios positivos en el rendimiento académico de su hijo?

Si ha respondido por lo menos con cinco síes, sufre usted el "síndrome de Pinocho". Está haciendo de su hijo un estudiante fracasado. Recuérdelo: su hijo es un estudiante, pero también muchas otras cosas. Aunque usted lo sabe mejor que nadie, lo está olvidando. Intente considerar su vida en conjunto, no reduciéndola a los meros resultados académicos.

Lo primero que hay que hacer es salir de esa pesadilla-trampa. Muchos chicos son auténticos campeones fuera del centro de enseñanza, muestran un alto grado de moralidad, viven las relaciones de amistad con lealtad y prudencia, están llenos de intereses, pasión y curiosidad, aman y practican el deporte, y sin embargo, no van bien en los estudios; y esto se convierte en el único parámetro con el que los padres juzgan toda su vida. Es necesario, no obstante, sustraerse a la unilateralidad del juicio. Si queremos ayudar a nuestro hijo en los estudios, paradójicamente no debemos hablar con él tan solo de los estudios. Si lo hacemos, renunciamos a un hijo a cambio de un mal estudiante. Mejor partir del descubrimiento o redescubrimiento de sus aficiones, de sus intereses, de las actividades vividas con amor total y dejadas de lado a increíble velocidad.

No son fruto de la incoherencia, la volubilidad o el capricho: son experimentos para conocer y conocerse. Son otras posibilidades que nos permite para valorarlo, ayudarlo, compartir y acompañar su vida. Justamente en estas pasiones discontinuas podemos redescubrir su creatividad, su fantasía, su imaginación, su sentido ético, y volver de nuevo a sonreír, a reír, a divertirnos con él. Podemos recuperar una relación de cariño y de respeto muy deteriorada. Solo así podremos reconquistar el terreno del diálogo sobre el centro de enseñanza, sobre los estudios, descubriendo a veces dificultades desconocidas y profundas. Si superamos la imputación que juzga y castra («si vas mal en los estudios es porque no tienes ganas de aplicarte») iniciaremos un recorrido de conocimiento real de los problemas, pero también de las potencialidades del chico, dentro y fuera del centro escolar. Solo el diálogo ayuda, ciertamente, no los enfrentamientos ni la guerra abierta, que radicalizan los problemas en lugar de hacerles frente.

Ejercicio

Para evitar el "síndrome de Pinocho", hay que estructurar la agenda relacional con el adolescente. En el síndrome el diálogo sobre el centro de enseñanza ocupa el 80 % del tiempo, y las regañinas el 20 % restante.

- ¿Qué asuntos se tratan en el diálogo con el hijo?
- ¿Cuáles son prioritarios?
- ¿Puede establecer una agenda mental en la que hable de todo con él y no solo de los estudios?
- Lleve un diario donde consigne, durante dos semanas, los asuntos de los que habla con su hijo.

ESTÍMULOS PARA EL DESINTERESADO

Contentar a los padres supone una satisfacción para el adolescente. Si los padres dan mucha importancia a los estudios, llevar a casa un notable en filosofía o latín es como tocar el cielo con las manos. Se ha superado un reto, se ha demostrado que se vale. Si se obtiene un premio, tanto mejor. Bastaría esto para que todos estuviesen contentos. Entonces, ¿por qué no se produce?

F. ha dejado de lado su futuro hace poco. Vive al día. El instituto no le funciona, es una obligación de la que busca librarse de todas las formas posibles. Tiene 16 años y semanas enteras de ausencias. Piensa en el ciclomotor, pasa la mañana con los amigos, se queda en los lugares de ocio hasta el amanecer. Tiene una risa tumultuosa, lucha por un tatuaje y un *piercing* y recibe cinco euros a la semana; pero su auténtico objetivo es encontrar una chica. Después de algunas aventuras breves, se enamora. Ella no vive en Roma, tiene su edad y es guapita y dulce. Él se va haciendo cada vez más pesado, posesivo, celoso, orgulloso. Ella quiere un espacio propio, pero él no la deja en paz. Ella rompe tres semanas después. «Me da igual», dice él. «Me vale cualquiera. Pero no me gustan los cuernos».

El desinteresado es un "coleccionista". Colecciona regañinas, broncas, malas notas, suspensiones, cartas a los padres, faltas, horas pasadas sobre los libros sin ningún provecho. Es perseverante en las derrotas y se acostumbra a ellas. En cierta medida, sus relaciones están destinadas al fracaso académico. Sufre, pero es más una incomodidad que una tortura. Si su chica lo deja, llora amargas lágrimas; si lo expulsan dice: «Lo sabía».

A diferencia de los padres, que viven una pesadilla sin fin, el desinteresado parece no tener alternativas. El título es un requisito obligado, que le imposibilita ponerse a trabajar. No tiene recursos a los que recurrir; ha distanciado la vida académica de la vida en general. Los fracasos escolares pueden depender de una serie infinita de factores: falta de base, capacidad limitada de concentración, derrotas y desilusiones heridas de las que no se ha recuperado.

A., por ejemplo, mantiene una relación amorosa con una chica que vive lejos. Han continuado con su relación a distancia durante dos años, viéndose cada dos o tres meses. A. ha conseguido hacer amistades en el pueblo de la chica: sabe cómo entablar relaciones; es inteligente, pero también un poco cerrado. Este año han podido verse más a menudo: ella tenía el proyecto de trasladarse a Roma para ir a la universidad, pero ha entrado en crisis y ha abandonado el proyecto. Él no logra explicárselo y sufre. Decide dejar los estudios y ponerse a trabajar en un *call center*. A tres meses del título.

P. estaba a punto de ser expulsado del centro de enseñanza por segunda vez a causa de las faltas y de una media de notas más que bajas. Su madre decide cambiarlo de centro (este nuevo es el octavo). Al día siguiente viene a verme y me dice: «Luca, es un instituto sensacional. No se da golpe en todo el día».

Si el incomprendido no encuentra en el centro de enseñanza un entorno adecuado para acoger y desarrollar sus intereses culturales, este lo concibe como una pérdida de tiempo, de igual modo que sus padres consideran sus actividades extracurriculares. A menudo son las relaciones sociales y afectivas las que acaparan toda su atención. Este es el caso de M. que, afectado de mononucleosis, ha ingresado en el hospital durante dos semanas; sin embargo, estaba preocupado porque no iba a poder participar en la inauguración de una discoteca.

El desinteresado deja de escuchar. Sus experiencias tienen el sabor del sufrimiento y la derrota. Los repetidos fracasos generan en él un malestar profundo, pero no desesperación. Es más bien un ruido de fondo que acompaña su día a día, y del que busca olvidarse mediante nuevos estímulos. Cuanto más herido se siente, más arrogante se vuelve. Frente a los reproches de la madre porque no logra levantarse, el padre que lo llama fracasado o el profesor que le dice que la única cosa que leerá en su vida son los sms, reacciona con violencia o hace como si nada. Pero se siente herido, aunque no lo demuestre. La agresividad contra los enseñantes y los padres es la última línea defensiva, el culmen de la exasperación, el recurso final al que apelar para no ir definitivamente a la deriva.

La agresividad se deriva del hecho de que el adolescente desinteresado vive su paso por el centro de enseñanza como una obligación violenta. Cuando un profesor lo regaña durante una clase, responde: «¡Que no estamos en la cárcel!». No sabe que en la cárcel no es necesario estar en silencio durante una explicación, como en el colegio o el instituto. El título para él no representa el fin de un recorrido formativo sino el cese de una pesadilla, un pase para lograr la "ciudadanía" en el mundo laboral. El desinteresado no ve la hora de trabajar, de ganar dinero, de estar a salvo. No le gusta el centro de enseñanza, pero no necesariamente porque lo perciba como inadecuado o negativo: si estuviera en el centro ideal posiblemente tampoco le gustaría. Es alérgico a los estudios, pero es un buen chico. Su vinculación con los libros es inversamente proporcional al deseo de trabajar, de sentirse por fin útil, estimado y querido por aquello que hace.

Para ayudar y estimular al desinteresado es fundamental la colaboración de los padres. Se trata de fomentar la motivación extrínseca, es decir, de establecer determinados premios. El desinteresado puede llegar a concebir el estudio como si fuese un auténtico trabajo, remunerado en base a los resultados. Es muy importante, sin embargo, definir minuciosamente el pacto. El acuerdo debe fundarse sobre la autonomía, la responsabilidad y la convicción, y no sobre la limitación de privilegios. Y debe basarse, sobre todo, en la colaboración y en transmitir la idea de que el título es útil para el adolescente, no para los padres. A los trece años mi padre me convenció para que empezase a leer libros de narrativa prometiendo que, si los leía y los resumía, me daría el dinero del precio que figuraba en la tapa. Desde entonces empecé a leer y ¡ahora me gasto una pequeña fortuna mensual en las librerías!

Se trata, en consecuencia, de establecer un contrato de trabajo, una especie de plan de incentivación, como si la familia fuese una empresa que estimulara con gratificaciones a sus empleados para la consecución de objetivos:

- El estudio es un trabajo, con horarios concretos que cumplir.
- Por cada aprobado obtenido, puede establecerse un premio de 3-5 euros.
- Por cada nota superior a suficiente, de 5 a 10 euros.
- Por pasar de curso, se establecerá consensuado un premio.

Por desgracia, el desinteresado suele haber perdido la costumbre y el entrenamiento necesarios para estudiar. En aquellos casos en que los resultados no llegan a pesar del esfuerzo, se puede recurrir a clases particulares. La unión de estudiantes de Trieste propuso, el año 2008, una iniciativa interesante: sus miembros están a disposición de los compañeros para impartir clases particulares por un euro a la hora. Un ejemplo óptimo de *educación entre pares*, que debería generalizarse.

CINZIA: DE LA COMPETICIÓN A LA AUTONOMÍA

El caso

LA SITUACIÓN

Casalpalocco es un barrio residencial sumido en el verdor de la periferia romana y próximo al mar. Entre pinares y parques, se extiende una serie infinita de viviendas adosadas. En una de ellas conozco a la familia. Cinzia está en permanente conflicto con Cristina, su madre. La peculiaridad es que se trata de una confrontación unilateral. La hija va contra la madre, y no al revés. No se rebela, sino que compite con ella, estrechando a menudo su alianza con el padre, Ruggero. Padre e hija se dedican a hacer comentarios sarcásticos sobre la madre y a reírse de ella. Ruggero piensa que se trata de un problema entre Cristina y Cinzia y hace de espectador, a veces incómodo y las más de las veces cómplice. Cristina no logra escapar de esta espiral que la ahoga y cuyo sentido no comprende. Cinzia es una chica deportista y guapa que declara: «Mis compañeros opinan que mi madre es muy atractiva y que usa una talla menos que yo». Cristina, en efecto, tiene 45 años y está en magnífica forma, ¿pero es esto para sentirse culpable? Ella cree que se trata de un problema de comunicación, pese a que ninguna de las dos carece de elocuencia. La madre decide invitarme, mientras que su marido acepta dubitativo la propuesta.

EL PACTO DE "COACHING"

El mensaje inicial lo envía únicamente la madre. Cinzia no entiende su sentido, ni sabe que en breve llamaré a su puerta. Me presento como su *coach* y me sonríe, como la veré hacer a menudo en días sucesivos. La máscara de un adolescente varón es generalmente la de chulito o de provocador; una chica, sin embargo acostumbra a esconderse trás una sonrisa o las lágrimas. Vemos juntos algunas imágenes de la competición que mantiene con su progenitora: discusiones sobre la ropa, insultos con la sonrisa en los labios, comentarios hirientes sobre la forma física, sarcasmos con la ingenua complicidad del padre. Le pregunto cuál sería, según ella, la relación ideal con su madre. Dice que le gustaría una relación serena, pero que le parece un sueño. No cree que sea posible lograrla, pero probar no cuesta nada.

LA ACTIVIDAD DE "COACHING"

Sospecho que esta competición no es solo perjudicial para la serenidad de Cristina. Cinzia es una mujer jovencísima que está forjando su identidad, camino de la última fase de la adolescencia. Competir con su madre podría bloquear su propia personalidad, impedirle entender su originalidad. Las actividades que propongo le servirán para entender quién es, sin compararse con los demás.

Nos dirigimos, en primer lugar, a una asociación de profesores de educación física, los Argonautas, con los que colaboro a menudo para desarrollar y descubrir las potencialidades de los adolescentes. Cinzia acepta el reto. Le presento a Alessandro y comienza una serie de actividades. Sus óptimas capacidades relacionales le permiten implantar un clima de colaboración y de confianza que deja al descubierto un aspecto fundamental de su personalidad: Cinzia no es competitiva por carácter, lo es solo con la madre.

Mediante la gimnasia rítmica descubre los secretos del control, de la concentración, pero también del abandono, del relajamiento; con la danza se deja llevar por la expresión de las emociones a través del cuerpo; con los ejercicios de contacto físico aprende a confiar en el grupo. Los otros pasan de ser extraños que la juzgan a aliados, puntos de referencia en su propia expresión y en la de su cuerpo. Con ellos Cinzia parece liberarse de verdad, desplegar sus alas al viento y sentirse libre. Participando, escuchando, llega literalmente a jugar con fuego, baila con los demás, sigue una coreografía y lo logra sin esfuerzo. Se divierte, disfruta, es distinta; y en pocos días descubre aspectos de sí misma que ignoraba.

Lo que estaba en su interior, comienza a aflorar: descubre recursos personales hasta entonces desconocidos. El tiempo es poco, pero basta para ser conscientes plena y serenamente de los progresos realizados.

Lo observo todo a distancia, observando, escuchando y tomando apuntes. Cuando nos encontramos, hablamos de las emociones y de las capacidades experimentadas en cada actividad: el empeño, la fatiga, el coraje, la confianza en los otros. Descubrimos por fin que la alternativa entre ser el centro de atención y "volverse invisible" de cara a los demás, es falsa y engañosa.

Basta dar una imagen real de la propia personalidad para vivir más feliz con los demás. Cinzia lo ha hecho y ha comenzado a conocerse.

Una vez experimentada la confianza en sí misma, puedo permitirme poner frente a frente a la madre y a la hija. Ambas querrían tener una relación serena. Les planteo un objetivo distinto y más estimulante: una relación de complicidad. La discusión, al principio, produce cierta turbación: deberían hablar, no discutir. Le pido a cada una que esboce el retrato de la otra, procuro estimular la empatía, las animo a que entiendan el punto de vista ajeno y a ver la propia imagen reflejada en la mente y el corazón de la otra. Cinzia es una montaña para su madre; esta es bella pero impenetrable para su hija. Les pido que escriban sucesivamente los defectos de la otra y que hablen de los propios límites. Sin embargo, los defectos son también potencialidades si se ven desde una perspectiva distinta: la preocupación por los demás indica sensibilidad; la susceptibilidad de Cristina frente a las bromas de Cinzia supone conciencia del hecho de que la hija y el marido se ríen de ella, no con ella. Se abre un momento de diálogo importante sobre el que puede se asienta una nueva fase de complicidad. Mirándolas percibo el afecto profundo que las vincula y que las acompañará toda la vida.

LAS CONCLUSIONES

Conozco por fin a Ruggero, el padre. Le muestro el trabajo realizado y sus ojos descubren una nueva Cinzia que ha dejado de ser la niña que una vez llevó en sus brazos. Le hago notar que ahora su complicidad con Cristina es determinante. Para él perder la relación privilegiada con Cinzia es todo un cambio, pero este privilegio tiene un precio demasiado alto: la competencia entre madre e hija. Cinzia y Cristina se proponen entablar una nueva relación de afecto y de puesta en común, y el padre toma conciencia de que puede desempeñar un papel decisivo en la mejora de la vida familiar. Cinzia me dice que he estado bien porque: «He logrado entenderla».

LA BÚSQUEDA DE LA IDENTIDAD

LA ADOLESCENCIA COMPRENDE TRES FASES DISTINTAS

1. La primera adolescencia: ¿Soy normal?

Es la edad de los primeros cambios físicos importantes. Las chicas descubren ser más altas que las madres y los chicos superan forzosamente a los padres. Empiezan a mirarse al espejo y a ver defectos espantosos que los demás apenas perciben, metamorfosis cuyo sentido global se les escapa. El niño tranquilo y dócil cambia de improviso y ve a sus progenitores con ojos completamente distintos y se muestra implacable con los defectos, la intolerancia, los miedos, la inmadurez del padre o la aprensión exagerada de la madre. Cambia el concepto de normalidad: nada es ya lo acostumbrado, normal, banal, familiar. El cuerpo, la mente, los afectos, las relaciones, el centro de enseñanza, todo exige una nueva categoría de análisis. Emerge la fantasía extrapolada de la experiencia, la imaginación que prefigura el futuro, pero al mismo tiempo las competencias adquiridas en el centro de enseñanza ajustan cuentas con la realidad y se revelan a menudo insuficientes, inadecuadas. De la enseñanza primaria a la secundaria el salto es enorme; las novedades, múltiples. No por casualidad muchos recuerdan a los maestros de los primeros años de escolarización, y muy pocos a los profesores posteriores: estaban interesados en experimentar otras cosas.

2. La adolescencia intermedia: ¿Quién soy?

Una vez remodelado el concepto de "normalidad", se perfila la tarea de determinar la propia personalidad y la de los otros. Se trata de descubrir, de comprender quién se es, qué define la propia identidad. Representa una inversión introspectiva y emotiva extraordinarias. El joven se ve reflejado en el tratamiento que le dispensa el profesor, en el juicio del entrenador, en la educación del padre o de la madre. La experiencia personal pasa a través de una fortísima relación con los coetáneos. La adolescencia de los demás se convierte en la propia, ser aceptado es la verificación de que se está en el buen camino hacia el objetivo de cimentar una identidad social. Pero también hay un ser más íntimo y grotesco que exige ulteriores pretensiones y confirmaciones. Se rodea de una miríada de símbolos: música, ropa, adornos, *piercings*, tatuajes, peinados. Busca la propia individualidad en el rechazo al control y el apoyo de los adultos y en la elección entre los iguales que alientan las mismas inclinaciones, gustos, modas, intereses, pasiones.

3. La adolescencia tardía: ¿Adónde voy?

En esta fase el joven ha encontrado una identidad y ha comenzado a definir y a comprender su propio papel en la vida. Acaso ha descubierto una vocación y ha comenzado a bosquejar un proyecto de futuro. Es la "tardoadolescencia" en todos los sentidos. A veces llega muy tarde debido a las condiciones sociales y culturales del entorno, pero, cuando el porvenir se aclara, la adolescencia pasa a pertenecer definitivamente al pasado. El paso entre la primera y la segunda fase puede suceder de modos muy diferentes.

Como hemos visto con Cinzia, la configuración de la propia personalidad puede retrasarse, por ejemplo, por una contraposición/competición con el modelo materno. Es una búsqueda reactiva, basada en un vínculo que impide la autonomía y retarda el descubrimiento de la mejor parte de uno mismo. Este recorrido entraña siempre un riesgo, un salto a lo desconocido. Implica capacidad creativa, que se invierte en la toma de conciencia de las propias dotes, cualidades y límites, o en el aprendizaje de competencias, capacidades y habilidades. Todo ello se transforma en un caleidoscopio fruto de la invención y del descubrimiento, de la fantasía y de la razón, de la experiencia y de la visión de futuro. Medirse con los iguales resulta determinante: es un proceso donde se combinan competición y colaboración, exigencias de adaptación y la necesidad de individualizarse, aliados con los que fraguar la propia identidad y enemigos con los que batallar. El modelo paterno resulta en ocasiones demasiado débil como ejemplo, y en otras demasiado fuerte para emularlo. El conflicto, en cualquier caso, acompaña siempre a la formación de la propia personalidad, por lo que una alianza sana con los progenitores es fundamental.

LOS PADRES COMO DESCUBRIDORES DE LAS POTENCIALIDADES

Vivimos en una cultura que exalta la crítica como alternativa al conformismo. En política, en los centros de enseñanza, en las empresas, la formación tiene siempre como fin la corrección del defecto. Está vigente un paradigma predominante que yo califico como hipercrítico: para mejorar es necesario superar los defectos propios; la consecuencia es que el pensamiento crítico es constructivo. Un asunto cultural tan prevaleciente que parece inevitable: para ser más bellos debemos eliminar los defectos físicos; para ser estudiantes de éxito debemos superar las asignaturas que no nos gustan; para hacer carrera debemos identificar áreas de mejora y alcanzar los objetivos deseados (léase: incompetencias técnicas o relacionales); para educar a los hijos debemos corregir lo que no va con ellos; para mantenernos sanos debemos eliminar las enfermedades. Este enfoque es unilateral y parcial, y tiene un tremendo coste: oculta los aspectos positivos y se concentra en los negativos. En la empresa, por ejemplo, las estrategias y las valoraciones se fundan en el análisis de los puntos fuertes y débiles, ¿pero cómo se puede mejorar el talento partiendo de los límites, de aquello que nos oprime? Esta suerte de maquiavelismo produce solo infelicidad. Con el *coaching* proponemos un paradigma distinto: los puntos fuertes están estrechamente ligados a los puntos débiles, no se pueden eliminar los segundos sin deteriorar los primeros. Cinzia tiene potencialidades extraordinarias y recursos creativos pero todavía está creciendo, no ha terminado de “hacerse”, y esto genera la competición con su madre. Si la elimino, lo que me queda es una personalidad no desarrollada del todo en grado de excelencia. Si en lugar de ello sostengo los puntos fuertes del carácter (creatividad, inteligencia social, vitalidad), puedo no solo eliminar la competición, sino sentar las bases de una relación óptima.

El enfoque hipercrítico tiene como consecuencia la infravaloración de las cualidades: «Atesora no sé cuantas potencialidades, pero no se aplica», es un estribillo en el que hoy en día ya no cree ningún padre con sentido común. ¿Qué significa *potencialidades*? ¿Cómo se reconocen? ¿Para qué sirven? Si partimos de estas aclarando lo que son, cómo se hacen emerger, cómo se refuerzan, podremos afrontar también todos los demás problemas; tendremos armas e instrumentos, recursos y energía para superar las dificultades. La debilidad se afronta entrenando la fuerza. Pero ¿cómo individualizarla?

DE LAS POTENCIALIDADES A LOS VALORES

Las potencialidades son aplicaciones prácticas de las virtudes, y la virtud es aquello que está de acuerdo con la esencia misma de una persona e incluso de una cosa. La virtud de un cuchillo es cortar bien, la de mi ordenador es permitirme escribir este libro, la de una persona es vivir según su propia naturaleza. La virtud, expresada en la práctica de la vida, se traduce en una o más potencialidades. La psicología positiva ha descubierto 24 potencialidades y seis virtudes (hay una relación completa en el capítulo *El* coaching *al servicio de la relación padres-hijos, p. 216*). No hay que confundir, sin embargo, potencialidad con capacidad (o habilidad), es decir, con la posibilidad de llevar a buen término una determinada tarea. La habilidad, o competencia, es saber cómo finalizar algo; la potencialidad, un recurso interior que produce gratificación cuando se expresa. Capacidad y competencia pueden ser la manifestación concreta de una o más potencialidades. Puedo estudiar por creatividad, por curiosidad, por amor al saber; puedo demostrar el coraje a través de la constancia, de la audacia; puedo entablar relaciones interpersonales gracias a la gentileza, a la inteligencia emocional; puedo superarme por medio de la humildad o del autocontrol; y puedo cultivar la trascendencia a través del humorismo, de la espiritualidad, del amor por la belleza o de la gratitud. Estas potencialidades son en primer lugar rasgos, aspectos, peculiaridades de mi carácter. Son como instintos que caracterizan nuestra individualidad en cuanto personas. Estamos destinados a seguirlas, pero podemos también subordinarlas al bagaje crítico de una elección.

Podemos elegir eliminar, reprimir o descuidar nuestras potencialidades si no sabemos expresarlas. O si no queremos hacerlo. La represión, en cualquier caso, produce siempre malestar, como si a un músico se le confiscase el piano o a un tenista la raqueta. La expresión de una potencialidad implica una elección que se expresa a través de actividades y relaciones. Es tendencialmente innata y cuando se entrena, se exalta, se valora, infunde una grandísima energía a las capacidades o las competencias que pueden adquirirse. El éxito resulta entonces fascinante, satisfactorio, realizador. La excelencia se combina con la felicidad. Se adquiere un poder tal que puede influir sobre la realidad y, si los demás lo reconocen, puede convertirse en un recurso. Cada uno de nosotros tiene sus talentos, pero para identificarlos es preciso prestar atención y tener muy presente una regla: si nos centramos en los defectos, jamás lograremos desenterrar las auténticas potencialidades.

Juego de "coaching": ¿Quién conoce mejor al otro?
Vuelva al ejercicio sobre la potencialidad de los adolescentes de la página 220 e introduzca una variante: sentados en torno a una mesa, los padres y los hijos cumplimentan, cada uno por su cuenta, el texto sobre ellos mismos e identifican sus primeras cinco potencialidades sin mencionarlas en voz alta.
Lo siguiente es que cada uno escriba las potencialidades que ve en los otros miembros a la familia; al final, estas relaciones se cotejan con los resultados de los tests individuales. Gana quien haya adivinado el mayor número de potencialidades de los demás.

Comprender nuestras principales potencialidades y las de nuestros hijos puede servir de base e inspiración un modelo de educación en valores como la sabiduría, el coraje, la templanza, la humanidad o la espiritualidad según las creencias, las convicciones y la cultura propias de cada familia. Significa fundamentar estos valores sobre la vida concreta, para que así no se queden en ideologías abstractas. Quien vive según las propias potencialidades y los valores que de ellas se derivan logra combinar ética y felicidad, moral con placer, bien común con individual. Es una tarea educativa bellísima, fascinante. Se puede transmitir con el diálogo, la música, las películas, el teatro, la televisión, la literatura, los deportes, el estudio. Es un cometido creativo complejo, pero ¿quién ha dicho que educar a los hijos sea cosa fácil?

DAVIDE: LA ESPERANZA EN EL FUTURO

EL CASO

LA SITUACIÓN

Davide vive con su madre y un hermano en uno de los barrios más poblados del casco antiguo de Roma. Es un chico alto, rubio, en perfecta forma física y a punto de terminar los estudios. Parece vivir solo para los amigos y no pensar en absoluto en el futuro. Sale todas las tardes y en su vida solo caben deportes, diversiones y algo de estudio. Su madre, Nadia, está preocupada: parece que Davide quiere ser más mayor de lo que corresponde a su edad y tiene demasiada confianza en sí mismo. Su hermano dice que hace lo que le parece y que no echa una mano si no gana algo. Davide advierte que su madre lo considera todavía un niño, aunque al final: «Hago siempre lo que me parece». No hay diálogo entre él y Nadia; la madre parece haber perdido completamente el control sobre su hijo y la capacidad de influencia; de aquí nace toda su ansiedad. Va en busca de mi ayuda con el corazón encogido.

EL PACTO DE "COACHING"

No puede decirse que Davide esté descontento con la ausencia de Nadia. Ella ha dejado solo a su hijo y él siente su alma en paz. Pero no sabe que solo no va a estar: ¡Llego yo! Su acogida no es cordial de entrada: tal vez siente curiosidad, pero ciertamente no alegría. Mi trabajo, aunque siempre solicitado por iniciativa de los padres, se basa en la motivación intrínseca de los chicos, base de una posible alianza. No soy una maestra de escuela ni un médico ni mucho menos un terapeuta; carezco de toda autoridad formal en la que apoyarse: o conquisto la confianza del chico o mi trabajo resulta imposible. Davide ya no es un adolescente, pero tampoco una persona autónoma, aunque desde luego hace gala de una personalidad independiente. Le explicó que he recibido un encargo de su madre y me concede algunos minutos de atención, un lapso de tiempo exiguo para valorar la posibilidad de trabajar con él.

Le hago ver las imágenes: la madre le dice que está preocupada por su futuro; yo le pregunto que de dónde nace esta ansiedad. Davide me responde que es infundada porque la suya es una vida normalísima, exenta de peligros y excesos: no bebe, no se droga, no roba. En resumen, no hace nada malo, pero me dice también que en el instituto es un "cabra loca", que no piensa ir a la universidad y que no sabe todavía lo que hará al terminar los estudios. Sobre esto no manifiesta la menor arrogancia, sino que parece humilde, casi infravalorándose. Le aclaro que mi tarea no es educarlo ni cambiarle la vida, que no quiero juzgarlo por lo que hace. Le propongo un itinerario que finalice con la planificación de un primer proyecto de vida después del instituto, para de este modo ayudarle a aclarar las ideas sobre sí mismo y su posible vocación y, además, propiciar que la madre se mantenga serena. Davide acepta, pero es escéptico (¿Como la madre?). Se percata de que no trato de imponerme y de que estoy al servicio de su filosofía, y esto le parece bien.

LAS ACTIVIDADES

La visión de futuro nace de los sueños, de la fantasía, de los ideales y de la convicción de triunfar en la vida. Los sueños son una cosa seria: van a respetarse y apuntarse en relación con la propia fuerza interior.

Decido llevar a Davide a un centro ecuestre, el Auriga, que se ocupa de trabajar la relación entre los seres humanos y los caballos. Davide conoce a Guido y acepta trabajar con los animales, aunque no comprende cómo pueden ayudarle a resolver los problemas con su madre. Amanece y Davide comienza a trabajar: limpia el establo, acaricia a los corceles, les lleva de comer, los limpia. Lo hace con cuidado, precisión y mucha sorna. Lo observo a distancia y no puedo por menos que sentir una grandísima simpatía por él. Me siento contenta y honrada de ser su *coach*.

Aprende cómo se tranquiliza a un caballo y la sinceridad que debe transmitir con las caricias; escucha con atención al instructor y se interesa, se asombra y demuestra un extraordinario interés hacia el aprendizaje cuando está fuertemente motivado. Entiende lo que significa ser un líder positivo, decidido y amable, que no se impone sino que se expresa y realiza su voluntad gracias a la complicidad del caballo, sin ningún miedo que le atenace. Davide empieza a comprender que si se marca un objetivo del que esté convencido, el trabajo no es un esfuerzo, no es fatiga, no es afán, sino una actividad gratificante que puede hacer con alegría y con determinación. Entiende hasta qué punto un proyecto debe ser detallado para poder llevarse a cabo: quien no tiene las ideas claras se arriesga a ser arrastrado por las circunstancias; también que el método con el que se dirige al caballo es idéntico al que puede utilizar consigo mismo para cumplir sus metas: hay que tener autoridad, ser amistoso, ofrecer una visión común de los objetivos y transmitir afecto (mientras lo observo, me digo que podría servir de inspiración a muchos padres). Entiende la diferencia entre estar decidido, que comporta fuerza de voluntad y atención, y estar furioso, que presagia destrucción y violencia.

Hablamos, por último, del futuro y de sus sueños, y Davide me deja absolutamente estupefacta al decirme que le gustaría ser recordado en primer lugar por lo que sea, no tanto por lo que haga; el chico –un tanto arrogante– me cita a Sócrates y a otros filósofos griegos, acude a Dante y a la literatura. Empiezo a entender por qué no tiene objetivos claros: ambiciona grandes épicas, excepcionales, extraordinarias, que me gustan, que dentro de mí siento como posibles. Pero en esto que siento falta algo: Davide no cuenta con aliados adultos que le apoyen hasta las últimas consecuencias, y este sería el primer objetivo que marcarse para lograr sus aspiraciones más profundas.

LAS CONCLUSIONES

Me reúno con la madre y con el hermano. Les transmito mis impresiones de Davide diciéndoles que es una persona autónoma, independiente, con grandes ambiciones. La madre me contesta que no se aplica en el instituto. Le pregunto si Davide cuenta con los aliados necesarios para aclarar sus ideas y con entornos precisos en los que esforzarse. Ella me responde que lo ignora, pero en el fondo sabe que su amor es capaz de mover montañas. El hermano me escucha en silencio, meditando, y por fin es quien se propone a Davide como aliado en la empresa común de triunfar en la vida. Espero que Davide encuentre en su camino maestros a la altura de su inteligencia, de su imaginación, de su vitalidad y de su amor por el saber. Sé que esto no dependerá solo de él.

LA PREGUNTA EQUIVOCADA: «¿QUÉ QUIERES SER DE MAYOR?»

A menudo trabajo con chicos como Davide; en el umbral de la vida adulta, viven al día. Los padres pensamos con frecuencia en motivarlos, pero solemos asustarlos, entre otras cosas porque nosotros mismos estamos aterrados. Dan la impresión de ser irreflexivos, de no preocuparse por el mañana. La enseñanza secundaria está a punto de terminar, carecen aún de proyectos y, en aparencias no saben qué harán después. Estoy convencida, sin embargo, de que los jóvenes están mucho más preocupados que nosotros, los adultos, solo que por orgullo, por amor propio, por no generar ningún tipo de aprensión, no lo dejan ver. Sin embargo están ansiosos, aterrorizados, inseguros e intentan alejar estas sensaciones con la diversión: ¿Recuerda el discurso sobre la felicidad? La *buena vida* con los amigos se transforma en una especie de válvula de escape respecto a la incertidumbre del futuro y a la imposibilidad de proyectar una vida más feliz. ¿Y quién podría criticarlos por ello? Por otra parte todo el proceso formativo, de la guardería a la universidad, está articulado por etapas: primero estudias, después trabajas. El estudio y el trabajo son dos universos totalmente separados: no hay ninguna posibilidad de desarrollar un sistema educativo fundado en un proyecto de realización laboral. Cuestionarios y exámenes se llevan todo el esfuerzo del que son capaces, y de lo que venga después se pensará más adelante. El mundo del trabajo, por otra parte, no cuenta ciertamente con grandes oportunidades; no hay sectores económicos que tiren de los demás y que prometan un futuro mejor que los otros. Mientras escribo, está teniendo lugar una profunda crisis económico-financiera que tiene profundas huellas psicológicas sobre las jóvenes generaciones. Solo un visionario puede ser optimista. Solo un soñador puede ver más allá.

¿Es posible mantener la esperanza en un futuro y en un mundo mejor? Se trata de una pregunta que planteo a los adultos, una incógnita inquietante. Solo teniéndola en cuenta empezaremos a entender lo que chicos como Davide están viviendo en este momento.

«¿Qué quieres ser de mayor?», es una pregunta errónea. En la mente del joven se perfila un escenario confuso: el adolescente tiene una idea vaga del mercado de trabajo y lo único que sabe es que nadie le espera con los brazos abiertos. Una vez en posesión de un título, comprobará aquello que le ofrecen los anuncios del periódico local, escuchará las propuestas de padres y amigos. En resumen, buscará algo que hacer; nadie está en el paro toda la vida. Encontrará un trabajo, ¿pero cuál?, ¿de qué forma?, ¿con qué expectativas?

Acaso tendríamos que dejar de hacer el papel de funcionarios de la oficina del paro. Con decenas de chicos como Davide he advertido que la pregunta «¿Qué quieres ser de mayor?» es errónea: tiene un matiz objetivante, despersonalizado, como si el joven tuviera que considerar las posibilidades que los demás le ofrecen y olvidarse de pensar en qué le gustaría a él. La respuesta es casi siempre vaga. Si en lugar de ello le preguntamos: «¿Qué persona querrías ser de mayor?», todo cambia. No hablamos entonces del mercado de trabajo, hablamos de él. ¿Quién será? ¿En qué creerá? ¿Cuál será su quehacer por el que se le distinga? ¿Qué potencialidades desarrollará para lograrlo? ¿En qué se distinguirá de los demás?

Tener claro quién querrá ser permite al joven entender mejor quién es, cuáles son sus valores, sus convicciones, sus pasiones. Y de una identidad sólida, orgullosa, definida nacerá su proyecto de trabajo. Para llegar "al hacer" debemos partir "del ser". Cuando el chico tiene las ideas claras, desarrollará también la fuerza interior para esforzarse y luchar a fondo por aquello en lo que cree.

> Haga este experimento con su hijo: pregúntele a qué quiere dedicarse de mayor y, después, qué persona quiere ser de mayor. Observe la diferencia entre las dos respuestas recibidas.

LA CONVICCIÓN DE LOGRARLO, ES DECIR, ENTRENARSE PARA EL ÉXITO

Un padre que hace de *coach* debe entrenar la autoeficiencia de su hijo. Si este tiene sueños pero está convencido de que fracasará, la profecía se cumplirá. El chico debe estar convencido de su triunfo para encontrar aliados, esforzarse, luchar por su futuro. Diré inmediatamente que autoeficiencia no tiene nada que ver con autoestima: esta es un juicio que una persona formula sobre sí misma y su propio valor. Es una autovaloración global y, por consiguiente, descontextualizada. Prescinde de las actividades que se realizan, de la situación concreta en la que se encuentre un proyecto, de las relaciones que se están viviendo. La autoeficiencia, en lugar de ello, es el convencimiento de estar a la altura de las circunstancias del entorno o de estar en camino de afianzarse en una determinada actividad. No es una autovaloración global, sino un conjunto diferenciado de juicios relacionados con las diversas áreas en las cuales se opera. Un chico puede ser bueno y estar bien preparado en matemáticas, y ser un desastre en dibujo. Puede mostrar una alta autoeficiencia en sus relaciones, pero resulta más baja en el colegio o el instituto.

El sentido de autoeficacia es el convencimiento profundo y fundado de estar a la altura de una situación y de ser capaz de obtener resultados óptimos con las competencias, las habilidades y las capacidades propias. No es un rasgo del carácter ni de la personalidad, sino el resultado del modo en el que éxitos, fracasos, ayudas recibidas, dificultades, esfuerzos, soluciones, estados de ánimo y titubeos son experimentados, integrados, planificados y asumidos. No es, en suma, nada mecánico: no deriva de las experiencias vividas sino del modo en cómo se ven estas.

Muchos resultados de nuestra vida son fruto de la interacción con el entorno. Juzgarnos enteramente responsables de los resultados de nuestras acciones, es tan erróneo como decir que la responsabilidad recae solo en las circunstancias. Estas son externas a nosotros pero al mismo tiempo están dentro de nosotros, porque somos parte del todo y lo constituimos. Para los demás nosotros estamos en su entorno. Nuestra relación con el exterior no siempre es igualitaria, pero nuestra convicción de poder influir en aquello que queremos es sin embargo fundamental. La interpretación del entorno y el modo en el que nos relacionamos con él, forman parte de nuestro sentido de la eficacia. Cuanto más fuerte es este sentido, más elevadas son nuestras probabilidades de alterar los factores externos. El sentido de la eficacia de las propias acciones orientadas a un resultado es válido, ya sea en el ámbito interno (cuánto puedo cambiar y cómo) o en el ámbito externo (cómo puedo cambiar el entorno que me rodea). Los dos convencimientos están ligados.

Esta sensación, por otra parte, no tiene en cuenta el número de habilidades que se posean, sino en lo que se cree factible con los medios a nuestra disposición en diversas circunstancias. En quienes alcanzan el éxito, por ejemplo, es indestructible y está acompañada de la certeza del valor del propio trabajo. Artistas y científicos que se han hecho célebres mundialmente, han pasado por una infinita serie de fracasos antes de triunfar.

Quien tiene un gran sentido de la eficacia logra valorar de modo realista las posibilidades de éxito de la propia obra, y es consciente de que si se esfuerza adquirirá las competencias necesarias para alcanzar el objetivo. Sabe que el fracaso no demuestra que la meta sea inalcanzable; por otra parte, el exceso de seguridad puede llevar a una brusca desilusión. La firme confianza en las propias capacidades debe combinarse con un análisis probabilístico de la realidad y, sobre todo, con un empeño tenaz frente a las dificultades que surjan al paso. La seguridad no conlleva el éxito, pero lo cierto es que la inseguridad lo aleja inexorablemente.

Hay cuatro aspectos sobre los que las convicciones de eficacia ejercen enormes consecuencias. Probemos a imaginarnos a los padres en estas situaciones.

1. *Cognitivo*. Las personas con elevada autoeficiencia se sirven de su energía interior para analizar en detalle las situaciones, para flexibilizar sus estrategias, para ser decididas en la consecución de sus planes y para preconfigurar el logro de sus objetivos. Miran a lo lejos, pero con los pies puestos en la tierra. Atribuyen los fracasos a la falta de empeño o a los límites de la propia siuación, con el convencimiento de que pueden mejorar. Orientan su vida hacia futuros éxitos, por ejemplo: «Sé que está utilizando la mitad de sus recursos; me parece que es capaz de hacerlo mejor. Puedo apoyarle y ayudarle más».

Quien, sin embargo, no posee esta seguridad se imagina situaciones de fracaso antes de que sucedan, subraya los riesgos y abandona el análisis de las potencialidades: «Mi hijo no lo conseguirá; es culpa mía. ¡Soy un fracasado!».

2. *Motivacional*. Cuando se tiene un bajo sentido de la eficiencia se encuentran dificultades, obstáculos, reveses que ralentizan el esfuerzo y hacer abandonar o conformarse con resultados mediocres: «No sé qué hacer con mi hijo, sigue yendo mal en los estudios y lo he intentado todo, absolutamente todo. No soy capaz».

Las personas con un alto sentido de eficiencia, por el contrario, redoblan los esfuerzos, proyectan nuevos métodos para afrontar los retos, se asignan objetivos estimulantes, consideran superables los obstáculos y atribuyen los fracasos a condiciones controlables. Su carga motivacional no decrece, sino que alimenta un nuevo esfuerzo hacia el éxito: «Pensaba ayudarle, pero él estaba cambiando y yo no me daba cuenta. Iré al centro de enseñanza y hablaré con el profesor; después, buscaré la solución con él; es un chico estupendo y sé que lo conseguirá».

3. *Emocional*. Un fuerte sentido de eficiencia reduce la vulnerabilidad al estrés y a la depresión, aumenta la capacidad de actividad frente a las adversidades y, sobre todo, empuja a crear y desarrollar relaciones productivas y dinámicas, a dar lo mejor de uno mismo; además, facilita la recuperación: «El cuarto está desordenado; quién sabe en qué estaba pensando. Le diré que me tiene que echar una mano en casa, pero querría saber de verdad cómo vive este momento. Debo ser perseverante».

Un bajo sentido de eficiencia comporta sin embargo mayor cansancio, más estrés emotivo y fisiológico: «Es increíble. Una vez más su habitación patas arriba. Me siento engañada y furiosa. Cuando vuelva me va a oír».

4. *Elecciones y objetivos*. La percepción de la propia eficiencia desempeña un papel fundamental en la elección de objetivos y del entorno al que pertenezca. Las tareas difíciles se convierten en retos estimulantes más que en amenazas evitables, y aumentan de dificultad al incrementarse su propio rendimiento. Esto es así porque la persona sabe que su sentido de eficiencia crece si el objetivo es complejo. Además, no es tan importante el éxito cuanto las propias posibilidades. Quien alterna resultados positivos y negativos, pero ve que su rendimiento mejora con el tiempo, confía en sí mismo más que quien obtiene buenos resultados pero ve que su rendimiento está siempre al mismo nivel.

CONSECUCIÓN DE LA AUTOEFICIENCIA	
AUTOEFICIENCIA DÉBIL	**AUTOEFICIENCIA FUERTE**
REACCIONES ANTE TAREAS DIFÍCILES: - EVITACIÓN DEL OBSTÁCULO/FRACASO. - ESTRÉS Y ANSIEDAD. - CONCENTRACIÓN EN LOS PROPIOS LÍMITES, LOS POSIBLES OBSTÁCULOS, LAS EVENTUALES CONSECUENCIAS NEGATIVAS. - SUSTITUCIÓN POR TAREAS SUBJETIVAMENTE MÁS FÁCILES.	REACCIONES ANTE TAREAS DIFÍCILES: - ACEPTACIÓN/ÉXITO. - EXCITACIÓN POR EL RETO QUE ES PRECISO SUPERAR. - INTERÉS INTRÍNSECO, EMPEÑO FUERTE Y CONSTANTE, CONCENTRACIÓN EN LA TAREA. - SENTIDO DE CONTROL.
REACCIONES ANTE LOS OBSTÁCULOS DURANTE LA TAREA: - RENUNCIA. - DISMINUCIÓN DEL ESFUERZO, POCAS TENTATIVAS.	REACCIONES ANTE LOS OBSTÁCULOS DURANTE LA TAREA: - PERSEVERANCIA. - INCREMENTO DEL ESFUERZO, ESFUERZOS CONSTANTES.
REACCIONES ANTE ÉXITOS Y FRACASOS: - ATRIBUCIÓN INTERNA A UN FACTOR INCONTROLABLE: «ME HAN PODIDO LAS CIRCUNSTANCIAS». «HE TENIDO MUY MALA SUERTE». - CAÍDA DE LA AUTOEFICIENCIA Y RECUPERACIÓN LENTA («SOY UN DESASTRE, YA NO LO CONSIGO»); CELEBRACIÓN DE LOS RESULTADOS Y DEL DESTINO («SI NO FUESE POR..., NUNCA LO HABRÍA CONSEGUIDO»).	REACCIONES ANTE ÉXITOS Y FRACASOS: - ATRIBUCIÓN INTERNA A UN FACTOR CONTROLABLE: «NO HE PUESTO EL EMPEÑO SUFICIENTE», «SOLO TENGO QUE ADQUIRIR MAYOR CONOCIMIENTO/CAPACIDAD», EN CASO DE RESULTADO NEGATIVO; «PUEDO MEJORAR EN TAL O CUAL SENTIDO», EN CASO DE RESULTADO POSITIVO. - RECUPERACIÓN RÁPIDA DE LA AUTOEFICIENCIA TRAS UN FRACASO.

¿Cómo mejorar la propia autoeficiencia? La autoeficiencia tiene cuatro fuentes fundamentales:

1. Las experiencias personales directas, pasadas, presentes y futuras. El éxito, entendido como logro de un objetivo, es fuente de un alto potencial de la autoeficiencia, pero en sí no basta. Depende de cómo se valore. Una persona con escaso sentido de eficacia tenderá a imputar los éxitos a factores casuales, y sobre todo no obtendrá satisfacción del proceso que ha puesto en marcha para alcanzar la meta porque no lo sentirá suyo. Además, valorará los fracasos no solo en base a su propio rendimiento, sino como características generales («¡Nunca se me han dado bien las matemáticas!»). Una persona con un alto senti-

do de eficiencia, en lugar de ello, reforzará sus convicciones, estará satisfecha y, al mismo tiempo, tendrá una gran serenidad de ánimo para analizar científicamente su rendimiento. El éxito, sin embargo, no es tan importante como la dinámica del proceso. Presentamos ahora un ejercicio para monitorizar su comportamiento, qué habilidades ha empleado, cuánto empeño ha puesto, qué ajustes y mejoras habría podido aportar.

Ejercicio 1

Rememore las experiencias más exitosas durante su vida como padre o madre:

- ¿Cuáles han sido?
- ¿Cuántas son?
- ¿Qué capacidades las han favorecido?
- ¿Cómo podría mejorarlas?
- ¿Qué otras capacidades podría poner hoy en día en práctica respecto del pasado?

Intente hacer el mismo ejercicio con su hijo. ¡Celebre todos los éxitos! Solo así se incrementa el sentido de eficiencia, ya sea en los estudios, ya sea en la vida.

2. Las experiencias vicarias, que incrementan el sentido de autoeficiencia a través de la transmisión de competencias y la comparación con las prestaciones obtenidas por otras personas. La comparación con los otros se convierte en norma a través de factores culturales e individuales. Cuanto más conscientes seamos de neustro parecido, tanto más eficaz será el parangón para determinar el nivel de la propia capacidad. Las personas buscan activamente modelos que presenten las competencias a las que aspiran; mediante su comportamiento y su modo de pensar, los modelos competentes transmiten conocimiento y

muestran capacidades y estrategias eficaces para gestionar las exigencias planteadas por el entorno. Cuentos, metáforas y anécdotas contribuyen a incrementar la convicción de eficiencia personal y a maximizar la función instructiva del modelo. Pero a menudo, a causa de nuestra cultura, somos estimulados y vemos este último con envidia y con celos, es decir, con un sentimiento de inadecuación. En ocasiones presentamos nuestros éxitos con excesiva modestia o, por el contrario, con excesivo entusiasmo. Esto es así porque nos concentramos únicamente en los resultados, sin tener en cuenta el proceso que ha originado su resultado. Prestando atención al recorrido realizado, aumentan las posibilidades de aprender de las personas competentes y, en consecuencia, de mejorar el propio sentido de eficiencia.

Ejercicio 2

Intente recordar éxitos de otros padres que conozca:

- ¿Qué capacidades han puesto en práctica?
- ¿Cómo puede usted aprender de su experiencia?
- ¿Qué provecho puede sacar para el futuro?

Pruebe a hacer lo mismo con su hijo preguntándole a quién admira más, por qué y planteándole las mismas preguntas.

3. La persuasión verbal y las influencias sociales afines, que infunden confianza en las propias capacidades. Las personas pueden aumentar su sentido de autoeficiencia mediante la persuasión de terceros, especialmente de manera verbal. Aunque no se trata de una fuente privilegiada, es útil si aporta un análisis adecuado. La persuasión es un instrumento potente, pero solo si las valoraciones positivas son realistas y se dan en el seno de unas relaciones

fundadas en la lealtad y la confianza. Si se pondera a una persona por simple *captatio benevolentiae*, el elogio será seductor pero falso, y alimentará un sentido de eficiencia superficial y carente de realismo. Cada vez que veamos que nuestro hijo da un paso adelante, intentemos convencerle de que en la vida puede obtener todo lo que desee si tiene en consideración el corazón y la cabeza.

4. Los estados fisiológicos y afectivos en base a los cuales las personas juzgan en parte su capacidad, su fuerza de voluntad y su vulnerabilidad. Las condiciones emocionales, en particular la sensación de estrés, son fundamentales para la realización de una tarea. Alguien con escasa autoeficiencia experimentará un acusado estrés ante una tarea, lo que hará surgir un sentimiento de inadecuación que a su vez incrementará el estrés; todo ello alimenta un círculo vicioso del cual es muy difícil salir. Mejorar, por el contrario, las condiciones físicas generales reduce el nivel de estrés; la tendencia a saber gestionar las emociones negativas es fundamental para aumentar la confianza en las propias capacidades. A veces a nuestro hijo le bastará un abrazo o una caricia para sentirse más fuerte y seguro. Lo importante es no dar jamás el cariño por descontado.

DE LA ESPERANZA A LOS OBJETIVOS

Estamos llegando casi al término de esta singladura. Como hemos visto, la tercera fase de un adolescente es comprender, descubrir, inventar y planificar su camino hacia el futuro. Lo modificará infinitas veces en la vida, como hemos hecho y hacemos todos nosotros. Pero para él es el primer proyecto importante, y por esto es sumamente oportuno entrenar su sentido de la esperanza.

CALIFIQUE SU GRADO DE ESPERANZA Y EL DE SU HIJO

	SÍ	NO
Veo el futuro con optimismo		
Suelo pensar que mi modo de hacer resulta eficaz		
Tengo una visión clara del futuro		
Transformo mis deseos en objetivos		
El miedo a no lograrlo me permite analizar el contexto para conseguir lo que quiero		
Tengo un plan para mis próximos cinco años		
Total		

Para "tener esperanza en el futuro", el total de síes ha de ser superior a 4.

La esperanza es, en primer lugar, un sentimiento que deriva de una multiplicidad de sensaciones aparentemente contradictorias. Nace de la carencia, del miedo, del conflicto, de lo negativo. Espero solo si deseo, y deseo solo si siento que me falta algo, si no estoy satisfecho, si sufro. No deseo el amor de una mujer en el futuro, si tengo la suerte de gozarlo hoy. No quiero una bonita casa, si ya la poseo. Solo si no siento el amor, intentaré buscarlo; pero la ausencia es también una presencia vehiculada por el deseo. Aunque me falta el amor, sé que puedo conseguirlo. Del mismo modo, solo si advierto las auténticas potencialidades de mi hijo, puedo confiar en que las realice con éxito. La esperanza es sobre todo de los padres, pero es contagiosa y puede transmitirse a los hijos. Basta sentirla profundidadamente.

La esperanza no es optimismo acrítico, no es soñar con los ojos cerrados, sino que mantiene siempre el miedo a que el futuro no pueda realizarse. Preconfigura un porvenir auspiciado, pero incierto. Lo importante es emplear el miedo para ser más eficiente y no dejarse abrumar por la incertidumbre. ¿Pero cómo?

La esperanza de un joven puede adoptar diferentes formas: la imaginativa y fantasiosa de un Julio Verne, la visión de un líder, la probabilidad estadística de un economista, la estrategia de un jugador, los suspiros de un enamorado, la energía de un aficionado al fútbol, la lealtad de un amigo. En todos los casos es un movimiento activo, no una simple espera. Para desencadenar las mejores sinergias, la esperanza debe enfrentarse con el principio de realidad, es decir, debe supeditar los deseos a las potencialidades y no a lo imposible. Debe configurarse como una utopía que, al mismo tiempo, sea factible y bella. Debe caminar hacia un lugar que no está en el presente, pero que es alcanzable desde una perspectiva realista. Como Colón, que partió provisto de centenares de mapas, de infinitos días de cálculo, de equipo profesional, de naves sólidas y capaces de afrontar las tempestades y, sobre todo, de su capacidad como navegante. También se puede fracasar y, en realidad, Colón fue el protagonista de un increíble fracaso: debía buscar la ruta más corta para llegar a las Indias y se encontró con la más larga. Pero también en este caso podemos obtener resultados inesperados.

Es el principio de realidad lo que transforma la utopía en programa, en objetivos, en estrategias de acción. Los padres tienen pues una doble tarea: estimular el sueño y contribuir a hacerlo realidad.

En este sentido la esperanza está hecha de práctica, de acción, de iniciativa, de la expresión concreta de los propios sueños, de un análisis atento de las circunstancias. Un adulto que no tenga confianza en el futuro es un virus mortal para el adolescente, mientras que uno que albergue deseos y voluntad de luchar es un ejemplo de éxito. La esperanza permite al observador tener una visión dinámica de la realidad y canalizarla hacia un posible cambio. El que espera activamente busca el contexto o las palancas justas para realizar lo que desea; su optimismo dependerá del número de aliados que concentre a su alrededor.

En el pesimista el deseo se manifiesta en una simple constatación del vacío, porque desde el principio siente la nulidad de sus posibilidades de realización.

Por esto, hay corrientes filosóficas y psicológicas que ven en el principio de adaptación el inicio y el fin de toda esperanza. De igual modo que el desesperanzado no hará otra cosa que buscar confirmación a su impotencia, el esperanzado buscará indicios que le muestren cómo llegar a su meta. Si un chico actúa movido por una pasión, es que ha entrenado su sentido de autoeficiencia y quiere realizarse como artista, como director, como escritor, buscar en la realidad todas las oportunidades para hacerlo posible, las ocasiones formativas, los contactos adecuados, el conocimiento del mundo en el que quiere integrarse. Quien, por el contrario, no tiene un deseo, estará solo interesado en encontrar un trabajo, el que sea. Una persona llena de esperanza no se detiene a observar el entorno y sus dificultades: la incapacidad del centro de enseñanza para ayudar o la desidia de los políticos, que tan solo piensan en sus poltronas. Experimenta en lugar de ello un fuerte impulso a la acción. Para gozar plenamente de un cuadro no se limita a contemplarlo: lo interioriza. El pensamiento que se alía con la esperanza participa del objeto que conoce, analiza cómo progresa su obra, la preconcibe como arte posible. Pensar en términos de esperanza significa llegar más lejos.

Es cierto que existe el riesgo al fracaso, y el miedo de no conseguir el objetivo. Una persona puede imaginar que realiza una empresa creativa y fascinante, pero sabe que puede fallar. Un hombre puede pedirle a una mujer que lo ame, pero puede ser rechazado. Un niño puede pedir un juguete a sus padres, pero es consciente de que tendrá que negociar para conseguirlo. Un adolescente puede imaginar que se convierte en estrella de la música o del cine, pero sabe que existe la posibilidad de quedarse solo en figurante. La esperanza es tan arriesgada como el deseo. Algunas corrientes de pensamiento, a menudo alimentadas de cientifismo o de religiosidad, basan su éxito en la enseñanza de la adaptación al medio, a cambiar no la realidad sino a uno mismo. Preconizan enseñar a amar a quien no se ama, a estar satisfechos con un trabajo que no satisface, a contentarse con una casa que no es acogedora, a vivir en una sociedad injusta. Enseñan a contentarse y producen espera: «En la espera no hay aguante, no hay organización del tiempo, porque el tiempo es absorbido por el torbellino del futuro, que consume el presente y lo despoja de significado, ya que todo lo que sucede está invadido por el temor y la angustia de perderse el suceso. La esperanza, por el contrario, mira más allá y amplía el espacio futuro, desvincula la espera de la concentración sobre lo inmediato y dilata el horizonte. La esperanza es, en realidad, la apertura de lo posible»[49].

La identidad personal, social y colectiva ya no procede determinísticamente del pasado, sino que se convierte en proyecto, construcción, hipótesis. La esperanza, por consiguiente, es vida activa. «Los jóvenes se esfuerzan cuando gracias a la esperanza avanzan con el tiempo, y no cuando en compañía de la espera aguardan a que el tiempo vaya hacia ellos»[50].

LOS OBJETIVOS

Hay mucho miedo entre los jóvenes y entre nosotros, los adultos. Miedo de no encontrar trabajo o de perderlo, de romper una relación que no funciona porque la soledad es peor, de expresarse porque uno se hace más vulnerable, de cimentar amistades, amores, afectos auténticos para no arriesgarse a ser desilusionado, y

[49] Umberto Galimberti: *L'ospite inquietante: il nichilismo e i giovani*. Feltrinelli, Milán 2007; p. 146.

[50] Ibíd.: p. 147.

el miedo puede ser la antítesis de la esperanza. Se antepone a esta y la combate desde el punto de vista del temor a cambiar para no perder lo que se tiene, para no fragmentarse, desintegrarse: un modo de conservación personal que niega la vida. Esta ansiedad manipula y engaña, generando exactamente un futuro no deseado. El miedo a no ser aceptado produce artistas que no se implican en sus obras; el miedo al amor nos condena a estar solos; el miedo a expresarnos hace que nuestro pensamiento caiga en el olvido. El miedo no ayuda, obstaculiza a menos que aprendamos a usarlo, pero para ello hemos de prestar oídos a los susurros que escuchamos tras la cortina de las ilusiones, hemos de mirar por el hueco de la cerradura para descubrir la verdad oculta. Entonces el miedo puede ser un aliado que aconseja en lugar de mandar, que sugiere en lugar de imponer, que inspira en lugar de impedirnos ver, planificar, construir el futuro. Es necesario afrontar los temores con esperanza, es decir, no perderse en las ilusiones sino admirar y llevar a la práctica los sueños que pueda tener un chico, ayudándolo a transformarlos en proyectos.

Un chico parte de su deseo de ser antes que de hacer. Pero el desear no es todavía acción, acto de voluntad: puede incluso permanecer en un estadio donde la voluntad no está presente. Quien se refugia en la lamentación constante de lo que no funciona o de lo que le falta, transmite su angustiosa impotencia, no sabe elegir porque quiere permanecer en pasividad segura; quien ha acumulado derrotas y soporta sobre los hombros un agobiante fardo de pesimismo, quien carece del coraje de seguir andando, quien ha sido educado en la adaptación y el conformismo porque "más vale lo malo conocido...", quien se refugia en la diversión con los colegas (que desaparecen una vez se emparejan). Estas personas están llenas de sueños, pero no de voluntad práctica, de proyectos estratégicos, de impulso constructivo. El sueño puede permanecer latente, abstracto, íntimo, casi secreto, y no transformarse en realidad al quedar paralizado, pasivo.

Se puede desear y no querer y, por otra parte, *no se puede querer sin desear*. El amor, el poder, la serenidad pueden ser objeto de deseo pero se tornan hechos solo cuando son queridos, y son queridos cuando se sienten como fuente de satisfacción, es decir, cuando se transforman en *objetivos*.

La esperanza, acompañada del miedo "amigo", se refleja en el diálogo entre padres e hijos, cuando se analizan los escenarios de las acciones posibles, se proyectan objetivos claros, se desarrollan estrategias para alcanzarlos, se mantienen las motivaciones para llevar a cabo el plan trazado. Todo lo que hemos aprendido sobre el afecto, la comunicación, la escucha, el apoyo, la educación para la felicidad, el entrenamiento del sentido de autoeficiencia, se concentra en este momento.

La esperanza es la confianza en el mañana, incluso después de fracasos o de expectativas vanas, y en el plano psicológico es un antídoto frente a las frustraciones. Desde el punto de vista fenomenológico es, sin embargo, actividad, espera y deseo de futuro: se vive el presente como manifestación del porvenir, que se ve mientras se acerca. «La esperanza va más lejos en el porvenir que la espera. Yo no espero nada ni para el instante presente ni para el que inmediatamente le sucede, sino para el porvenir que se desarrolla después. Liberado del mordisco del porvenir inmediato, vivo la esperanza de un porvenir más lejano, más amplio, lleno de promesas. Entonces, la riqueza del porvenir se abre ante mí»[51].

Confiar en el cambio es una condición necesaria para que suceda. Si no se cree por lo menos un poco en la existencia de una alternativa realizable, no es posible modificar nada, ni si-

[51] Eugène Minkowski, citado por Umberto Galimberti: *Diccionario de psicología*. Siglo XXI, México 2002.

quiera aunque la situación parezca insostenible. No bastan el drama, la tragedia o el peso de lo inaguantable. La esperanza se correlaciona con el optimismo, con la orientación hacia el futuro y con las estrategias de actuación: espero lo mejor de mis acciones y no de los hechos en general. Según la psicología positiva, los optimistas logran siempre mejores resultados en todos los campos que los pesimistas, no sufren ansiedad ni depresión, gozan de mejor salud y cultivan buenas relaciones sociales. Además demuestran mayor propensión a solucionar los problemas y a seleccionar las fuentes de información más relevantes[52].

Entrenar la esperanza significa examinar con el adolescente sus objetivos, que pueden ser generales (por ejemplo, mejorar un rasgo de su carácter), de área, es decir, concernientes a un aspecto de su propia vida (encontrar un trabajo satisfactorio, una persona a la que amar y con la que compartir la vida), o bien específicos (matricularse en una determinada facultad para obtener una especialización determinada). La confianza en el futuro, por consiguiente, puede tener diferentes niveles de abstracción, por lo que es muy importante contextualizarla relacionándola con los objetivos que se desee alcanzar. Pero ¿cómo se determina un objetivo? Para incrementar la esperanza debe existir una motivación intrínseca (es decir, interna y en armonía con la propia identidad), ser realista y encuadrable en el entorno, junto con los eventuales obstáculos que pudieran surgir.

La esperanza forma parte de nuestra identidad. Bastará con que refiera a su hijo algún relato en que haya hecho frente y superado un reto difícil, para que el chico identifique el episodio como parte integrante de la vida de la familia. Escriba después cinco historias en las que narre qué objetivos ha alcanzado, qué estrategias elaboró y puso en práctica para conseguirlos y qué motivaciones le impulsaron a ello.

[52] Shane J. López, C. R. Snyder: *Handbook of positive psychology*. Oxford University Press. Oxford 2002.

Ejercicio

Una vez tenga las ideas claras, el optimismo del adolescente se haya fortalecido y las tinieblas del futuro se dispensen mostrando los múltiples escenarios posibles, trabaje con su hijo marcándose unos objetivos. Para hacerlo mejor, piense usted en un objetivo que aún quiera alcanzar en la vida y ejercítese siguiendo las indicaciones que se dan a continuación.

Estrategia de realización

Cosas que hacer:

1. Subdivida el objetivo final que haya elegido (el resultado que espera) en una serie de objetivos parciales.
2. Concéntrese en ellos como si fueran pequeños pasos hacia la meta.
3. Seleccione las acciones más adecuadas para alcanzarlos y elija las más eficaces.
4. Visualice mentalmente los posibles obstáculos y el modo de superarlos.
5. Si necesita adquirir nuevas competencias, procure aprenderlas mediante un plan de formación preciso.
6. Identifique a los aliados emocionales y practique para alcanzar los objetivos que se haya propuesto.

Cosas que evitar:

1. No piense que puede lograr todos los objetivos de una sola vez.
2. No tenga demasiada prisa en alcanzar los objetivos.
3. No se precipite en la selección de las estrategias más adecuadas.
4. No dé vueltas y vueltas a la idea de buscar el camino perfecto para llegar a la meta;
5. No deduzca que le falta talento o valor si la estrategia inicial resulta un fracaso.
6. No confíe demasiado en la persona que lo alaba en el caso de no haber encontrado solución a los problemas.

Motivaciones

Cosas que hacer:

1. Dígase a sí mismo que ha elegido el objetivo con autonomía.
2. Aprenda a hablar de ello en términos positivos (por ejemplo, «puedo conseguirlo»).
3. Recuerde todos los objetivos pasados perseguidos con éxito. especialmente cuando se sienta bloqueado;
4. Practique la autoironía, sobre todo cuando encuentre obstáculos en la realización de las tareas.
5. Establezca un nuevo objetivo cuando esté absolutamente seguro de que el previsto es inalcanzable.
6. Intente apreciar el itinerario más que la obtención del objetivo.

Cosas que evitar:

1. No se deje distraer ni sorprender por los obstáculos que puedan surgir a lo largo del camino.
2. No intente reprimir todos los pensamientos negativos, porque le hará ser más fuerte.
3. No se impaciente cuando sus deseos se realicen cumplan más bien a velocidad lenta.
4. No concluya que nada cambiará cuando esté de mal humor.
5. No se autocompadezca frente a las dificultades.
6. No continúe persiguiendo un objetivo que se revela verdaderamente imposible de alcanzar.

Pregúntese a menudo qué está haciendo y valore positivamente los progresos que le llevan hacia su objetivo.

Haga personalmente este ejercicio más veces, y, si funciona, repítalo con su hijo. ¡Le espera un trabajo creativo muy estimulante!

BIBLIOGRAFÍA

Andreoli Vittorino: *Lettere al futuro, per un'educazione dei sentimenti.* BUR Extra, Milán 2008

Íd.: *Carta a un adolescente.* RBA, Barcelona 2006

Bandler Richard, Grinder John: *La estructura de la magia: lenguaje y terapia.* Cuatro Vientos, Santiago de Chile 1998

Bollea Giovanni: *Genitori grandi maestri di felicità.* Feltrinelli, Milán 2005

Braconnier Alain, Marcelli Daniel: *Psicopatología del adolescente.* Masson, Barcelona 2005

Carr-Gregg Michael: *Cómo sobrevivir a la adolescencia de sus hijos.* Médici, Barcelona 2008

Chopra Deepak: *Las siete leyes espirituales del éxito. Una guía práctica para la realización de sus sueños.* Edaf, Madrid 1996

Coelho Paulo: *Veronika decide morir.* Planeta, Barcelona 2006

Copley Beta: *Il mondo dell'adolescenza: società, letteratura e psicoterapia psicoanalitica.* Astrolabio, Roma 1996

Covey Stephen R.: *Los 7 hábitos de la gente altamente efectiva.* Paidós Ibérica, Barcelona 2011

Csikszentmihalyi Mihaly: *Fluir (*Flow*). Una psicología de la felicidad.* Kairós, Barcelona 1997

De Luca Erri: *El día antes de la felicidad.* Siruela, Madrid 2009

Deci Edward L., Ryan Richard M.: *Motivación intrínseca y autodeterminación en el comportamiento humano.* Afluente, 1985

Dilts Robert B.: *"Coaching". Herramientas para el cambio.* Urano, Barcelona 2004

Dolto Françoise: *Adolescenza, esperienze e proposte per un nuovo dialogo con i giovani tra i 10 e i 16 anni.* Mondadori, Milán 1990

Ferraino Giuliana: *Pessimismo globale*, en "Corriere della Sera". 23 de enero de 2008

Ferrari Armando B.: *Adolescenza: la seconda sfida. Considerazioni psicoanalitiche.* Borla, Roma 1994

Galimberti Umberto: *Diccionario de psicología.* Siglo XXI, México 2002

Íd.: *L'ospite inquietante: il nichilismo e i giovani.* Feltrinelli, Milán 2007

Giuffredi Giovanna, Inama Lia: *Cosa farà da grande: manuale di orientamento per genitori e insegnanti. Sansoni per la scuola.* Florencia 1994

Giuffredi Giovanna: *Attività di orientamento nella pratica scolastica.* Fratelli Palombi, Roma 1983

Íd.: *Il protagonista del proprio avvenire*, Società Italiana di Psicologia. Divisione Psicologia dell'Orientamento 1990

Íd.: *Sussidio multimediale di aggiornamento docenti sull'alternanza scuola-lavoro* Cles - Ministerio de Educación, Universidad e Investigación. Roma 2008

Goodman Paul: *La gioventù assurda (Growing up absurd).* Einaudi, Torino 1964

Greenspan Stanley I., Pollock George H.: *Adolescenza.* Borla, Roma 1997

Haskins Diana: *Padres de familia como formadores.* Panorama, México 2004

ICF Global Coaching Study 2007, investigación realizada por PricewaterhouseCoopers para la International Coach Federation (www.coachfederation.org)

Lopez Shane J., Snyder C. R. (a cuidado de): *Handbook of positive psychology.* Oxford University Press, Oxford 2002

Maggiolini Alfio, Pietropolli Charmet Gustavo (a cuidado de): *Manuale di psicologica dell'adolescenza: compiti e confiitti.* FrancoAngeli, Milán 2004

Marcazzan Alessandra, Pietropolli Charmet Gustavo: *Piercing e tatuaggio, manipolazioni del corpo in adolescenza.* Franco Angeli, Milán 2000

Martina Roy: *¡Eres un campeón! Programa de alto rendimiento para conquistar tus metas.* Grijalbo, México 1997

McRae Barbara: *Coach your teen to success. Seven simple steps to trasform relationship and enrich lives.* Achievers Trade Press, 2004

Newton Sarah: *Help! My teenager is an alien. The everyday situation guide for parents.* Michael Joseph Ltd., Londres 2007

Íd.: *Le madri non sbagliano mai.* Feltrinelli, Milán 1995

9°. Rapporto Nazionale sulla condizione dell'infanzia e dell'adolescenza, a cuidado de Eurispes y Telefono Azzurro, en la página www.azzurro.

Pelanda Eugenia: *Non lo riconosco più. Genitori e figli: per affrontare insieme i problemi dell'adolescenza.* FrancoAngeli, Milán 1995

Pennac Daniel: *Mal de escuela.* Mondadori, Barcelona 2008

Pietropolli Charmet Gustavo: *I nuovi adolescenti: padri e madri di fionte a una sfida.* Rafaello Cortina Editore, Milán 2000

Íd.: *Fragile e spavaldo: ritratto dell'adolescente di oggi.* Laterza, Roma 2008

Rogers Carl R.: *Libertad y creatividad en la educación.* Paidós Ibérica, Barcelona 1996

Saso Patt, Saso Steve: *Genitori e adolescenti: istruzioni per l'uso tra regole e amore.* Fabbri, Milán 2007

Seligman Martin E. P.: *La auténtica felicidad.* Zeta Bolsillo, Barcelona 2011

Stanchieri Luca: *Il meglio di sé: come sviluppare le proprie potenzialità con il lifecoaching.* FrancoAngeli, Milán 2004

Id:, *Essere leader non basta... Come costruire una leadership per il benessere e l'eficienza.* FrancoAngeli, Milán 2006

Id.: *Scopri le tue potenzialità: come trasformare le tue capacita nascoste in talenti con il* coaching *e la psicologia positiva.* FrancoAngeli, Milán 2008

Watzlawick Paul, Beavin Janet Helmick, Jackson Don D.: *Teoría de la comunicación humana.* Herder, Barcelona 1997

Whitmore John: "*Coaching*", Paidós Ibérica. Barcelona 2011

AGRADECIMIENTOS

La vida es un curioso encadenamiento de sucesos, y cada paso que damos nos lleva hacia el siguiente. Este libro nace a raíz de nuestra aventura televisiva, que hemos realizado gracias a la voluntad, a la colaboración, al sostén y a la participación de personas que nos han apoyado y han creído en el valor de esta experiencia. Se lo agradecemos desde lo más profundo de nuestros corazones.

Empezamos con Francesca Canetta y Giorgio Gori (directivos de la productora Magnolia), por haber querido explorar el universo de los jóvenes, y Eugenio Bonacci, responsable del formato. Gracias a Francesca Carravieri (responsable de Discovery Real Time) y a Valentina Orengo (responsable de La7) por haberse implicado en este proyecto educativo; a nuestros impagables guionistas y regidores Mario Andrei, Maurizio Catalani, Giuseppe Ghinami, Monia Palazzo, Iris Rupnik, por su sensibilidad y atención hacia los chicos, por su infinita paciencia y por habernos ofrecido líneas de actuación coherentes; a Giorgio d'Introno, Maria Elena di Ponzio y Simona Iannicelli, ayudante de dirección, guía omnipresente y memoria viviente del formato. Nuestro agradecimiento particular para Alessandra Lera, responsable de producción, que con su gran creatividad nos ha dado ideas, planteamientos que desarrollar y todo el apoyo necesario para hacer nuestro trabajo. Y gracias a sus incansables Roberta Cattedra, Nicoletta Ciccolepre, Francesco Morosetti, Patrizia Rulli y Giampaolo Toselli por la ayuda que nos han prestado en todas las circunstancias y de todas las formas posibles: en las situaciones más complicadas... ¡allí estaban ellos! Gracias a Chiara Simeoni por su atenta gestión, al responsable de la redacción, Matteo Bracaloni, siempre dispuesto a encontrar respuestas y soluciones a cualquier problema, y a su equipo: Daniela Buongiovanni, Giovanni Contaldo, Riccardo Montanari, Alessandro Nativio, Giorgia Sonnino, Giusy Sorvillo y Francesco Tropeano, que con una gran maestría han escuchado a tantísimas familias, las han seleccionado y, después, han planificado y organizado cada capítulo. ¿Cómo no dar las gracias a Sabrina Chiocchio y Clara Polidori, nuestras encargadas de vestuario, por su paciencia y su habilidad en vestir a dos *coaches* reacios a la ropa de rodaje, y a los peluqueros por sus *milagros*? Gracias a los operadores y al editor de Eta Beta, en particular a los realizadores Davide Cuscunà, Daniele Franchina, Christian Maggi, Francesco Meneghini: su simpatía y su delicadeza han permitido que los chicos confiaran sus pensamientos a las cámaras con auténtica espontaneidad. Gracias a los editores Alessia Abri, Luca Lopilato, Monir y Marco Palazzo por haber enriquecido los capítulos con sus eficaces montajes. Gracias muy efusivas a Teo Bellia, el presentador que acompañaba nuestras aventuras televisivas.

Gracias a nuestros referentes en De Agostini: Valeria Raimondi, por haber apoyado nuestro proyecto editorial, Mónica Pagani, por sus puntuales aclaraciones; y gracias especiales a Alessia Mofia, nuestra paciente redactora, por las revisiones y por sus sabias sugerencias.

Y gracias una vez más a todas las asociaciones, a los expertos, a las personas que junto a nosotros han dedicado su tiempo a los chicos con pasión y compromiso. Un agradecimiento especial, por último, a nuestros adolescentes y a sus familias, por la confianza depositada en nuestras personas y por conquistar un pedacito de nuestros corazones.

Giovanna y Luca